KB139394

세상을 살아가는 데 꼭 알아야 할 6가지

셰익스피어에게 묻다

조지 와인버그 · 다이앤 로우 지음 | 김재필 옮김

HANEON.COM

세상을 살아가는 데 꼭 알아야 할 6가지

셰익스피어에게 묻다

펴 냄	2005년 9월 25일 1판 1쇄 박음 / 2005년 10월 1일 1판 1쇄 펴냄
지은이	조지 와인버그 · 다이앤 로우
옮긴이	김재필
펴낸이	김철종
펴낸곳	(주)한언
	등록번호 제1－128호 / 등록일자 1983. 9. 30
주 소	서울시 마포구 신수동 63－14 구 프라자 6층(우 121－854)
	TEL 02 · 701 · 6616 (대) / FAX 02 · 701 · 4449
책임편집	김지혜 ctwriting@haneon.com
디자인	최지안 jachoi@haneon.com
홈페이지	www.haneon.com
e-mail	haneon@haneon.com

ISBN   89-5596-272-X 03100

세상을 살아가는 데 꼭 알아야 할 6가지

셰익스피어에게 묻다

Will Power
by Dr. George Weinberg & Dianne Rowe

모든 인간에 대한 통찰력을 가졌던 셰익스피어.
그의 작품을 통해 당신과 당신 주변의
모든 세상을 알고 나아가길 바랍니다.

To...

_____

_____

_____

_____

_____

_____

_____

_____

From...

차례

om. Can I go forward when my heart is here?
Turn back, dull earth, and find thy centre out.

Ham. To be, or not to be, that is the question.

당신의 운명을 바꾸는 의지의 힘

오늘날 셰익스피어*Shakespeare*는 여러 면에서 공격받고 있다. 많은 사람들이 셰익스피어를 더 이상 우리들에게 유익하거나 중요한 존재가 아니라고 말하고 있으며, 고등학교나 대학에서는 그에 대해 가르치는 것까지도 회의적이다. 이제 그의 작품을 읽도록 강요하는 학교는 거의 없다. 그 결과 대부분의 어린이들은 〈줄리어스 시저*Julius Caesar*〉, 〈햄릿*Hamlet*〉, 〈맥베스*Macbeth*〉같은 희곡들에 대하여 아무것도 배우지 못하고 있다. 이렇게 자란 어린이들에게 셰익스피어는 자신들의 삶과 아무런 관계가 없는, 시대에 뒤떨어진 언어로 이야기하는 사람으로 여겨질 뿐이다.

이는 비극적인 현상이다. 지금까지 우리 자신과 타인에 대해 셰익스피어보다 더 잘 표현해낸 이는 없기 때문이다.

따라서 이 책의 목적은 셰익스피어가 아직도 가족이나 일과 관련된 문제들에서 우리 자신과 다른 사람들을 이해하는 데 매우 도움이 된다는 것을 보여주기 위한 것이라 해도 과언이 아니다. 그만큼 셰익스피어의 중요성은 조금도 줄어들지 않았으며 그의 작품을 관심 있게 읽지 않는다면 우리들은 실패자가 될지도 모른다.

그런 의미에서 이 책은 마음만 먹으면 셰익스피어가 작품을 통해 전했던 즐거움과 지혜를 우리 것으로 만들 수 있게 도와줄 것이다. 그의 모든 말들을 완벽히 이해할 수는 없을지라도, 셰익스피어의 수많은 문장들은 매우 의미심장하고 삶의 모든 단계에 큰도움이 되는 것이기 때문에, 그냥 지나치는 것은 그야말로 커다란손실이 아닐 수 없다. 따라서 우리는 이 책이 여러분들에게 셰익스피어가 진실로 가르쳐주고 싶었던 많은 유익한 것들을 전달해주기를 바란다.

21세기처럼 복잡한 세계에 살면서 인간관계나 일에서 성공하기 위해서는 노력, 훌륭한 외모, 또는 운이 좋은 것 이상의 무엇인가가 필요하다. 물론 이런 것들이 처음에는 다소 도움이 되겠지만, 가장 중요한 것은 여러분을 어떻게 한 인간으로 발전시킬 것인가하는 점이다. 당신은 완전하고 안정감 있는 존재라는 인상을 주고있는가? 아니면 미숙하고 유아적이어서 신뢰할 수 없는 존재라는인상을 주고 있는가?

사람들의 정신적인 삶에는 발달단계라는 것이 있는데 성공은 당신이 이 정신발달의 사다리를 얼마나 높이 올라가느냐에 달려 있다.

월리엄 셰익스피어를 임상치료사이며 안내자로 소개할 이 책은 당신에게 자신과 다른 사람들을 더 잘 이해하도록 가르칠 것이다. 또한 정신발달의 사다리를 더 높이 오르는 법과, 이를 통해 삶과 인간관계에서 성공하는 법을 보여줄 것이다. 그 결과 여러분은 '강한 의지'를 얻게 된다.

이 책에서 '나'는 30여 년 동안 정신요법의사로서 다양한 사람들을 치료하고 상담한 조지 와인버그를 말한다. 많은 사람들이 위기에 처하거나 현재의 삶이 성공적이지 못하다는 것을 깨달은 후 그를 찾아왔다. 그의 임무는 사람들이 변화할 수 있도록(혹은 상황이 바뀔 때까지 인내할 수 있도록) 방법을 제시하고, 스스로를 이해할 수 있도록 돕는 것이었다. 그는 내담자들이 가능하면 스스로 자신을 향상시킬 수 있도록 도우려 했으며, 무엇보다도 자기애, 마음의 평화, 세계와의 조화를 발달시키는 법을 알아내려고 노력했다.

이런 과정을 통해 그는 '의지력' 향상 시스템을 발달시켰다. 그가 많은 사람들에게서 발견한 욕구들을 셰익스피어의 작품이 만족시켜 줄지도 모른다는 희망으로 출발했던 이 시스템은 성공을 거두었다. 우리는 여러분들도 그의 가르침을 따른다면 반드시 성공할 것이라고 믿는다.

월리엄 셰익스피어는 매우 위대한 심리학자였다. 그는 모든 사람들이 직면하게 되는 모든 상황에서 어떻게 행동해야 할 것인지를 알았던 최초의 천재였다. 그는 사람들이 왜 그렇게 행동하는지, 무엇을 두려워하고 무엇을 원하는지를 알았다. 또한 그는 인생에서 아무리 하찮은 순간들이라 할지라도 그것만이 가지고 있는 심오함과 복잡성을 이해했다.

셰익스피어 심리학의 위대함은 그가 등장인물들의 동기와 목적을 분석할 때 모두의 삶에 유용한 매우 날카로운 통찰력을 가졌었다는 데 있다. 이런 통찰력은 가장 중요하고 본질적인 순간에 우리들을 도와줄 것이다.

물론 셰익스피어는 자신의 작품에서 심리학 용어를 직접 사용하지 않았다. 본질적으로 그는 사람들을 즐겁게 하기 위해 글을 썼던 것이다. 그러나 근대 심리학이라는 도구를 가진 우리들은, 마침내 그가 우리들에게 남겨준 심리학적인 기법들을 이해할 수 있게 되었다.

셰익스피어는 언제나 등장인물들이 개인 발달의 더 높거나 더 낮은 단계에 위치해 있다고 생각했다. 그는 자신의 주인공들을 가장 높은 단계에 도달하지 못하는 비극적 약점을 가진 사람들로 여겼다. 더불어 독자들이 자신의 몇몇 등장인물들을 좋아할 수 없는 존재로 인식해주길 원했으며, 이들이 실제로 미성숙하고 덜 완성된 사람들임을 전달하고자 했다.

실제로 우리는 셰익스피어가 만들어낸 다양한 인물들이 서로 다른 심리발달 수준에 있는 것을 목격한다. 셰익스피어의 인물들은 자신들의 삶에서 부딪히는 도전을 어떻게 극복하는가에 따라 성공하거나 실패한다.

이처럼 당신도 매우 비슷한 도전들에 직면하며, 그런 도전은 인간성 발달의 한 부분을 차지한다.

우리는 이 책에서 이런 수많은 도전들을 연구하고 당신이 그런 도전들을 경험하도록 만들 것이다. 즉 심리발달의 여섯 단계를 모두 통과하게 되면 도전을 성공적으로 쉽게 극복해낼 수 있을 것이다. 그 여섯 단계는 바로 셰익스피어의 '의지력'이라는 지혜를 통해 인간에게 필요한 자질을 완숙히 갖추어 가는 과정이다. 우리는 셰익스피어가 만약 지금의 교과서를 쓴다면 이런 여섯 단계를 제시해줄 것이라고 믿는다.

셰익스피어는 종종 인생을 여행에 견주어 말했는데, 여기서 그가 말한 의미는 심리적인 여행이었다. **가장 행복하고 가장 성공적인 사람은 그 여행을 즐기면서 평생 동안 여행을 계속하는 사람이다.**

가장 풍부한 삶은 감정적으로 발달한 삶이다. 그런 삶은 증오나 사랑처럼 하나의 감정에 사로잡혀 있지 않고 앞으로 조금씩 나아간다. 또한 내적 자유뿐만 아니라 높은 가치들과 믿음, 희망에 헌신한다. 대다수의 사람들이 평생 동안 그런 풍요로움을 얻기 위해 노력하고 있다.

그러나 불행하게도 많은 사람들은 이러한 심리적 여행을 너무 일찍 그만두고 만다. 사회화되지 못한 어린아이들처럼 그들은 자신들이 살아남기 위해서는 다른 사람들과 싸워야만 한다고 생각한다. 그들은 '의지의 힘'을 배우지 못하도록 방해하는 장애물을 스스로 만들어낸다. 그리하여 결국 발달 부족으로 인한 다양한 징후들이 나타나게 되는 것이다.

당신은 발달하지 못한 사람들을 회피하거나 바로잡고 싶은 충동에서 본능적으로 그런 사람들을 알아보게 된다. 그들은 당신 말을 이해하는 데 어려움을 겪을 것이며 무의식적으로 해로운 말들을 할 것이다. 때로는 지금 일어나고 있는 일의 핵심을 놓치고 있는 것처럼 보인다. 따라서 당신은 그들이 자신의 느낌을 제대로 파악하고 있는지 의심할 것이다.

그들은 육체적으로 매력적이거나 외모에 많은 정성을 들이는 편이다. 불행하게도 당신은 그런 사람들 중 하나와 사랑에 빠질 수 있으며 상관이나 고객으로 만날 수도 있다. 중요한 것은 외관상 그들이 아무리 괜찮게 보일지라도 다른 사람들과 구별되는 핵심적인 특징은 반드시 있다는 점이다.

당신은 종종 많은 재산을 갖고 있으면서도 끊임없이 돈에 집착하는 사람들을 보게 될 텐데 그들의 진정한 문제는 결코 돈이 아니다. 스스로 가난하다고 생각하는 의식이 문제인 것이다. 사실 그들은 어떤 의미에서 실제로 가난하다. 심리발달의 가장 낮은 단계에 위치하고 있기 때문이다.

이런 사람들을 찾아내는 것이 중요하다.
그리고 당신 자신이 그런 사람이 되지 않는 것이 중요하다.

물론 시대 상황이나 관습은 셰익스피어 시대 이후에 많이 변했다. 그러나 사람들은 변하지 않았다. 어떤 사람을 솜씨 있고, 성적으로 매력 있고, 능력 있고, 지도자 또는 바보로 만드는 것들은 전혀 변화하지 않은 것이다.

다른 사람들을 성적으로나 개인적으로 매력이 느껴지게끔 묘사하는 자질은 언제나 내부에서 나온다. 리더십을 발휘하는 것과 사람들을 분발시키는 것의 본질은 심리적 발달이 높은 수준에 도달했을 때 얻어지는 것이다.

일자리나 중추적인 역할들은 고용주의 일방적인 판단이 아닌 '의지력'을 사용할 줄 아는 사람에게 돌아가게 마련이다.

연인이 될 상대 역시 심리적으로 잘 발달된 사람에게 끌리는 것이 당연하다. 그런 사람은 힘, 에너지, 성적 매력, 그리고 자기신뢰를 발산시키는데, 때문에 그 사람과 함께 있을 때 우리는 매우 안전하면서도 활동적인 느낌을 갖는다.

우리는 '멋있게 생긴' 사람보다는 불가사의한 분위기를 연출하는 사람에게 성적으로 더 이끌린다는 말을 자주 들어왔다. 그러나 많은 사람들이 불가사의라고 부르는 것은 사실 매우 발달한 사람의 '순수한 복잡성'이다. 단지 멋있고 잘생기기만 한 사람들은 그런 복잡성이 부족하다는 인상을 준다. 그들은 불꽃같은 짜릿함을 만들어내지 못한다. 따라서 그들과 더 깊은 관계를 맺고 싶은 욕구도 생기지 않는다. 진정으로 성적 매력을 가진 사람은 자기 자신을 알고 세계를 안다.

좋아하는 사람들 사이의 관계마저도 두 사람이 서로 다른 감정 발달 수준에 도달해 있으면 실패하는 경우가 많다. 한 사람은 경험을 통해 학습하고 이해함으로써 높은 수준에 도달하는 반면 다른 사람은 계속 침체된다면 관계는 산산조각 나게 마련이다. 그러나 두 사람이 함께 계속 발달할 때 관계는 지속되며, 명랑하고 생기 있는 상태로 남게 된다.

감정발달의 단계를 상승시키는, 자기개선의 개념은 전생애를 통틀어 매우 오래된 것이며 또한 새로운 것이다. 그것은 모든 정신적인 것을 포함하는 종합적인 접근이다. 셰익스피어는 그것을 일상적인 상식으로 간주했었는지도 모른다.

지난 수십 년 동안 광범위한 개인적 문제들을 해결하는 데 도움을 주는 실용서들이 많이 출판됐고 그 책 속에 들어 있는 프로그램들이 나름대로 많은 도움이 되었던 것은 사실이다.

그러나 한 종류의 감수성만 사용하는 것(예를 들면 관계를 맺는 기술이나 자신을 강력한 존재로 포장하는 법 등)으로는 충분하지 않다. 무엇보다도 당신이 배운 것을 통합하고 심리적으로 자신을 발전시키는 것이 중요하다. 이렇게 할 때 '기법들'은 당신의 본질을 자연스럽게 표출하게 된다.

예를 들면 여성들을 위해 씌어진 많은 책들은 "당신의 까다로운 연인이 갑자기 전화를 해서 나오라고 요구하더라도 결코 다른 약속을 취소하지 마라."와 같은 충고를 한다.

이는 의심할 여지없이 좋은 충고지만, 사실 그런 충고가 필요 없는 상태가 더 이상적일 것이다. 즉 당신은 내적 발전을 통해 이런 일들을 자연스럽게 해결할 수 있어야 한다. 우리가 '관계에서 자아 보존하기'라 부르게 될 발달의 네번째 단계를 통과하게 되면 당신은 자연스럽게 자신의 약속을 조정하게 될 것이다. 사람들이 갑자기 호출하는 방식으로 당신의 균형을 깨뜨리는 것을 허락하지 않을 것이다.

치료의 방법은 다양하지만, 모든 치료의 목적은 사람들이 자신의 진실을 드러내도록 도와주는(자신이 가진 최상의 것을 찾을 수 있도록 도와주는) 것이다. 스스로 매우 자신 있게 "나는 지금 살아 있다. 나는 완벽한 사람이다."라고 말할 수 있게 만드는 것이다.

우리는 이 책을 통해 셰익스피어의 '인본주의적'인 일상심리학을 21세기를 사는 우리 삶의 요구들과 융합시키고자 한다. 셰익스피어의 작품 속에는 모든 사람들이 정신적인 속박으로부터 벗어나기 위해 필요한 비결들이 모두 들어 있다. 때문에 우리의 목적은 당신에게 이런 비결들을 알려주는 것이다. 이런 목적이 성공적으로 달성될 경우 당신은 삶을 크게 향상시킬 수 있을 것이며, 멋지고도 새로운 심리학적 방법들을 사용하고 있는 자신을 발견할 것이다.

셰익스피어는 오이디푸스 콤플렉스*Oedipus complex*와 같은 마술적인 확신으로 시작하지 않는다. 그의 작품은 어떤 마술적인 단어들을 나열하지도 않으며, 난해한 심리학 이론으로 우리를 어려움에 빠뜨리지도 않는다. 셰익스피어의 평이함이 그의 통찰력만큼 불가사의한 것이듯 그가 전하고자 하는 진실들은 관객이나 독자들이 매우 쉽게 알아듣도록 씌어졌다. 많은 양의 작품에도 불구하고 셰익스피어가 결코 반복해서 말한 것이 없다는 것은 매우 놀랄 만한 사실이다. 등장인물들은 제각기 독특한 심리상태를 나타내며, 각 연극들은 다양한 심리학적 주제들을 예시해준다.

그렇다면 셰익스피어는 어떻게 그 많은 것을 알고 있었을까?

어느 누구도 이 질문에 대해 자신 있게 대답할 수 없다. 사람들은 수백 년 동안 그 해답을 찾기 위해 숙고해왔다. 그러나 우리들은 단지 모차르트나 아인슈타인과 마찬가지로 그런 대가가 존재했었다는 사실에 감사할 뿐이다.

셰익스피어는 심리발달의 단계들을 보여주는 데 있어서, 가끔 이런 단계들 중 적어도 하나 이상에서 두각을 나타냈던 등장인물들을 등장시키는 형식을 취한다. 어떤 중요한 단계에서 자신을 계발시키지 못한 등장인물들을 묘사하는 경우도 있다. 그의 주요 등장인물들은 앞으로 나아가기 위해 계속해서 노력하고 있지만, 어떤 단계에서 나타나는 결점이 그 사람의 비극적 결함으로 작용해서 치명적인 결과를 낳게 된다.

그러나 우리가 셰익스피어의 등장인물들에게 매료되는 궁극적인 이유는, 그가 심리발달 단계의 정상에 있는 매혹적인 인물들을 창조해내는 법을 알고 있었다는 데 있다.

지금처럼 셰익스피어가 살았던 당시에도 고도로 자기계발을 한 사람이 가장 매력적이었다. 즉 삶의 중심을 갖고 있는 인물에 대한 요구가 매우 컸던 것이다. 하지만 이런 요구를 만족시키는 정상에 선 사람들은 거의 없었다.

여기 셰익스피어의 작품들에서 확인할 수 있는 심리발달의 여섯 단계, 즉 '의지 혁명'의 철학이 있다.

1단계 : 자신의 '개체성' 찾기

2단계 : 상대방을 '이해' 하기

3단계 : 스스로의 '삶'을 살기

4단계 : 관계에서 '자아' 보존하기

5단계 : 삶에서 '악마' 추방하기

6단계 : 더 높은 세계로의 도약

이제 당신에게 적용될 수 있는 발달의 단계들을 살펴보자. 그리고 당신이 그것들을 어떻게 사용할 수 있는지 알아보자.

1. 첫단계는 <u>자신의 '개체성' 찾기</u>다.

이는 당신이 자신만의 감정범위 내에서 행동할 권리가 있는 독특한 인간임을 혼자 힘으로 깨닫는 단계다. 자신의 개체성을 찾는다는 것은 본능의 소리를 듣고 자신이 무엇을 느끼고 있는지를 아는 것을 의미한다. 그것은 또한 당신이 하는 모든 일에 스스로 책임지는 것을 의미하기도 한다. 먼저 개성 있는 존재가 되지 않고

서는 누구에게도 영웅이 될 수 없다.

2. 다음 단계는 **상대방을 '이해'하기**다.

당신은 남들에게 의식적인 영향뿐만 아니라 무의식적인 영향을 끼치고 있다. 더욱이 다른 사람들이 말로 표현할 수 없는 수준에 이르기까지 그들과 계속 접촉하고 있다. 이렇듯 관계의 성공 여부는 당신이 상대방의 무의식과 계속 친근하게 지낼 수 있느냐에 달려 있다.

당신이 다른 사람들에게 남기는 잔존효과(after effect, 당신과 얼마 동안 함께 지낸 후 상대가 잠재의식 속에서 당신을 어떻게 생각하는가를 의미함)가 특히 중요하다. 예를 들면 당신이 그들을 있는 그대로 받아들이든지, 아니면 달라지기를 원하는지를 느끼는 것과 같다. 남들의 무의식과 친근해지지 위해서 당신은 사람들을 경험하고, 그들의 장점을 즐기고, 그들을 변화시키려고 하지 않는 법을 알 필요가 있다.

3. **스스로의 '삶'을 살기**는 당신이 압력을 받고 있을 때 중심을 지키고, 자신이 누구인지를 알고, 그 앎에 충실한 것을 지칭한다.

단계 1과 2는 이 수준을 성취하기 위해 필요한 것들이다. 이 때 당신은 일이 어떻게 진행되든 간에 언제나 똑같은 사람임을 기억해야 한다. 또한 다른 사람들로부터 배우되 그들에 의해 정복되지는 않아야 한다. 실제로 당신은 자신의 능력을 개선시키기 위해 적대자들과 낯선 사람들을 연구하고 있을지도 모른다. 그런 당신을 셰익스피어가 분명하게 도와줄 것이다. 그리고 당신은 언제나 자신의 중심을 지키게 될 것이다.

4. **관계에서 '자아' 보존하기**는 다른 사람을 위해 자신의 모습을 왜곡시키지 않는 것, 자신을 희생시키면서까지 다른 사람을 위하는 방향으로 관계를 만들어가지 않는 것을 포함한다.

이것은 남들이 당신을 어떻게 보는가에 지배를 받기보다는 당신 자신만의 눈을 통해 보는 것을 의미한다. 그리고 당신의 삶에서 부정적인 역할을 하는 사람들을 찾아내 그들의 영향력을 줄이거나 몰아내도록 한다.

5. **삶에서 '악마' 추방하기**는 어떤 감정이나 욕구가 당신을 지배하지 못하도록 막는 것을 의미한다.

이것은 충동이나 가끔 질투심에 동반되는 비이성적인 공포(또는 비이성적인 분노)를 초월하는 것을 뜻한다. 동시에 거짓된 모습으로 자신을 왜곡시켜 다른 사람을 통제하는 것이 아니라 스스로에게 광범위한 감정적 삶을 허락해줌으로써 균형감각을 유지하는 것을 의미한다.

6. 이런 단계들의 최종점은 **더 높은 세계로의 도약**이다.

이는 가장 정의하기 어려운 단계로 살아 있는 모든 것과의 공동체 의식, 그것들이 덧없다는 생각, 사랑할 수 있는 능력, 자기 자신 및 다른 사람들과의 심층적인 교류를 위해 자신이 얻은 것들과 명성을 격하시키는 행위 등을 필요로 한다. 영성에는 경이로움, 아름다움, 그리고 숭고함의 의식이 깃들어 있다.

우리는 셰익스피어와 친숙한 수백만 명의 사람들이 비록 그런 발달단계들에 대해 우리처럼 생각하지는 않았을지라도 마음속으로 자신의 모습을 형성해왔다고 확신한다.

셰익스피어는 삶의 서로 다른 단계에서 우리들을 발견해내는 방법을 알고 있었다. 우리들이 사랑에 빠져 있든, 질투하고 있든, 늙어가는 것을 걱정하고 있든, 누군가에게 버림을 받은 상태에 있든, 그의 작품을 읽으면 우리들은 마치 셰익스피어가 황야를 가로질러 우리에게로 달려오는 것처럼 느끼게 된다. 그는 지금까지 잊고 있었던 말들을 통해 우리들이 느끼고 있는 것을 표현해준다. 이를 통해 우리는 그동안 느끼고 있던 것을 갑자기 더 분명하게 이해할 수 있게 되는 것이다.

셰익스피어는 우리가 태어나기 훨씬 이전에도 다른 사람들이 우리와 비슷한 인생의 행로를 걸었다는 안도감(이는 우리가 실제로 길을 잃어버린 것은 아님을 의미한다)을 준다. 전 세대들의 의복, 나이, 사회계급, 언어 등이 우리와 다른 것은 별로 중요하지 않다. 그들도 지금의 우리처럼 우유부단한 모습을 하고 있었다. 그들도 우리들처럼 고통 받았으며, 똑같은 위기를 극복했다. 그들의 정신 여행도 우리들과 동일한 것이었다. 셰익스피어가 묘사했던 그들의 모습은 결국 우리들의 모습인 것이다.

심리발달을 강조하는 이 책은 살아가는 데 필요한 원칙들을 수백 개가 넘는 상세한 지침들로 당신에게 제공할 것이다. 당신은 다른 어떤 책에서도 결코 찾아볼 수 없는 이 지침들을 자신의 상황에 적용시킬 수 있다. 삶에서 그것들을 적용시킬 수 있는 상황이 발생할 때마다 당신은 심리발달의 측면에서 생각하게 될 것이다.

당신이 이미 '스스로 하도록 돕는' 책들을 읽었다면, 아마 자신의 심리발달 단계에 관해 생각해봤을 것이다.

하지만 우리는 이 책에서 설명하는 이야기들을 통해 당신이 진심으로 더 나아갈 것이라고 믿는다. 당신은 자신에게 존재하는 어떤 비극적 결함을 발견할 터이지만, 그것을 변화시킬 시간이 아직 많기 때문에 그것마저도 행운으로 생각해야 할 것이다. 혹은 더 많은 관심을 필요로 하는 어떤 발달단계를 발견할 수도 있을 것이다. 혹은 당신이 이미 발달의 높은 단계(진정한 '의지의 힘'의 이해)에 도달해 자기중심을 가진 사람이 되어 있음을 확인할 수 있을 것이다. 이것이 우리가 바라는 이상적인 인간의 모습이다.

뉴욕에서

조지 와인버그 · 다이앤 로우

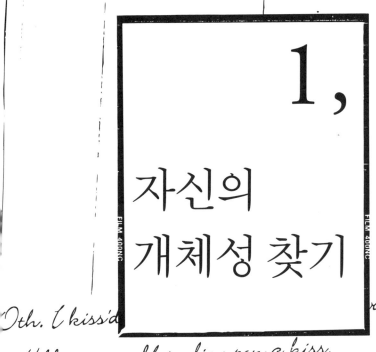

1, 자신의 개체성 찾기

Oth. I kiss'd ~~~ ~~~ay but th~~~

Killing myself to die upon a kiss.

오셀로, 비극적인 영웅
시저의 실수

자신이 '유일한 존재'임을 인식하라

필요한 자질을 모두 갖춘 완전한 인간이 되기 위한 여행의 첫 번째 단계는, 당신이 다른 모든 인간들과 다른 존재임을 세상에 알리는 것이다.

당신은 유명인사, 친척, 연인 등 다른 사람들의 그늘에서 살 필요가 없다. 물론 누구에게나 역할 모델, 즉 존경하고 본받고 싶은 사람들이 있을 것이다. 그러나 어쩌면 그런 역할모델 또한 당신이 상상 속에서 그들을 그렇게 여기고 있기 때문에 중요한 것일 수도 있다. 그러므로 처음 선택했던 때와 마찬가지로 그들을 버리고 다른 사람을 선택할 권리는 누구에게나 있다.

오직 자기 자신만이 취할 방법과 버릴 사람들을 결정할 수 있다. 타고난 재능이 있든 없든, 그 재능이 무엇이든 간에 자신의 삶은 다른 누구도 아닌 본인만이 선택할 수 있다. 결국 당신의 선택에 의해 자신이 행복한가, 만족하고 있는가, 충분한 힘을 발휘하고 있는가, 후회하며 괴로워할 것인가 등이 결정된다.

당신의 운명은 굳이 큰 일이 아니더라도 일상적인 선택에서 자신의 '의지'를 어떻게 사용하느냐에 따라 달라진다. 자신의 감정의 소리를 유심히 듣고 그것들을 믿을 때 삶은 큰 힘을 얻는다.

셰익스피어는 개인의 삶을 하나의 여행으로 간주하고 그 개인이 스스로 자신의 여행을 결정할 수 있다고 믿었다. 셰익스피어가 등장하기 이전, 극의 등장인물들은 단조롭기 그지없어 몇 가지 기본 유형만으로 구분되었다. 그러나 셰익스피어는 이 모든 것들을 변화시켰다. 36개의 희곡에서 셰익스피어가 만들어낸 수백 명의 등장인물은 한 사람 한 사람이 모두 서로 다른 여행을 하고 있다. 때문에 그의 모든 작품들은 당신의 개체성을 인식하는 과정에 꼭 필요한, 현존하는 가장 위대한 기념물이다.

셰익스피어는 또한 '자립'이 가끔 우리들을 외롭게 만들지만, 동시에 신의 가장 위대한 선물이라고 말한다. "자신의 개체성을 길러라. 그러면 당신은 '의지의 힘'을 갖게 될 것이다."

근대 심리학은 인간이 완전한 개인으로 성장해가는 과정을 중시해왔다. 성숙에 이르는 길은 신경학적인 동시에 심리학적인 것이다. 우리는 그것을 유아에게서 제일 먼저 발견한다. 유아는 처음에 손 전체를 움직이는 식의 총체적인 동작만을 할 수 있다. 어린이가 개체화되는 데에는 시간이 걸린다. 예를 들어 나머지 손가락들은 움직이지 않고 한 손가락만 움직이는 법을 배우는 것처럼 다양한 동작들을 분리시키는 데에는 시간이 필요한 것이다.

그런 후에도 오랫동안 유아는 자신을 어머니로부터 분리시키지 못한다. 유아는 자신이 다른 사람과 다르다는 생각도 가지고 있지 않다. 보통 한 살 이내에 어머니는 자신의 육체의 연장이 아니라는 사실을 배우게 되는데, 이는 심리학적인 '개체화'를 처음으로 경험하는 위대한 순간이라고 할 수 있다.

개체성은 자신이 독립된 존재라는 사실을 발견하자마자 나타나는 마술적인 것이다. 시간이 지남에 따라 어린이는 자신이 많은 면에서 다른 사람들과 매우 다른 것을 알게 된다. 자기 자신의 유일성을 발견하게 된 것이다.

많은 사람들이 이런 유일성을 향한 매력적인 여행을 평생 동안 계속한다. 그리고 다른 사람들이 자신과 다르다는 것을 깨닫고 그 사실을 받아들인다.

당신의 개체성은 다른 사람들도 자신만큼 중요한 존재임을 깨닫게 해준다. 하나의 개체로 잘 발달된 사람은 강한 독립심을 지니고 있으며, 오히려 이를 통해 다른 개인들과 완전한 공동체 의식을 느낀다.

개체성이란 자신이 감정과 반응을 갖고, 지각할 수 있는 존재임을 완벽하게 깨닫는 것이다. 이런 감정과 반응들은 주위사람들과 일치할 수도 있고 그렇지 않을 수도 있다. 개체성은 또한 가장 사소한 것에서 가장 중요한 것에 이르기까지 모든 일을 자신이 스스로 선택한다는 사실을 인식하는 것이다. 이는 다른 사람들이 말하는 것이 옳든 옳지 않든, 또는 다른 사람들이 무엇을 하든 상관없이 동료들의 압력을 무시하고 삶에 대한 모든 결정을 스스로 내리는 것을 의미한다.

자신이 이 세상에 존재하는 모든 사람들과 다른 독립적 개인임을 발견하는 것은 때때로 고통일 수 있다. 유아가 어머니에게 고착된 상태로 계속 남아 있고 싶은 유혹을 느끼듯 개체화를 미루고 싶은 유혹이 있을 수 있다. 삶의 독립성을 받아들이는 것은 자신이 모든 일에 대한 책임을 져야 함을 의미하기 때문이다. 그리고 그것은 때때로 비난과 처벌까지 포함한다.

그렇지만 개체화에 따른 보상은 이런 순간적인 불쾌감을 훨씬 능가할 것이다. 자신의 삶을 꾸려나가는 사람이 바로 당신일 때, 스스로 자신의 삶을 책임지고 있다는 사실보다 더 좋은 소식이 있을 수 있겠는가?

완전한 개인이 되지 못할 경우 사람들은 동료들의 압력이나 정체성의 결핍에 시달리게 된다. '개체화' 되었더라도 부분적으로만 그렇게 행동하는 사람들이 많다. 그 결과 그들은 자신을 규정하지 못함으로써 다른 사람들에게 새로움이나 진정한 지지를 제공하지 못하고, 그 때문에 관계를 형성하기 어려워진다. 사람들은 그들이 어떤 상황에서 무엇을 느끼고 무엇을 할 것인지 명확하지 않기 때문에 신뢰하기 어렵다고 판단한다. 또한 그들이 다른 사람들과 구별되는 '개성'을 전혀 제공하지 못하고 있다고 생각한다.

한편, 개체성이 가져다주는 모든 혜택을 누리는 것은 자신의 행동들에 전적으로 책임진다는 것을 의미한다. 또한 그것은 원하지 않는다면 어떤 특별한 느낌을 드러낼 필요 없이 자연스럽게 자신의 감정을 받아들이고 즐기는 것을 의미한다. 그리고 우리의 감정을 이해할 때만이 비로소 우리는 무엇을 할 것인지 결정할 수 있다.

이러한 자발적인 행위들과는 달리 당신의 감정상태는 많은 메시지들(외부보다는 내부에서 비롯된 것)이 나타나는 레이더 스크린과 비슷하다. 이런 감정들은 당신 자신과 당신이 어떻게 지내고 있는지, 그리고 다른 사람들이 무엇을 하고 있는지에 관한 가치 있는 정보들을 계속해서 제공한다.

정말로 '개체화된' 사람들은 다양한 감정들을 향유한다. 그들은 자신과 다른 사람들의 내부에서 믿을 수 없을 정도로 세세하게, 그리고 끝없이 펼쳐지는 미묘한 차이들을 감지해낸다. 물론 '개체화'라는 단어는 셰익스피어 시대에 존재하지 않았다. 그러나 강한 개체의식이 셰익스피어 작품 속 모든 주인공들과 그가 존경하기까지 하는 듯한 모든 등장인물들 속에 깃들어 있다. 그는 분명히 주인공들이 모두 스스로를 규정할 수 있도록 설정했다. 그의 작품 속 남녀 주인공들은 잘못을 저질렀을 때 그 행동에 책임을 진다. 그리고 자신이 느끼는 것을 정확하게 알고 있다. 더욱이 그들은 셰익스피어의 문장력을 빌어 이런 감정들을 유창하게 표현해낸다.

셰익스피어가 활동했던 당시의 작가들은 대체로 '중요한' 인물들(왕과 왕비, 위대한 장군, 신화에 나오는 인물 등)의 이야기를 기술하는 경향이 있었다. 그러나 셰익스피어는 전후시대를 통틀어 유일하게 어떤 신분의 어떤 사람에게나 위대성이 존재할 수 있다고 생각했다. 자신의 개체성을 소중하게 여기는 인물을 셰익스피어는 소중하게 다루었다. 즉 분명한 감정을 갖고서 자신의 신념에 따라 행동하는 '낮은 신분'의 사람들이 오히려 셰익스피어의 사랑을 받았던 것이다. 그는 목수나 구두 수선공에게조차 분명한 정체성을 부여함으로써 그들을 불멸의 존재로 만들었다.

반면, 자신을 규정하지 못한 사람들의 집합인 군중은 셰익스피어에게 어리석고 경멸할 만한 짐승들에 불과했다. 그는 군중심리의 위험을 깨닫고 있었으며, 그렇기 때문에 개체성이야말로 정체성과 품위의 기초라고 생각했다. 그래서 그는 개인 발달에서 가장 중요한 첫번째 단계가 바로 개체성이라고 가르치고 있다.

그렇다면 셰익스피어가 이토록 강조했고 앞으로도 영원히 존재하게 될 개체성의 정수는 과연 무엇인가?

이제 셰익스피어의 작품에 나오는 주요 등장인물을 살펴보자. 인간에게 필수적인 개체성을 갖지 못한 한 인물과 비극적이고 치명적인 결함에도 불구하고 개체성에 의해 위대해진 인물이 있다.

1

어떻게 하면 강력한 사람, 중심인물이 될 수 있는가?

오셀로, 비극적인 영웅

처음부터 승자의 특성을 지닌 사람들이 있다. 다른 사람들이 자신을 존경하지 않을 수 없게 만드는, 쉽게 정의하기 어려운 자질을 소유하고 있는 것이다. 그들은 어린 시절부터 스스로 놀이 방법을 선택하며, 다른 사람들에게 자신이 정한 규칙을 따르도록 요구한다. 어른이 되어서도 타고난 지도자처럼 보인다. 그래서 그들이 누군가에게 축하의 말을 건네거나, 어떤 계획에 합류하거나 회의 때 옆에 앉는 것을 제안하면 사람들은 대개 흥분한다. 또 두 개의 친목회가 있을 때, 그들이 참석한 친목회가 더 중요한 것처럼 보이기까지 한다. 그들은 직장에서 성공할 수밖에 없는 운명을 타고난 사람들처럼 자연스런 모습을 갖고 있다. 셰익스피어가 〈헨리 5세 *King Henry the Fifth*〉에서 '유행의 창조자' 라고 불렀던 사람이 바로 그들과 같다.

그렇다면 그들은 누구이고, 무엇이 그들을 특별하게 만드는가?

누구나 태어날 때부터 자신을 주인공으로 만드는 마술 같은 재능을 갖는 건 아니다. 때문에 그들도 자신의 삶에서 가장 사소한 순간까지 책임을 지는 것으로 지도자가 된다. 위기에 직면했을 때뿐만 아니라 일상생활에서도 치밀한 행동을 갖춰 자신들의 입지를 마련하는 것이다. 그것이 하루 종일, 아니 모든 작은 순간들까지도 그들을 승리자로 만든다. 다른 사람들은 아직 발달시키지 못한 '자연에 대한 주권(셰익스피어가 사용한 구절)'을 그들은 발달시킨 것이다.

'타고난 리더'는 없다

'선천적' 리더십이라는 왜곡된 이미지를 만들어내는 사람은 누구인가? 그들이 쓰는 단어들과 표현 양식을 유심히 관찰해보면 자신을 중심적인 인물로 만들고 있는 것을 알 수 있다.

그들은 말하는 방식이나 표현을 통해 자신이 삶의 중심에 있는, 즉 자신의 대본에서 주인공인 것처럼 행동한다. 그러면 다른 사람들은 그런 행동에서 단서를 얻어 이 중심성을 지지하게 된다.

나는 나를 찾아온 내담자들에게 자신이 삶의 주인공처럼 행동할 수 있도록 격려를 아끼지 않았다. 더불어 나은 습관을 발달시키면 자신의 소망을 스스로 이룰 수 있을 것이라고 말했다. 그렇게만 하면 그들도 부러울 것 없는 선천적인 지도자가 될 수 있다.

그렇다면 이를 실현하는 방법은 무엇일까?

우선 나는 내담자들에게 삶의 모든 세부사항들에 대해 자신이 책임을 져야 한다는 사실을 분명히 해둔다.

진정한 영웅은 자신의 행동에 책임을 진다

신화에서든 영화에서든 혹은 실제 삶에서든, 영웅은 자신이 행한 모든 일에 완전히 책임을 진다. 자신이 내린 모든 결정이 잘못된 것일지라도 직접 한 일이라고 분명히 말한다.

사람들은 위와 같이 자기 행동에 책임을 지는 이에게 이끌린다.

하지만 영웅의 주위에 있는 사람들은 자신이 무엇에 반응하고 있는지 정확하게 알지 못한다. "당신은 왜 이 사람을 존경하는가?" 혹은 "그 또는 그녀의 특별한 점은 무엇인가?"라는 질문에 정확한 대답을 하지 못하는 것이다. 대부분 "그녀는 매우 능력 있는 것 같다." 혹은 "나는 그에게 큰 프로젝트를 맡길 수도 있을 것 같다." 등의 방식으로 대답할 것이다.

사실 이러한 편안함과 무의식적인 존경의 기저에는 정교한 힘들이 작용하고 있다.

- 영웅(스스로 책임을 지는 사람)은 그가 과거에 성공했던 사람이라는 인상을 준다.
- 그 또는 그녀는 어떠한 도전이나 사람도 두려워하지 않는 것처럼 보인다.
- 그 또는 그녀는 변명을 하거나 다른 사람들을 비난하지 않는다. 대신 정정당당하게 자신이 책임을 진다. 또한 일을 정연하게 만드는 데 익숙한 사람처럼 보인다.

상관들은 위험에 처했을 때 책임감 있는 사람에게 의존한다. 그들이 공명정대하게 판단하리라고 믿고 있는 것이다.

영웅은 자신의 실수를 전화위복의 기회로 만든다

역설적이게도 당신이 가장 많은 점수를 얻을 수 있는 시기는 실수할 때다. 그냥 넘겨버리거나 숨길 수 있었던 실수에 대해 책임을 지면 당신은 무적불패의 분위기를 만들게 된다. 선천적인 지도자는 손실을 만회하거나 같은 실수의 반복을 피하기 위해 가능한 모든 정보들을 제시한다. 그렇기 때문에 상급자와 하급자 모두 그의 실수는 단순한 실책이 아니라 학습의 기회라고 믿게 된다.

반면에, 다른 사람을 비판하거나 변명을 꾸며대는 사람은 자신의 실패를 배가시켜 결국 사람들은 그를 신뢰하지 않게 된다. 상황이 다시 나빠지는 경우, 그런 사람은 같은 실수를 또 다시 저지를 수 있기 때문이다.

책임감 있는 사람은 일이 어떻게 진행되든 낙관적인 태도를 잃지 않지만 책임을 회피하는 사람은 절망과 무력함을 전달한다. 그들은 "나는 다른 압력을 받고 있다."라고 말하는데, 이는 '내가 당신을 잘못 인도할지도 모르지만 그렇다해도 내 잘못은 아니다'라는 의미를 내포하고 있다.

대부분의 사람들은 사업이나 인간관계에서 발생하는 실수들에 대한 책임을 떠맡음으로써 생기는 보답을 과소평가하는 경향이 있다. 지금 당신을 용서하지 못하는 사람은 먼 훗날에도 당신 편이 되지 않을 것이다. 결국 당신은 일자리 혹은 관계를 잃거나, 어떤 식으로든 그 대가를 치를 것이다.

오셀로, 비극적인 영웅

오셀로Othello는 셰익스피어의 가장 비극적인 인물 중 하나로 알려져 있다. 우리는 그의 힘과 정직을 찬양하고, 그가 자신의 비극적 결함 때문에 파괴될 때 함께 고통스러워한다.

우리는 오셀로를 본격적으로 만나기 전부터 그를 장엄하다고 생각한다. 그리고 실제로 그를 만났을 때는 그 힘이 무엇인지(자신의 행동 결과를 다른 사람 탓으로 돌리는 것을 단호히 거부하는 것) 쉽게 알아차리게 된다. 오셀로는 아주 사소한 일에서부터 가장 중요한 일에 이르기까지 자신의 모든 행동에 책임을 진다.

극의 초반에 오셀로는 위대한 장군으로 널리 알려져 있지만, 그가 군 고위직에 쉽게 오른 것은 아니었다. 그는 자신의 검은 피부(그는 무어*Moor*인이었다) 때문에 받은 많은 편견들을 극복해야만 했다.

오셀로는 베니스*Venice* 사람들에게 고용되어 사이프러스*Cyprus*와의 전쟁에 참가하고 있었다. 베니스 사람들이 오셀로에게 편견을 가지고 있었던 것은 분명하지만, 그들은 탁월한 지도자인 그를 필요로 했다. 오셀로는 이처럼 대단한 능력과 개인적인 에너지를 가지고 있는 사람이었다.

셰익스피어는 첫인상이 매우 중요하다는 것을 알고 있었다. 그래서 그의 많은 등장인물들은 극에서 처음 등장할 때 진수(眞髓)를 보인다. 오셀로의 경우도 마찬가지다.

그는 극의 초반, 큰 위기에 직면한다. 자신보다 훨씬 젊은 베니스 여자인 데스데모나*Desdemona*와 최근에 비밀결혼을 했고, 깊은 사랑에 빠진 상태이며 그의 열애에 대한 답례로 데스데모나도 결혼을 감행함으로써 아버지에게 대항하고 있는 상태다.

하지만 연극이 시작된 직후 오셀로는 데스데모나의 아버지가 자신을 고발했다는 말을 듣는다. 사람들은 그에게 도망갈 것을 권하지만 오셀로는 떳떳하게 재판을 받겠다고 말하면서 이를 거절한다. 그는 잘못한 것이 없기 때문에 결백이 증명되리라고 확신한다.

결국 오셀로는 자신의 입장을 떳떳하게 밝힘으로써 베니스 국으로부터 무죄판결을 받는다.

오셀로의 위대함은 이렇듯 그의 힘과 정직성에 있다. 그러나 그의 비극은 자기 자신에 대한 혐오감 속에 자리 잡고 있었다. 이것이 그를 질투심에 쉽게 조롱당하도록 만들었다.

오셀로는 군인과 군 지도자의 역할에 있어서는 전적으로 신뢰할 만한 사람이다. 하지만 평상시 감정과 예의범절에 대해서는 불완전한 점이 많다. 그는 자신이 데스데모나에 비해 너무 늙었다며 혼자서 걱정한다. 또한 주변 사람들의 잔인한 편견들 때문에 마음 아파한다. 그리고 자신에게는 베니스의 신분 높은 사람들과 그의 젊은 참모들이 가지고 있는 사회적 품위가 느껴지지 않는다며 불안해한다.

결혼 직후 오셀로와 데스데모나는 사이프러스로 여행을 떠난다. 그들이 거기에 도착했을 때 문학사에서 가장 이해할 수 없는 등장인물 중 한 사람인 이아고Iago가 등장한다. 이아고는 오셀로의 기수로서 오랫동안 함께 지내온 오셀로의 오른팔 같은 존재다. 오셀로는 이아고를 신뢰하여 가까운 친구로 생각하지만, 관중들은 이아고가 그를 파멸시키기 위해 애쓰고 있다는 것을 금방 알아차린다.

다만 우리가 쉽게 알 수 없는 것은 이아고의 배반 동기다. 수세기 동안 많은 학자들이 그 문제에 대해 토의했고, 모든 사람들은 오셀로가 이아고에게 결코 나쁜 짓을 하지 않았으며 오히려 그에게 일자리를 제공했다는 사실에 동의한다. 따라서 이아고의 다양한 배반 동기들이 언급됐다. 어떤 사람들은 이아고가 특별한 진급 혜택을 받지 못했기 때문에 분노하고 있다고 추측한다. 반역행위 자체가 가져다주는 희열을 제외하곤 이아고가 배반할 이유는 없다고 주장하는 사람들도 있다. 어쩌면 이아고는 모든 사람들에게 질투심을 느끼고 있었을지도 모른다. 이 작품에서 그는 질투의 화신이다.

이아고는 데스데모나가 더 젊고 품위 있는 그의 부하와 함께 오셀로를 배반하고 있다는 사실을 오셀로에게 확신시키려 한다. 때문에 우리는 극이 전개됨에 따라 점점 더 괴로워하는 오셀로의 모습을 보게 된다. 데스데모나가 배반했다는 거짓증거를 만들어냄으로써 이아고는 오셀로가 강렬한 질투심을 느끼도록 만든다. 미친 오셀로는 결국 사랑하는 자신의 아내를 목 졸라 죽이고 만다. 그리고 극의 종말부에 가서야 데스데모나는 죄가 없고 이아고가 모든 증거들을 만들어냈다는 사실이 밝혀진다.

지금까지 오셀로만큼 잔인무도한 폭력을 빨리 행사함으로써 자신을 파멸에 이르게 한 사람은 없었다. 그러나 진정한 영웅다운 오셀로의 행동은 그 범죄마저도 하찮은 것으로 만들어버린다. 그가 광기에 휩쓸려 있을 때마저도 우리는 그를 찬양한다. 그는 자신을 희생자로 규정하지 않는다. 자신이 했던 모든 일에 책임을 진다. 이아고를 비난함으로써 그의 살인행위가 자신의 의지와 무관한 일이었다고 변명할 수 있었음에도 불구하고 그는 자신이 했던 일에 대해 어떤 사람이나 상황(그를 부추겼던 이아고, 일시적인 광기, 전쟁이 가져다주는 중압감 등)에도 책임을 돌리지 않는다.

자살하기 직전 그가 주위 사람들에게 남긴 말은, 위기를 다루는 방식을 통해 그의 개인적 품위를 극도로 높였다. 끝까지 오직 자신만을 비난했던 것이다.

이 불행한 사건을 보고할 때
사실 그대로의 나를 전해주시오. 나를 감싸줄 필요는 없소.
…어리석은 인도인처럼, 그의 종족 전체보다도 더 귀한 진주를
자신의 손으로 내던져버린 사나이라고 전해주시오.

우리가 앞에서 언급했듯이, 오셀로의 비극은 병적인 흥분상태에서 질투심에 빠지게 만든 자기혐오에서 비롯된 것이었다. 자신이 사랑했던 여인을 살해하게 만들었던 질투심 때문에 그의 생은 비극으로 끝나버렸다. 그는 자신의 말대로 귀한 '진주'를 내팽개쳐버렸다. 정숙한 아내를 죽인 것이다.

그러나 오셀로의 파멸을 비극적인 것으로 만들기 위해서는 먼저 그가 지극히 위대해야 한다. 그가 죽였던 데스데모나를 안타까워한 것처럼, 우리가 그를 애도하고 동정하면서 극장을 떠날 수 있게 만드는 어떤 영광스러운 것들이 그의 죽음에 있어야 했다.

이에 대해 "내 의지 때문이지요." 라고 셰익스피어는 다른 곳에서 말했다. 승자는 그가 잘못했을 때에도 책임을 진다. 당신이 앞에 나서서 당신 행동에 책임을 질 때, 다른 사람들은 당신을 개인적으로 공격할 필요성을 느끼지 못할 것이다.

어떻게 하면 강력한 사람,
중심인물이 될 수 있는가?

1. 결코 다른 사람을 비난하지 않는 것이 중요하다.

실수를 한 경우 변명하지 말고 깨끗이 자백하라. 그것을 고치기 위해 필요한 정보라면 무엇이든 제공해라.

당신을 위해 일하는 사람이 잘못을 저지르면 사업의 기본 교의(敎義), 즉 종업원들이 하는 일은 당연히 당신이 책임진다는 사실을 받아들여라. 그런 후에 실수한 종업원과 개인적으로 토론해라. 이 때 토론의 목적은 그 사람이 싫어하는 체험을 다시 들춰내는 것이 아니고 미래의 수행을 개선시키는 것이어야만 한다.

어떤 사람, 즉 친구나 동료가 실수하는 경우가 있더라도 상관 말아라. 그것이 명백한 사실이라면 비평할 필요가 없다. 그 사람이 술에 취해 녹초가 되었거나 약속을 잊어버렸을 때의 가장 세련된 접근법은 될 수 있는 대로 그 순간을 잘 넘기는 것이다.

2. 비난 받을 때 변명하지도 주제를 바꾸지도 마라.

변명하지 마라. 머뭇거리거나 방해하지 말고 그 사람의 말을 끝까지 들을 준비가 되어 있다는 것을 보여주어라. 그 사람이 당신에게 말한 것에 대해 인정하라.

3. 잘못을 추궁 당할 것 같은 회의나 곤란한 전화를 거는 것을 절대 피하지 마라.

전화 거는 것을 연기하거나 단축하지 마라. 그렇게 하는 것은 상대방을 화나게 하며 당신을 패배자처럼 보이게 만들 뿐이다. 당신 또한 스스로를 단순히 실수한 사람이 아닌 패배자처럼 느끼게 만들지 마라.

4. 누군가 당신을 부당하게 공격할지라도 아무 말하지 말고 그냥 놓아두어라.

그가 공격을 멈추면, 당신의 입장을 명확하게 그리고 단 한 번만 설명해라. 투덜대지 마라. 먼저 당신을 비난하고 있는 사람이 화가 나 있다는 점을 기억하고 그의 의도를 받아들여 문제가 심각하다는 점에 동의해라. "나는 당신의 심정을 이해합니다. 그리고 나 역시 걱정하고 있습니다. 그렇지만 이 경우에는…." 식으로 말한 후, 그가 공격할 대상은 당신이 아니라는 것을 차근차근 설명해라.

그 공격의 결과가 잠재적으로 심각한 것(일자리, 임금, 또는 회사에서 강등 당할 위험)이 아니라면 억지로 변명하려 애쓰지 마라. 실제적인 위험에 상응하는 정도로만 자신을 방어해라.

5. 할 수 있더라도 당신의 책임을 회피하려고 하지 마라.

당신 상사와의 사소한 팔씨름도 대가를 치르게 된다는 점을 기억하라. 이기는 것이 최악의 결과를 가져올 수도 있다. 당신의 상사가 "좋다. 나는 이해한다. 그 일은 김대리의 책임이지 당신의 책임이 아니다."라고 인정하게 만드는 것은 자칫하면 비싼 대가를 치를 수 있다. 그럴 때 당신은 책임지는 것을 싫어하고, 자신이 잘못한 것을 참지 못하는 사람이라는 인상을 전달해줄 가능성이 더 높다.

더군다나 당신의 상사가 부하직원과의 논쟁에서 패한 것을 분하게 생각할지도 모른다. 당신은 '그것을 하지 않았음'을 상사에게 확신시켰기 때문에 기분 좋게 자리를 뜰지 모른다. 하지만 상사는 당신을 문제를 일으킬 골칫거리라고 생각하면서 걸어 나갈 것이다.

6. 세상만사에 대해 불평하지 마라.

끊임없이 이 세상을 불공정하고 사악한 것으로 말하거나 자신을 그런 세상의 패배자로 묘사한다면, 다른 사람들은 당신을 통제할 수 없는 힘에 의해 희생된 불쌍한 사람으로 간주하게 될 것이다. 당신 또한 자기 자신을 그런 사람으로 보게 될 것이다.

7. 다른 사람들의 위로나 동정을 받아들이지 마라.

재난을 경험한 뒤, "그건 당신의 잘못이 아니었다."나 "당신은 단지 올바른 정보를 얻지 못했던 것뿐이다." 라는 말로 위로하려는 사람이 있더라도 진정 영웅이 되기를 원한다면 그런 동정을 받아들여서는 안 된다.

위로를 하는 사람의 친절에 고맙다고 말하되, 그것은 결국 당신의 잘못이었음을 주장해라. "정보를 바로 얻는 것이 내 임무입니다. 속지 않는 것 또한 내 일이구요."

8. 다른 사람들을 헐뜯지 마라.

다른 사람들을 험담하거나, 몰래 남의 말을 하는 것은 당신을 하찮게 보이도록 만들 뿐이다. 그런 행동은 당신이 잘하는 일이 전혀 없거나, 그들을 직접 대면하기를 두려한다는 인상을 준다. 이런 행동은 당신을 주인공이 되지 못하게 만들 뿐이다.

우리는 종종 투덜대는 사람들이 움츠리는 자세를 갖고 있다고 생각한다. 자신을 될 수 있는 대로 작은 목표물로 만들려고 노력하는 것처럼 보이는 것이다. 숨거나 한쪽 구석에서 남의 말을 하는 것은 결코 현명한 인물이 취할 행동이 아니다.

9. 모든 약속을 지켜라.

조금이라도 지킬 수 없을 것 같은 약속은 하지 마라. 또한 어떤 이유에서든 약속을 지키지 못한 경우에는 반드시 당신의 잘못을 인정해라. 정해진 시간 전에 다른 사람보다 먼저 지킬 수 없는 약속에 대해 말하고 마감시간을 맞추지 못했거나 주문한 상품을 배달하지 못한 이유를 설명해라. 그 약속이 흐지부지될 가능성에 결코 내기를 하지 마라. 다른 사람들은 당신이 그 약속을 지키지 않은 사실을 잊지 않을 것이다.

10. 말을 조심하라. 간결하게 말할 수 있는 능력은 승자에게 절대 빠지지 않는 마스코트다.

하고자 하는 일에 대해 너무 많은 말을 하는 사람들은 그것을 해낼 확신이 없기 때문에, 미리 점수를 따기 위해 노력하는 것처럼 보일 뿐이다. 그들은 아직 행하지 못한 일을 말로 과대포장하고 있다.

과거의 업적을 자랑하는 것 또한 당신이 더 이상 파트너와 함께 업적을 만들어낼 수 없을 거라는 인상만 전달할 뿐이다.

길게 변명하는 것은 당신이 패배자임을 뜻하는 것과 같다. 우리는 텔레비전 인터뷰에서 "상대선수가 더 잘했기 때문에 패했다." 혹은 "변명의 여지가 없다. 상대편이 경기에서 우리를 압도했다." 라고 말하는 운동선수를 더 높이 본다.

11. 외부의 압력 때문이 아니라 스스로의 의지로 선택한다는 사실을 강조하라.

당신이 어떤 일을 하고 싶지 않다면 "나는 할 수 없다." 대신 "나는 하고 싶지 않다." 라고 말하라. 외부로부터 영향을 받는 대신 언제나 당신이 선택한다는 인상을 전달해라.

"나는 실직을 당할 수밖에 없었다." 대신 "나는 그 일을 그만두기로 했다." 라고 말해라. "그가 나를 제대로 대접해주지 않았다." 라고 불평하기보다 "단지 관계가 원활하지 못했을 뿐이다." 라고 말하는 것이 당신을 승자처럼 보이게 만든다.

운명론 vs 의지

지금은 너무나 당연시 되는 성공의 기본원칙인 '자신의 삶을 통제해야 한다'는 주장은, 셰익스피어 시대 사람들에게 받아들이기 어려운 것이었다.

셰익스피어 시대에 막 끝난 중세의 기본의식은 운명론적인 색채가 강했다. 사람들은 처음부터 어떤 목적을 가지고 정해진 삶의 위치에서 태어난다고 믿었다. 자신의 운명을 바꾸려고 노력하기보다는 주어진 운명을 실현하는 것이 각자의 의무였다.

운명론적인 사람들은 자신이 통제할 수 없는 광범위한 힘들의 존재를 믿었다. 그들은 예언, 징조, 그리고 별들을 주의 깊게 살폈다. 주위의 모든 것들이 그들의 무력감과 인간의 한계를 확인시키는 것처럼 보였다. 병은 한 번 전염되면 손을 쓸 수 없이 바로 죽는 것이었고, 가난은 극복할 수 없는 것이었다. 출신에 따라서는 사회적 신분상승을 경험하거나 심지어 글 읽는 법을 배우는 사람들도 거의 없었다. 수천 명의 사람들이 재판 한 번 받지 못한 채 마녀로 내몰려 화형을 당하거나 범죄자로 교수형에 처해졌다. 전염병이 일정한 기간을 두고 창궐하기도 했다. 많은 여성들이 애를 낳는 도중에 죽었기 때문에 임산부들은 "죽음이 임박했다"고 말하곤 했다. 때문에 많은 사람들은 엘리자베스 1세가 죽는 것을 피하기 위해 결혼하지 않았다고 믿었다.

하지만 셰익스피어는 이와 반대되는 신념을 가졌던 것으로 유명하다. 그가 명성과 부를 얻을 수 있었던 것은 '우리가 바로 운명의 주인'이고, '우리의 어려움은 별자리가 아닌 자기 자신 속에 자리 잡고 있다'고 확신했기 때문이다. 어떤 등장인물이 자신의 어려움을 어쩔 수 없는 운명이라고 말할 때마다 셰익스피어는 상충되는 다른 인물을 마련해 운명만 믿고 자기 자신을 믿지 않는 인물을 비난하도록 했다. 셰익스피어의 작품에 등장하는 가장 흥미로운 인물들은 삶에 대한 자신의 책임을 받아들이는 것이 옳은 것이라고 주장했다.

셰익스피어는 개인의 책임을 말함으로써 우리에게 품위를 가르친 교사다. 우리가 결코 찬양하지 않는 악인들뿐만 아니라, 우리가 사랑하는 등장인물들 모두 용감하게 홀로 서 있는 것이다.

책임지는 것이 능력을 키우는 지름길이다

정신요법은 실제로 인간이 자신의 삶에 대해 책임을 지도록 도와주는 행위와 같은 것으로 이해되고 있다. 책임을 지도록 도와주는 것은 어떤 결과에 대해 자신의 공헌을 인정하도록 가르치는 것을 의미한다. 많은 사람들은 자신이 자제력을 잃어버린 것에 대해 다른 사람들을 비난하기 쉽다. 대학에 진학하지 못한 것이나 자신이 빠진 좌절에 대해 다른 사람들을 비난한다. 그러나 자신이 행한 어떤 일에 대해 다른 누군가를 비난하는 것은 자기 자신을 힘없고 작게 만든다. 그것이 선택과 자유의지를 크게 제한한다. 책임감 없는 그들의 결정은 태어날 때부터 갖게 되는 권리를 상실하게 만드는데, 그 권리 자체가 자유다.

그렇기 때문에 그들은 차별, 박탈감, 그리고 어린 시절에 있었던 심리적 영향들의 압박에 시달리기 쉽다. 그러나 이제 그들은 근대 정신요법 덕분에 능력을 키우기 위해서는 운명을 개척해야 한다는 사실을 깨닫게 되었다. 이는 자신들의 크고 작은 행위에 대해 모두 책임질 준비가 돼 있어야 한다는 것을 의미한다.

다른 사람들이 우리를 통해 느끼고, 자신이 개인적으로 중요한 존재임을 끊임없이 깨닫게 해주는 '정신'이라는 특효약의 기운을 계속 유지하기 위해서는, 자신이 무엇을 하든 스스로 책임지는 것이 무엇보다도 필요하다.

2

시저의 실수

줄리어스 시저 *Julius Caesar*는 자수성가한 황제이지만, 빠르게 승진을 거듭하여 로마제국의 가장 위대한 장군이 된 인물이기도 하다. 9년이라는 시간 동안 그는 로마의 적들을 몰아내서 서유럽과 영국까지 영토를 확장했다.

연속적인 승리를 거둔 후에 그는 로마로 진군해 들어와, 원로원에 있는 적들을 굴복시키고 일반 시민들의 갈채를 받으며 완전한 권력을 획득했다. 그는 신성한 존재로 발표되었고 그를 기념하는 주화가 만들어졌다. 그의 동상이 로마 제국에 있는 사원들에 세워졌으며, 7월(July)이 그의 이름을 따서 명명되었다. 결국 시저는 황제라는 말로 굳어졌다.

그러나 귀족들 사이에서는 시저가 분노와 질투의 대상이었다.

일부 귀족들은 그가 세습적인 군주제를 꾀할지도 모른다고 생각했다. 로마에서 시저의 최대적수는 귀족인 가이우스 카시우스 *Gaius Cassius*였는데, 그는 시저의 절친한 친구 브루투스 *Brutus*와 몇몇 귀족들을 설득해 시저가 국가에 위험한 존재라는 이유로 그의 암살계획을 세웠고, 결국 기원전 44년 3월 15일, 카시우스와 브루투스가 지휘한 소수 집단이 원로원에서 시저를 둘러싼 다음 칼로 찔러 죽였다.

이런 옛날 이야기에 기초한 셰익스피어의 희곡 〈줄리어스 시저〉는 시저를 살해하려는 음모, 살인사건의 묘사, 시저의 암살에 대한 궁극적인 복수를 그려내고 있다.

그 희곡에서 시저는 카시우스가 자신에게 위험한 존재라는, 사전경고에 가까운 느낌을 강하게 받았던 것으로 묘사된다. 그러나 시저는 매우 큰 실수, 즉 자신의 생명을 잃는 실수를 저질렀다. 그는 두려움이 울부짖는 소리, 카시우스를 조심하라는 경고의 내부 목소리를 주의 깊게 듣지 않았다. 필요한 예방책을 강구하라는 메시지에 귀 기울여 조심하는 대신 그 소리를 무시해버린 것이다.

다만 시저는 절친한 친구 마르크스 안토니우스 *Marc Antony*에게 다음과 같이 말하게 한다.

내 옆에는 살찐 사람들이 있어줘야겠어
머리에 윤기가 나고 밤잠을 잘 자는 사람들 말야
저기 카시우스가 여위고 굶주린 표정을 하고 있군

시저가 한 말을 보면, 분명 카시우스의 '표정' 보다는 더 심각한 무엇인가가 시저를 괴롭히고 있는 것을 알 수 있다. 그런 표정 뒤에 숨어 있는, 무엇이라고 규정할 수 없는 어떤 본질이 시저를 몹시 불안하게 만들고 있다. 만일 이 때 시저가 자신의 느낌을 무시하지 않고 충실히 따랐더라면, 자신이 왜 불안을 느끼고 있는지를 정확하게 알아낼 수 있었을 것이다.

그러나 시저는 자신의 감정을 진지하게 받아들이거나 그에 대해 조사하기를 거부했다. 자기 자신의 위대함에 우쭐해 있던 시저는 두려움을 좋아하지 않았다. 그가 누군가를 두려워해본 적이 있다면 그 사람은 분명 카시우스일 것이라고 인정하면서도, 그는 자신과 같은 지위에 있는 사람에게는 두려움이 어울리지 않는다고 말한다.

그러나 내 이름 시저가 두려워하는 것이 있다면
어느 누구보다도 내가 재빨리 피해야 할 사람은
바로 저기 있는 피골이 상접한 카시우스이지.

시저가 두려움이나 개인적인 이해관계에 관심 없는 척하는 것은 죽기 바로 직전에도 나타난다. 원로원에 오는 도중에 한 충성스러운 추종자가 그의 손에 음모를 폭로하는 종이 쪽지를 쥐어주면서 시저 자신의 신상에 관한 일이니 즉시 읽어보라고 간청한다. 그러나 시저는 "나에게만 중요한 일이라면 가장 마지막에 처리할 것이다." 라고 말하며 그 간청을 물리친다.

시저의 가장 큰 실수는 자신의 감정이 호소하는 것을 듣지 않고 거부한 것이었다. 그에게는 적어도 감정이 자신에게 말하고 있는 바를 조사할 시간이 충분히 있었다. 시저가 자신의 느낌을 존중해 그 문제를 조사했더라면, 음모를 밝혀내 브루투스와 카시우스가 펼쳐놓은 덫을 피할 시간적인 여유가 충분히 있었을 것이다.

당신의 감정은 조기경보신호다

물론 당신은 원로원에 나갈 필요도 없고, 당신의 생명을 위협하는 살인자 친구들을 곁에 두고 있지도 않을 것이다. 감정을 반복해서 알아보지 않더라도 당신의 시체가 대중들에게 전시되기 위해 피투성이인 채로 그냥 내버려지는 일은 경험하지 않게 될 것이다.

그렇지만 당신의 감정은 실마리를 제공하기 위해 자연이 마련해 놓은 경보체계다. 성공적인 관계를 맺고 있는가? 상대방이 당신 편을 들고 있는가? 거래가 막 성사되려 하는가? 쓸모없는 노력이나 희망 없는 관계에 너무 오랫동안 매달리고 있지 않는가? 당신의 감정이 이런 모든 물음들에서 길잡이 역할을 할 수 있다.

시저가 자신의 감정을 실마리로 사용하지 못했던(자신이 느낀 것을 믿지 못했던) 것은 넓고 큰 문제의 한 부분에 불과했다. 자신의 두려움에 접근하지 못했기 때문에 그는 사람들에게 더 가까이 다가갈 수 없었다. 누구를 믿고 믿지 않아야 되는지를 알 수 없었던 것이다.

언제나 감정적으로 활발한 상태를 유지하라

하루 종일 당신은 다양한 감정(두려움, 의존성, 신뢰, 우쭐함, 사랑 등)을 경험할 것이다. 이런 감정들은 하늘을 가로질러 날아가는 새들처럼 당신의 마음속에 나타났다가 곧 사라진다.

심리적으로 가장 덜 발달한 사람의 내적인 삶마저도 기본적으로 어느 정도는 풍부하게 마련이다. 다양한 순간에 우리는 그런 변화무쌍한 감정을 경험한다. 따라서 그에 맞춰 개인적인 반응을 보이는 것은 자연스러운 현상이다. 다양한 감정을 경험하는 것은 바로 살아 있다는 증거다.

경험의 형식이라고 할 수 있는 감정은 신의 은총이며 당연히 갖게 되는 권리다. 어떤 특별한 감정을 갖지 못하는 것, 즉 자신의 어떤 양상을 억지로 질식시키는 것은 결국 삶을 왜소하게 만들며, 스스로 완전한 존재가 되지 못하도록 한다. 아무리 불쾌한 감정일지라도 우리가 가지고 있는 모든 감정들에 의존하지 않고서는 결코 완전한 인간이 될 수 없다.

당신의 감정이 당신의 생명을 구할 수 있다. 감정은 바로 그 목적을 위해 창조된 것들이다. 자신의 감정과 차단된 인물은 고통을 느낄 수 없는 존재로서 정말로 비참한 상태에 있는 것이다.

당신은 몇몇 감정들을 즐기고 있을 것이며 나이에 상관없이 자신을 강렬하고, 능력 있고, 젊다고 느끼길 원할 것이다. 또한 사랑을 받을 때는 누군가가 자신을 원하는 것이 느껴질 때도 있을 것이다. 이런 일은 연인의 미소나 하루의 일과가 끝나고 집에 돌아왔을 때 당신을 보고 기뻐하는 개와 함께하는 순간들처럼 많은 노력을 필요로 하지 않는다.

반면 당신에게 부정적인 감정을 불러일으키는 만남도 있다. 당신의 연인이나 상사가 시무룩한 표정을 짓고 있다. 당신이 관심 있는 사람에게 전화했을 때 그들이 다른 일에 몰두해 있다면 순간적으로 자신이 패배자처럼 느껴질 것이다.

당신은 그런 나쁜 감정을 무시하고 싶을 테지만 그러지 마라. 좋은 것이든 나쁜 것이든 감정은 당신의 길잡이다.

어떤 감정이든 두려워하지 마라

사람들이 자신을 감정으로부터 단절시키고자 하는 가장 큰 이유는 그런 감정이 마음속에 들어앉게 되는 경우 자기도 모르게 무슨 일을 저지르고 말지 모른다는 두려움 때문이다. 사람들은 자신의 감정(특히 분노와 성적 욕망)을 억누른다.

하지만 이러한 감정을 억누르는 것은 삶을 단축시키고 자신으로부터 멀어지게 만들며, 그로 인해 치를 대가는 아주 크다는 사실이 입증되었다. 어떤 감정을 부정하는 것은 풍부한 경험과 다른 사람들과의 감정의 교류를 제한하는 것이다. 자신의 감정을 똑바로 보지 못하도록 스스로를 강요함으로써 세상을 항해해 갈 수 있는 능력을 제한하는 것이다. 그런데도 많은 사람들이 이런 큰 실수들을 반복하고 있다.

우리는 합리적으로 행동함으로써 안정된 삶을 유지할 수 있도록 감정을 사용할 필요가 있다. 예를 들어 어떤 사람에게 강력한 분노를 느끼고 있다는 사실을 스스로 인정했다고 가정해보자. 그때 우리는 자신의 감정을 제대로 알지 못한 경우보다 폭력을 행사할 가능성이 훨씬 낮을 것이다.

인정받지 못한 감정일수록 그 감정은 우리를 매우 쉽게 휘어잡는다. 그리고 그런 감정이 존재하는 것을 알기 전에는 감정을 감추기 위해 대상이 되는 사람이나 사물에 분노나 반감을 표출한다.

당신의 감정을 조율하는 치료사가 되라

당신의 감정은 심리치료사들에게 꼭 필요한 재료이며, 당신 자신을 위해 조율이 필요한 악기다. 최고의 상담자들은 내담자들이 원할 때조차도 결코 충고하려 하지 않는다. 단지 내담자가 자신의 감정을 이해하도록 돕기 위해 질문을 많이 할 뿐이다.

오직 당신만이 당신이 느끼고 있는 것을 진솔하게 알 수 있다. 어느 누구도 당신에게 그것을 말해줄 수 없다. 당신이 감정에 대해 확신할 수 있을 때, 가장 잘 맞는 결정을 내릴 수 있다.

당신 자신의 치료사가 되기 위해서는 모든 감정에 자연스럽게 접근할 수 있어야 한다. 우리 모두는 스스로 치료사가 될 필요가 있다.

사업상 특별히 중요한 고객이 당신을 따분한 사람으로 느낀다고 가정해보자. 이를 알아채지 못한다면 당신은 일이 닥쳤을 때 매우 빨리 말하거나, 당황하거나, 중요한 요점을 생략하는 방식으로 자신을 수정하려고 노력할 것이다.

그러나 자신의 감정을 확인한다면(즉 당신이 그 사람 앞에서 불안해하고, 마음 졸이고, 유난히 서두른다는 진단을 스스로 내렸다면) 당신은 경솔하게 서두르는 것을 멈추게 된다. 고객이 흥미를 잃은 것을 알아차렸다면 대화 도중에 "지금이 이 문제에 대해 이야기하기 좋은 시간이죠?"라고 물어볼 수도 있을 것이다. 겉으로는 단순하게 보이는 이 질문 때문에 그 사람은 당신의 말에 귀 기울일 것이며, 즉시 당신을 존경하게 될 것이다. 이제 당신은 자신을 천천히 그리고 충분히 잘 선전할 수 있을 것이며, 거래를 성사시킬 확률 또한 10배 정도 높아질 것이다.

일단 자신이 무엇을 느끼고 있는지 알게 되면 그때부터 스스로를 통제할 수 있다.

상담자들은 자신의 감정을 내담자를 파악하고 이해하는 도구로

시의적절하게 활용한다. 예를 들어 어떤 내담자가 언제나 기분을 무겁고 부담스럽게 만든다면 상담자는 그것을 파악하고 있어야 한다. 그 내담자는 틀림없이 다른 사람에게도 유사한 느낌을 갖게 만들 것이기 때문이다. 바로 이것이 상사가 그를 승진시키지 않는 이유나 부인이 그의 곁을 떠난 이유를 설명해줄 수 있다. 무엇이 그들에게 일어나고 있는지를 알아내려면 먼저 자신의 감정을 확인해봐야 한다. 거기서 그들에게 물을 수 있는 질문을 찾아내게 될 것이다.

감정의 조절이 필요하다

어떤 사람들은 감정이 넘쳐흐를 정도로 많기 때문에 감정을 세상에 표현하는 방법부터 조정해야 한다. 이들은 하루 동안 일어나는 많은 사건들에 대하여 자신의 감정적인 사고 작용을 바탕으로 매우 강력한 반응을 보인다.

당신이 이런 종류의 사람이라면 주위에 있는 모든 것에서, 당신이 말하고 행하는 것에서, 그리고 당신과는 전혀 관계가 없는 사건에서도 나름대로의 의미를 찾아낼 것이다. 이것은 다분히 긍정적인 면이다. 당신은 감정적으로 풍요롭게 살고 있다. 반면, 나쁜 점은 당신이 딱하게 생각하는 모든 것들에 대해 쉽게 말한다는 것이다. 주의하지 않으면 제풀에 안달하는 사람이 될 수도 있다. 특히 감정적으로 차분한 사람과 함께 있으면 당신은 그를 반쯤 미치게 만들 것이다.

당신의 감정을 이해하고 즐기는 것은 더할 나위 없이 좋다. 그러나 당신에게 관심이 없거나 나중에라도 당신을 비난할 여지가 있는 사람들에게 감정을 표현하려는 것이라면 조심해야 한다. 강렬한 감정을 표출한다면, 일시적일지라도 다른 사람들은 시간이 지난 뒤에도 당신을 그 감정과 연결시켜 생각할 것이다.

예를 들어 당신이 잘 진행되지 않고 있는 프로젝트에 매우 흥분된 반응을 보이면 사람들은 당신을 속이기 쉬운 사람으로 여길 것이다. 혹은 사무실에서 새로 근무하게 된 사람에 대해 생생한 기쁨을 보이면 당신이 단지 새로운 동료에 대한 기대로 설레고 있을 때조차도 그 사람을 지지하고 있다고 잘못 생각할 것이다. 사실 그때마다 당신의 열광은 어떤 프로젝트에 참여하거나 새로운 사람을 맞이할 때 흔히 보이는 방법이었을 뿐인데 말이다. 그러나 감정을 드러내지 않는 사람들은 그 프로젝트가 실패하거나 새로운 동료가 제대로 일을 해내지 못할 때 당신을 '불가사의한', 혹은 '균형 감각이 없는' 사람으로 기억할 것이다. 또한 당신이 순간적인 분노를 표출한다면, 곧 평정을 되찾을지라도 다른 사람들은 당신을 성미가 급하고 까다로운 사람으로 간주할 것이다. 당신에게는 순간적인 반응에 불과했던 것이 남들에게는 오랫동안 지속적으로 기억되는 것이다.

당신이 매우 감정적인 사람이라면 어떤 한 감정이 다른 감정을 희생시키면서까지 지배적인 것이 되지 않도록 조심해야 한다.

당신이 어떤 특별한 불유쾌한 감정에 의해 억압받고 있다고 느낀다면(예를 들어 당신을 무시하는 사람들에 대해 매우 분노하거나, 친구들을 부러워하거나, 다른 사람들의 우둔함을 참지 못한다면) 어떤 특별한 감정을 '너무 많이 받아들이고' 있는 것이 아닌지 확인해봐야 한다.

그런 감정의 일종인 학대감이나 좌절감을 조사해봐라. 그리고 "내가 세상에 무엇을 기대하고 있는가?"라고 스스로에게 물어보아라. 당신은 게으른 경향이 있기 때문에 학대 받고 있다는 기분이 들고, 남들에게 너무 많은 것을 의존하기 때문에 좌절감을 느낀다는 사실을 알게 될 것이다. 나중에 그런 감정이 갑자기 엄습했을 때는 다시 옛날의 함정에 빠져들고 있다는 단서로 사용해라. 모든 경우에 감정은 당신 자신에 관한 것들을 당신에게 말해주고 있다.

다른 사람들의 감정을 존중하라

자신의 감정과 마찬가지로 다른 사람들의 감정에도 똑같이 존경심을 표시하라. 다른 사람들이 자신의 감정을 말할 때 그것을 받아들일 준비가 됐음을 보여주는 것은 당신의 감정적인 삶을 고무시키는 것 못지않게 중요하다.

사람을 너무 쉽게 좋아한다거나 성적인 것에만 관심이 많다거나 하찮은 일에 화를 낸다는 이유로 당신이 어떤 친구를 비난했다고 가정해보자. 그러면 그 친구로부터 멀어지게 될 것이다. 당장은 친구가 당신의 그런 행동이 자신에게 미치는 영향을 인식하지 못할 수도 있지만 앞으로는 당신에게 모든 걸 털어놓지 않으려고 할 것이다. 정말 사사롭게 털어놓을 이야기는 자신을 있는 그대로 받아들이는 사람들을 위해 남겨둘 것이다. 사람들이 당신을 좋아하고 친근감을 느끼기를 원한다면 그들의 감정표출을 검열하지 마라.

가끔 누군가에 의해 상처를 입거나 학대를 받았을 때 함께 분노해주지 않는 친구들이 있다. 오히려 이런 친구들은 화를 내는 우리를 보며, 어리고 미숙하고 잔인하다고 생각하면서 즉시 관계를 끊으려고 한다.

그들은 우리가 화를 낼 때 표출하는 분노가 무섭기 때문에 이런 식으로 반응한다. 또한 마음의 평정을 잃어버린 우리들의 모습이 그들에게는 실제적인 공격보다도 더 위협적으로 느껴진다. 이들은 우리들과 동감하기 위해 필요한 감정적인 충실함을 도저히 가질 수 없다.

- 어떤 종류의 검열이든 우정을 해칠 것이다.
- 성숙이 곧, 감정의 폭을 축소시킴을 의미하지는 않는다. 성숙은 단지 신중하게 행동하고, 풍부한 감정적 삶의 자극들 중에서 알맞은 것을 선택할 수 있는 능력을 의미할 뿐이다.

감정적으로 풍부한 삶을 살게 하는 7가지 원칙

우리의 감정적 삶을 어떻게 조율할 것인가는 예전에 감정적 삶을 어떻게 해쳤는지를 먼저 이해해야 가장 잘 파악할 수 있다. 우리는 진정한 개체성을 자신에 대한 검열이라는 과정을 통해(우리 자신의 반응이 매우 자연스럽게 발생했음에도 불구하고 강제로 억누르고 비난하므로써) 상실하고 있다.

여기에 감정적으로 풍부한 삶을 재발견해내는 데 필요한 심리학적 원칙들이 있다. 이 중 몇몇은 셰익스피어의 등장인물들에 의해 잘 나타난 바 있었다. 여기 셰익스피어가 취했던 7가지 원칙이 있다. 이는 나를 찾는 내담자들에게 도움이 되는 것들이기도 하다.

1. 먼저 자신이 감정적인지, 아니면 감정적으로 '차단된' 사람인지를 파악하라.

당신 자신이나 다른 사람이 강렬한 감정을 가지고 있다는 이유로 놀란다면, 감정적으로 차단된 사람이다. 아마 당신은 너무 많은 사랑을 받는 것조차도 원하지 않을 것이다.

항상 "안 돼, 정말로 그런 식으로 느껴서는 안 돼." 라고 자신에게 주문을 걸고 있다고 가정해보자. 그렇다면 당신은 아마도 감정을 그대로 표출하는 데 강한 거부감을 가지고 있을 것이다. 사람들이 당신을 신경이 무디고, 말수가 적고, 비밀스러운 사람이라고 생각한다면, 이는 당신이 감정적으로 어느 정도 차단된 사람이라는 증거다. 이렇듯 다른 사람도 아닌 자기 자신에게조차 자신의 감정을 비밀로 하고 있다면, 매우 심각한 문제다.

우선 '감정을 진솔하게 표현할 경우 무슨 일이 일어날지 몰라 걱정되는가?' 라는 질문을 자신에게 던지는 것부터 시작해보자. 예를 들어 당신이 상관을 좋아하지 않는다거나 사랑하는 사람에게 분노하고 있다는 것을 인정한다면 어떻게 될까? 분명한 것은 어떤 감정도 당신에게 파괴적인 일을 하도록 강요할 수 없다는 것이다. 아무리 기괴하고 부적절하게 느껴지는 감정이라도 실제로는 수백만 명의 사람들이 그와 똑같은 것을 느낄 수 있다. 대부분의 사람들은 드러나는 것보다 훨씬 더 강한 감정들을 가지고 있다. 그렇다고 해서 그들이 통제 불능 상태에 있다는 의미는 아니다.

당신이 매우 다양하고도 격렬한 감정들을 갖고 있다면, 자신의 감정들과 잘 접촉하고 있다고 볼 수 있다. 건강한 사람은 매우 빠른 속도로 사랑과 미움의 감정을 다스리고 바꾼다. 그들은 자신의 감정적인 삶을 충실히 유지하고 있으며, 그렇기 때문에 자신의 본질을 잘 이해하고 있다고 할 수 있다.

2. 자신의 감정을 가공하는 법을 배워라.

어떤 감정을 쫓아 행동하기 전에 잠깐 멈춰 서서 스스로를 체험해보라. 자신이 충동적인 사람이 아님을 스스로에게 증명해보라. 화가 나거나, 겁이 나거나, 사랑에 빠졌다고 해서 반드시 즉각적으로 행동해야 할 필요는 없다. 어떤 감정을 갖고 있는 것과 행동하는 것은 엄연히 다르다는 사실을 깨닫기만 한다면, 당신은 지금보다 훨씬 더 많은 감정을 포용할 수 있으며 자신을 위해 이용할 수 있게 될 것이다.

많은 사람들이 감정을 가지지 않은 척하는 주된 이유는, 만약 그것을 인정할 경우 경솔하게 행동하게 될 것이라고 생각하기 때문이다. 예를 들어 어떤 사람을 미워하거나 끌리면 그런 것을 밖으로 노출시키게 될 거라고 걱정하는 것이다. 하지만 진실은 정반대다. 자신이 그런 감정을 가진 것을 아는 경우 그것을 무심결에 내보일 가능성은 오히려 훨씬 적다. 자신이 느끼고 있는 것이 무엇인지 알 때, 어리석은 짓을 할 가능성은 거의 없다.

당신이 어떤 감정에 따라 행동할 계획이라면 먼저 그 감정을 확인할 시간을 가져야 한다.

예를 들어 정말 좋아하지도 않고 보고 싶지도 않은 사람과 어쩔 수 없이 한 약속을 취소하기로 결심했다고 하자. 이 경우 먼저 당신이 느끼고 있는 것을 구체적으로 확인해봐야 한다. '이 사람은 자기 문제만 이야기해. 나는 그 옆에 있고 싶지 않아.' 그런 다음 그 사람에게 말하고자 하는 내용을 정확하게 표현해야 한다.

이렇게 당신의 감정을 솔직하게 확인해본다면 그를 야단쳐야겠다는 어떤 충동도 사라지게 될 것이다. 사실 당신은 그와 길게 이야기하는 것조차 피하고 싶기 때문에 야단치기도 싫을 것이다. 실망하는 모습을 어떻게 어느 정도로 취할 것인지는 스스로 결정할 수 있다. 상대를 잠시 동안이나마 편안하게 해줄 구실을 만들 수도 있다. 혹은 당신이 지금의 관계를 위해 얼마나 열심히 일하고 있는지를 말하고 미래를 기약할 수도 있다. 이런 것들을 상대방에게 상처주지 않고 말할 수 있다. 하지만 당신이 아직도 그를 야단치고 싶다면 그렇게 하라. 그러나 적어도 선택권은 당신이 갖고 있다는 사실만은 잊지 마라.

자, 여기 어떤 죽음이나 손실로 인해 갖게 되는 슬픔의 시간과 관련된 많은 이야기들이 있다.

〈맥베스*Macbeth*〉에 나오는 등장인물인 맥더프*Macduff*가 자신의 부인과 자식들이 살해당했다는 소식을 들었을 때 한 친구는 대장부답게 그것을 이겨내라고 격려했다. 그러나 맥더프는 "대장부답게 참아내겠습니다. 그러나 사나이로서 슬퍼하지 않을 수 없군요." 라고 대답했다.

이때 경험의 가공이 이뤄진다. 맥더프는 그런 과정의 필요성을 느끼고 있었을 것이고, 이런 가공의 시간은 다른 감정들에서도 꼭 필요하다.

낭만적인 감정을 경험해보는 것 또한 중요하다. 따뜻한 감정을 완벽하게 경험해보기 위한 가장 좋은 방법은 그것을 말로 표현하는 것이다. 그러나 당신은 감정을 과감히 말로 표현하는 대신 바로 행동해버려 감정을 함께 공유할 기회를 빼앗아버린다.

연인이 "내가 백만 가지 방식으로 당신을 사랑한다는 사실을 보여주고 있는데 왜 꼭 말로 표현해야만 하지?" 라고 말하는 것은 언제나 가슴 아픈 일이다. 그런 사람들은 자신의 진실한 감정을 억제하고 있는 것이다. 심지어 자기 자신에게마저 그런 감정을 인정하지 않는다. 이들은 중요한 것을 놓치고 있으며, 불필요하게 천박한 삶을 살고 있다고 말할 수 있다. 그들은 결코 감정을 말로 표현하지 않음으로써 상대방에 대한 자신의 감정을 잃어버리며, 그런 감정표현 대신 반복적인 행동만을 보여주게 된다.

우리 감정들은 살아 숨쉴 수 있는 공간과 함께 말로 직접 표현되는 것을 필요로 한다.

3. 어떤 감정 때문에 스스로를 경멸하지 마라.

공포, 향수, 또는 질투를 느낀다는 이유로 자신을 경멸하는 것은 스스로 이런 감정들을 억누르려고 학습하는 것이나 다름없다.

억압된 감정들은 종종 다시 나타나 당신을 괴롭힐 것이다. 외롭거나 향수병에 걸려 있다는 사실을 당신은 결코 시인하지 않겠지만, 하루 종일 설명하기 곤란한 공허감을 느끼고 안식처를 구하지 못하는 악몽에 시달릴 것이다. 느끼고 있는 바를 알지 못하는 것보다는 아는 편이 조금이라도 더 낫다. 그 감정을 아는 경우, 완전히 문제를 해결할 수는 없더라도 적어도 무력감만은 덜 느끼게 될 것이기 때문이다.

어떤 경험을, 심지어 소름 끼치는 경험마저도 인정하는 것의 가치는 던컨*Duncan* 왕을 공모하여 죽였던 맥베스와 그의 부인을 대조해봄으로써 잘 이해할 수 있다. 맥베스는 죄의식을 체험하고,

그것에 관해 말하면서 잠시 동안 슬픔에 잠겨 흐느껴 운다. 그러나 그는 그것에 맞섬으로써 기운을 회복하며, 죄의식에도 불구하고 자신의 삶을 위해 용감하게 싸운다. 그러나 맥베스 부인은 결코 자신의 죄를 인정하지 않으면서 오히려 남편을 비겁자라고 놀린다. 그 결과 그녀는 정신병자가 된다.

맥베스는 실제로 범죄행위 때문에 자신과의 교감을 잃고 미치게 되는 위험을 기술하고 있다. 그는 자신이 했던 일에 대해 다음과 같이 평한다.

저지른 일을 생각할 바에는 자신을 잊고 있는 게 낫지.

이것은 현대 심리학이 정신이상의 원인으로 생각하는, 자기소외(자기 자신의 경험과의 접촉을 잃어버리는 것)를 보여주는 완벽한 진술이다.

4. 다른 사람들의 감정을 비웃지 마라.

만약 당신이 남의 감정을 비웃는다면, 정작 당신이 그런 감정을 가졌을 때 그것을 인정하기가 매우 어려워진다.

자신에 대한 다른 사람들의 따뜻한 감정을 비웃는 사람은 그런 감정을 모호하게 만들어 질식시켜버리기 쉽다. 당신은 스스로 사랑하는 마음을 갖기 어렵게 만들고 있다. 만약 헌신적인 사랑을 비웃는다면, 직접 사랑에 빠졌을 때 그것을 인정하기는 몇 배나 더 어렵다. 두려움을 우스꽝스러운 일로 생각한다면, 자신이 불안에 떨고 있음을 알게 될 때 스스로에게 잔인해질 것이다. 다른 사람의 어떤 감정을 비웃는 것은 사실 자신이 갖고 있는 그런 감정을 비웃는 것과 같다.

5. 감정을 일관성 있게 유지하려고 애쓰지 마라.

때때로 당신은 사랑하고 있는 사람에게 분노의 감정을 느끼고, 평소에 혐오했던 사람들이 가지고 있는 것을 즐길 수도 있다.

당신의 감정은 끊임없이 변하고 있다. 친구들에 관해 언제나 긍정적으로 느낀다고 말하거나, 싫어하는 사람을 결코 칭찬하지 않는 척하는 것은 자신을 속이는 일일 뿐이다. 당신이 가장 싫어하는 적마저도 때로는 재미있는 농담을 할 수 있고, 함께 웃을 수도 있다. 이것을 부정하는 것은 당신이 배우자 이외의 어떤 사람에게서도 성적 욕망을 느껴본 적이 없다고 말하는 것과 같다. 그것은 분명 진실이 아니다.

어떤 사람에 대한 당신의 감정을 일관성 있게 유지하려고 노력하지 마라. 그렇게 하면 당신은 자신의 참된 감정들을 애매모호하게 만들어버릴 것이다. 그런 내적인 일관성을 요구하는 것은 자신의 감정적 삶에 대한 부당한 검열이다.

6. 자신의 감정을 제거, 은폐하려 하지 마라.

당신이 한두 잔의 술을 마시는 것은 불안이나 분노, 또는 다른 감정을 제거하기 위해서가 아니라 즐거움이나 기분전환을 위한 것이어야만 한다. 나는 기분을 바꾸기 위해 약물을 사용하는 것을 결사코 반대한다. 당신이 의기소침하거나 무언가 걱정이 된다면 거기에는 분명히 이유가 있다. 단순히 그런 감정을 없애버리려고만 해서는 그 이유를 발견해내는 데 전혀 도움이 되지 않을 것이다.

우리는 사람들이 그들 사이에 존재하는 문제를 은폐하기 위해 주기적으로 함께 술을 마셔 취하는 것으로 관계를 유지시켜 나가는 경우를 자주 보게 된다. 그들 중 한두 사람만이라도 의식을 지키려 애썼다면 모든 상황이 훨씬 빨리 분명해졌을 것이다. 그러므로 문제가 있다면 당신은 그것을 찾아낼 수 있도록 마음과 감정을 깨끗하게 유지해야만 한다.

7. 고통스러울지라도 감정의 소리를 정직하게 받아들여라.

당신을 정말 고통스럽게 하는 것은 감정 그 자체가 아니다. 당신의 감정은 유쾌하지 못한 어떤 것을 보고 있는 당신의 눈과 비슷하다. 내부와 외부의 위험을 피하기 위해 다른 감각들을 동원하듯이 감정을 이용하라.

반복되는 위험신호에 특히 조심하라. 예를 들어 어떤 사람들과 함께 있을 때 자주 불길한 생각이 든다면, 아마 그 사람들은 겉으로 다정해 보일지라도 어떤 식으로든 당신에게 해를 끼치고 있을 것이다. 그런 사실을 이성적으로 따질 수는 없더라도 느낌이 당신에게 무엇인가를 말해주고 있음을 알아차려야 한다.

당신이 말하고 있을 때 전혀 듣지 않거나 말한 내용을 기억해내지 못하는 친구가 있을 수 있다. 혹은 자신을 교묘하게 자랑하는 사람도 있을 것이다. 그런 사람을 알게 될 때 허무해지고 약간 의기소침해질 것이다. 반면, 당신은 출세가도에 들어서 있지만 상대방은 행복하지 못한 경우도 있다. 친구나 오랫동안 알고 지내는 사람에게서 이런 불협화음을 발견하는 것은 당황스러운 일이다. 그러나 감정은 언제나 어떤 진실을 말하고 있으며 그것을 듣고 못 듣고는 전적으로 당신에게 달려 있다. 아무리 불쾌한 것이라 할지라도 우리의 감정적 반응은 상황을 정직하게 평가하고 고쳐나가기 위한 최후의 명령이다. 그것은 우리가 긍정적인 행위를 할 수 있도록 필요한 모든 것들을 제공해준다. 그렇게 느낄 수 있는 능력에 대해 언제나 자랑스러워한다면 우리를 무디게 만들려는 끊임없는 유혹에서 벗어날 수 있을 것이다.

실제로 셰익스피어는 누구보다 자기 자신을 잘 알고, 감정을 정확하게 인정했기 때문에 살아남았을 것이다. 그는 극작가, 배우, 정치가들이 우글거리던 위험한 지하세계에 살았다. 우리에게 알려진 바에 의한다면, 셰익스피어의 삶은 그와 경쟁하는 극작가들의 삶보다 더 견실하고 안정되어 있었다. 동료 극작가였던 벤 존슨은 결투에서 두 사람을 죽여 감옥에 투옥되었으며, 하마터면 처형될 뻔했다. 셰익스피어의 최대 경쟁자였던 말로는 결투를 하다 스물아홉 살에 살해되었다. 또한 극작가들은 자신들이 말하거나 글로 쓴 것이 권력자들을 화나게 만들 수도 있다는 위험을 감수해야만 했다.

　이런 상황 속에서 셰익스피어는 어떻게 살아남을 수 있었으며, 극장에서의 인기뿐만 아니라 왕실의 총애까지 받을 수 있었던 것일까?

　셰익스피어는 자신의 영역과 무엇이 가능한가에 대한 빈틈 없는 감각뿐만 아니라 항상 자신의 느낌에 대해 정확하게 알고 있었기 때문에 성공적인 결정을 할 수 있었다. 그는 자신이 지닌 강렬한 감정을 뚜렷하게 깨닫고 있었기 때문에 무엇을 표현할 것인지 잘 선택할 수 있었으며, 또한 자신을 위험에 빠뜨릴지도 모를 충동적인 욕구에 사로잡히는 것도 피할 수 있었다. 자신의 충동들에 대해 잘 알고 있었기 때문에, 불가피하게 그것들과 싸우는 경우도 있었지만 대부분 조화를 이룰 수 있었던 것이다.

Puck. *If we shadows have offended,*
Think but this, and all is mended,
Th...
W...
And...
No...
Gen...
If you...
And,

2,

상대방을
이해하기

안토니오의 미덕 · 우스꽝스러운 천재, 폴스타프
골치아픈 훈계자, 폴로니어스 · 발렌타인의 연인
논쟁의 대가, 마크 안토니

감정이입의 더듬이를
찾아라

셰익스피어는 유달리 감정이입을 중시했다. 그는 감정이입이 모든 인간관계에서 결정적인 역할을 한다고 생각했다. 다른 사람을 이해하고 수용한 사람들은 사랑, 일에서도 성공한 반면 남들에게 무관심하고 감정이입을 하지 못했던 사람들은 대부분 그 대가를 치렀다. 그런 이유로 셰익스피어는 사람들이 감정이입 능력을 발달시킬 수 있도록 도와줘야 한다는 근대 치료의 목표를 제기했다.

감정이입이란 남들이 느끼고 있는 것을 자신도 같이 느낄 수 있는 감각이다. 또한 그러한 감정을 기꺼이 경험하려는 의지의 발현이다.

그렇다면 실제로 우리는 감정이입을 어떤 방식으로 표출할 것인가? 감정이입의 기본은 우리가 어떤 사람에게 말을 건넬 때 의식적인 마음뿐만 아니라 무의식적으로도 말을 하고 있다는 사실을 깨닫는 것이다. 어떤 의미에서 우리는 그 사람의 지성뿐만 아니라 정신을 향해서도 이야기하고 있는 것이다.

무의식은 대화의 많은 단계를 이해하며 모든 것들을 기억한다. 의사소통을 하면서 직접 이야기되지 않는 부분까지 민감하게 이해할 수 있는 사람은 언제나 다른 사람들에게 부드러운 친밀감을 주게 된다. 아마 당신도 그런 사람들을 알고 있을 것이다. 언제나 '옳은 말'만 하는 것처럼 보이는 친구, 모든 사람들이 자유롭게 말할 수 있어야 한다고 믿는 직장상사, 먼저 말하기 전부터 당신의 하루가 어땠을지 아는 막역한 친구 등이 바로 그런 류의 사람들이다.

당신은 이런 사람들을 감정이입의 대가로 간주할 것이다. 물론 이런 당신의 생각은 전적으로 옳은 것이다. 그들은 다른 사람들의 무의식적인 마음과 친하게 지내는 일에서만큼은 대가라고 할 수 있다.

당신이 다른 사람들과 좀더 친밀하게 지내고 그들의 무의식과 친근한 상태를 유지하기 위해 노력한다면, 그들에 대해 더 많은 것들을 알고 다양성을 파악하게 될 것이다. 또한 타인에 대한 감정이입이 노력의 자연스러운 결과로 받아들여질 것이며, 상대방도 그런 감정이입을 느끼고 당신에게 똑같은 방법으로 보답해줄 것이다.

사람을 대할 때마다 우리는 두 가지 수준에서 그 사람들에게 영향을 미치고 있다는 사실을 인식해야 한다. 당신과 상대방이 주고

받는 대화는 일종의 표면 수준에서의 교환이라고 할 수 있다. 이 수준에서 당신은 상대에게 좋은 인상을 남기고자 열심히 노력했을 것이다. 표면 수준은 비교적 도달하기 쉬우며, 노력에 따라 성공하기도 쉽다.

이처럼 표면 수준이 인간관계의 한 부분인 것은 틀림없는 사실이지만, 완전한 관계를 위해서는 제2의 수준인 무의식 수준에서 보다 좋은 인상을 남겨야 한다. 모든 사람들이 심층의 무의식 영역에 훨씬 많은 것들을 기록하고 있기 때문이다.

상대방은 당신이 그들 자신에게 무의식 수준에서 어떤 영향을 끼치고 있는지 정확하게 말로 표현할 수 없다. 그것이 무의식적인 것이기 때문에 자신도 정확하게 말로 짚어내지 못하는 것이다. 그러나 그것이 알게 모르게 그의 태도에 영향을 미칠 것은 분명한 일이다.

만약 당신이 매우 균형 잡힌 자의식을 가지고 있으며, 실제로 다른 발달단계들을 훌륭하게 수행해왔다고 하자. 그러나 남들이 무의식적으로나마 당신을 어떤 식으로든 판단하고 있다면, 결국 지금까지의 노력은 헛된 것이나 마찬가지다. 다시 말해 사람들을 대할 때 오직 표면 수준에서만 관심을 갖는다면, 사람들은 당신이 자신과 진솔하게 상호작용하고 있는 게 아니라 자신을 '다루고' 있다고 느낄 것이다. 혹은 당신을 좋아하더라도 당신과 함께 있는 자기 자신의 모습은 싫어할지 모른다. 이런 경우 훗날 그 대가를 반드시 치르게 된다.

절친한 친구든 오직 한 번 만난 사람이든 상관없이 다른 사람들에 대한 당신의 반응을 통해 그들은 스스로를 자랑스럽고, 지적이고, 젊고, 총명하고, 무시당했고, 타락했고, 늙었고, 전성기가 지나버렸다고 느끼게 된다. 그래서 그들도 당신을 다루고자 한다. 종종 다시는 당신을 보지 않겠다고, 임금인상 요구를 거부하겠다고, 좋은 인연이 될지도 모를 사람을 절대 소개시켜 주지 않겠다고 무의식적으로 결심한다.

당신의 반응이 아무리 호의적이더라도 그들의 무의식이 당신과 함께하는 것을 좋아하지 않을 때는 그것을 억지로 바꿀 수는 없다. 그렇더라도 당신에게 결코 불리할 것은 없다. 적절한 기회가 생기면 그들의 마음속에 당신의 모습이 떠오를 것이다. 심지어 당신이 자격미달일 경우에도 그들의 무의식 속에 자리 잡고 있는 무언가가 당신이라면 그 단점을 극복할 수 있다고 생각할 것이다. 그것은 그들의 무의식이 언젠가부터 당신을 좋아하거나 사랑하게 되었기 때문이다.

당신은 자신을 다른 사람들의 무의식 속에 친구 또는 적으로 각인시키면서 살아가고 있다. 당신이 적을 만들고 있다면, 겉보기에 아무리 위대하고 매력적이고 총명하다 하더라도 인생의 낙제생임을 부인할 수 없을 것이다. 이럴 때 당신은 자신이 많은 곳에서 이상할 정도로 환영받지 못하고 있음을 발견할 것이다.

또한 이성관계에서도 이해하기 곤란할 만큼 부당한 대우를 받는다고 고통스러워 할 것이다. 처음에는 상대방이 당신에게 빠져 있었기 때문에 이성을 잃고 찬미를 거듭했을 것이다. 그러나 당신도 모르는 사이에 그가 이 관계의 부적절함을 느끼게 되면 겉으로는 여전히 사랑하는 척하더라도 무의식은 당신을 적으로 인식할 것이다. 그리고 사이가 좋지 않은 기간 동안 그의 사랑이 식게 놔두면 당신은 어떤 식으로든 대가를 치르게 될 것이다.

대부분의 경우 무의식적인 것은 시간이 지남에 따라 의식적인 것이 된다. 프로이트 이전에 살았던 심리학자 빌헬름 분트 *Wilhelm Wundt* 는 무의식을, 그 자체의 생명을 가지고 끊임없이 의식적이 되려고 노력하는 것으로 해석했다.

결국 운명은 당신이 사람들의 무의식에 어떻게 영향을 미치느냐에 따라 달라진다. 따라서 다른 사람들의 무의식적인 마음을, 당신의 운명에 영향을 미치고 있는 눈에 보이지 않은 신(神)들로 간주할 필요가 있다.

셰익스피어는 무의식이라는 낱말을 한 번도 사용하지 않았다. 하지만 자신의 작품을 통해 무의식적인 것이 무엇인지를 처음으로 정의한 사람이었다. 그는 종종 숨겨진 동기를 보여주기 위해 무의식을 사용했지만 대부분의 경우, 사람들의 무의식적인 마음에 친구나 적이 되어가고 있는 다른 사람들을 그려냄으로써 무의식의 움직임을 실감나게 보여줬다.

셰익스피어의 시대에서 심리발달의 두번째 단계는 "다른 사람이 너에게 해주길 바라는 대로 네가 먼저 남에게 행하라"는 격언으로 요약될 수 있을 것이다. 이같은 진리는 심리학적으로 다음과 같이 확대될 수 있다. "다른 사람들도 당신이 하고 있는 방식대로 무의식적으로 반응한다는 것을 기억해라. 날마다 수천 가지의 인상들이 당신의 마음에 떠오르고 있을 것이다. 왜 다른 사람들이 당신보다 지각이 없고 감수성도 적을 것이라고 생각하는가?"

예를 들어 우리들은 약속시간에 늦으면 상대방을 불편하게 만들기 때문에 그러지 말아야겠다고 생각한다. 물론 다른 표면적인 이유 때문에 계속 기다리는 것을 싫어하는 사람도 적지 않을 것이다. 사실 날씨가 추울 때 밖에서 기다려야 하는 것은 실로 짜증나는 일이다.

그러나 다른 이유, 즉 무의식에 전달되고 있는 보다 심층적인 의미 때문에 기다리는 것을 싫어한다면, 그것은 본질적인 부분을 건드리는 문제가 될 수 있다. 어떤 의미에서 약속을 지키지 않는 것은 "당신은 나에게 그다지 중요하지 않아." 라든가 "당신과의 약속을 위해 오로지 일이 끝나는 시간만 기다리는 것은 나로서는 상상도 할 수 없는 일이야." 라고 말하는 것이나 다름없다.

이때 상대방의 무의식은 무시당했다는 기분과 함께 치욕을 경험하게 될 것이다. 자신도 모르는 사이에 존엄성을 잃게 된 그 또는 그녀는 방어적인 행위로 당신을 학대하고 싶은 욕구까지 느끼게 될 것이다.

이런 심리발달의 두번째 단계(사람들의 무의식과 친근해지기)는 많은 부분이 첫번째 단계의 산물이라고 할 수 있다. 완전히 균형 잡힌 사람은 개체성이 갖는 가치를 인정한다. 때문에 다른 사람들이 어떤 감정을 가지고 있든 그 감정을 존중해준다. 그리고 다른 사람들도 자신만큼 인정받아야 한다고 믿는다.

한편, 사람들이 당신에 관해 느끼는 것들의 대부분이 사실은 당신이 가버린 후에 남아 있는 '잔존 효과'의 산물이라는 것을 알아야 한다. 그들은 당신과 함께 있을 때 평화로웠다거나 반대로 갑자기 당황스럽고 부적절했다는 것을 한 시간 또는 하루가 지난 다음에야 알아차리는 것이다. 또 당신과 함께했기 때문에 자신이 일을 충분히 잘하지 못했거나 외관을 충분히 보살피지 못했다고 느끼는 경우도 있을 것이다. 이런 잔존효과들은 두 사람이 함께 있을 때 갖는 경험만큼 관계의 추이를 결정하는 중요한 요소다.

사람들의 무의식과 친해지고 싶다면 자신이 더 이상 공부하는 학생이 아니라는 사실을 깨달을 필요가 있다. 이제 당신의 세계는 선생님이나 애정 어린 부모처럼 당신을 응원하고 당신의 성공을 기다리는 사람들로 이루어진 것이 아니다. 약간의 예외적인 경우도 있지만, 사람들은 당신의 다음 성공을 기대하지 않고 있다. 당신의 성공을 그들에게 보여주거나 위대성을 자랑하는 것만으로는 그들을 행복하게 만들 수 없다. 그보다는 그들을 고양시키는 것이 훨씬 더 중요하다.

다른 사람들의 무의식과 친해지기 위한 기술은 그들을 편안하게 느끼도록 도와주는 데 있다. 당신이 찬미 받고자 한다면, 즉 그들의 주 역할이 당신을 찬미하는 것이라고 생각한다면, 그들은 무의식적으로라도 이를 반드시 알아차릴 것이다.

하지만 당신이 그들을 있는 그대로 경험하고 즐기는 것이 아니라면, 삶은 틀림없이 당신으로부터 뒷걸음질칠 것이다. 그들에게서 달라졌으면 하는 부분을 당신이 느낀다면 그들 또한 그것을 감지할 것이다. 사람들의 무의식과 친한 관계를 유지하기 위해서는 그들을 변화시키려고 노력하기보다 그들을 경험하고 느끼는 것을 먼저 배워야 한다.

사람들의 무의식과 친해져야 할 필요성을 진심으로 인식하는 것 자체가 그 출발선이다. 당신은 사람들이 겉으로 드러난 것보다 훨씬 더 명석하고, 총명하다는 사실을 깨닫게 될 것이다.

다음 장들은 사람들의 무의식과 친하게 지낼 수 있는 기초적인 비결을 제시하고 예를 들어 설명한다. 셰익스피어는 자기 자신의 감정을 느낄 수 있는 자유에 대해, 그런 감정을 인정하고 있는 그대로의 자신을 즐기는 방법에 대해, 그리고 다른 사람들의 무의식적인 감정에 동의하는 방식으로 자신의 생각을 제시하는 법에 대해 많은 이야기를 하고 있다.

3

상대에게 베푼 일을 결코 내세우지 마라

안토니오의 미덕

나를 찾는 내담자들 중에는 관계가 엉망이 되어버린 부부가 많았다. 가끔은 서로를 이해하는 방향으로 대화가 이어지는 부부가 있는데, 나는 그때 희망을 갖는다. 그러나 그들 중 한 명이 갑자기 '내가 수년 동안 당신을 위해 했던 모든 일들….' 과 같은 식으로 상대방에게 이런저런 일들을 열거하기 시작하면, 그걸로 대화는 끝나고 만다.

최근에 내담자 한 명이 그녀의 남편에게 "나는 당신이 의과대학에 다니는 동안 내 일과 경력을 포기했는데 이제는 사무행정 훈련프로그램에 참가할 수 없을 정도로 난 너무 늙고 말았다고!" 라고 말했다.

여기에 대해 그녀의 남편은 이렇게 불평했다. "당신은 나한테

신경 쓰기는커녕 수시로 우리집으로 놀러온 쓸모없는 당신 친구들에게 모든 시간을 다 쏟아 부었는데, 내가 어떻게 학점을 받을 수 있었겠어?"

이렇게 일단 과거의 선행 목록이 펼쳐지기 시작하면 상대방은 결코 그것을 인정하지 않을 것이다. 때문에 불평하는 사람은 소리를 지르거나 울음을 터뜨릴지도 모른다. 그러나 그것은 중요하지 않다. 지금 상대방은 일방적인 공격을 받고 있으며, 그런 자신이 무력하다고 느끼고 있을 테니 말이다.

그 목록을 열거하는 사람은 사랑 받기 위해, 즉 자신이 사랑 받을 자격이 충분한 사람이라는 것을 설명하기 위해 그렇게 하는 거라고 생각할지도 모른다. 그러나 언제나 듣고 있는 사람은 한 대 맞은 기분이 들며, 본능적으로 상대방이 흘렸던 눈물이 자신을 위한 것이 아니었음을 알게 된다. 그것은 모두 자기연민의 눈물이었던 것이다.

듣는 사람 역시 말하는 사람 못지않게 강한 성격을 가지고 있다면 곧 자신의 목록으로 반격할 것이다. "당신이 내 친구들의 행동을 참아냈다고요? 내가 당신의 히스테리컬한 어머니의 꾀병에 바쳤던 세월은 어떡하고요?"

그러나 대부분의 경우 이런 목록을 듣는 사람은 마치 '정의'를 구하는 듯한 탄원에 전혀 감동받지 않고 침묵에 빠져들거나 모르는 척함으로써 자신의 분노를 표출한다.

은혜를 베풀었다고 큰소리치고 싶은 유혹을 떨쳐버려라

〈십이야 *Twelfth Night*〉의 등장인물 중 안토니오*Antonio*라는 남자가 있는데, 그는 과거가 분명치 않은 나이든 선장이다. 우리는 안토니오가 착한 행동을 했다는 것을 안다. 그는 배가 침몰해 거의 죽을 뻔한 세바스찬*Sebastian*의 목숨을 구해준다. 그리고 나중에는 세바스찬이 육지에서 잘 살아갈 수 있도록 돈까지 빌려준다.

이 극의 후반부에서 안토니오는 해적으로 오인 받고 체포된다. 이 때 그는 세바스찬에게 자신의 돈을 돌려달라고 부탁한다. 그러나 〈십이야〉는 사람들을 잘못 오인하는 사건이 결정적인 역할을 하는 희곡 가운데 하나다.

안토니오는 자신이 세바스찬과 이야기하고 있다는 착각을 한다. 하지만 실제로 그는 전에 한 번도 본 적 없는 세바스찬의 쌍둥이 형제와 이야기를 하고 있다. 이 쌍둥이가 자신은 빚진 것이 없으니 빚을 갚지 않겠다고 말하는 것은 너무도 당연하다.

안토니오와 같은 입장에서 극도로 배은망덕한 세바스찬의 행위를 보고 충격을 받은 대부분의 사람들은 자신이 상대방에게 했던 모든 일들을 즉시 떠들어대기 시작할 것이다. 그러나 안토니오는 그런 충동을 이겨냄으로써 위대해진다. 그는 자신의 선한 행위가 설득력이 없다면 자신의 말도 전혀 도움이 되지 않을 것으로 믿는다. 그는 단지 남에게 들릴 듯 말 듯한 목소리로 중얼거린다.

나를 비참한 처지로 몰지 마세요.
내가 당신을 위해 했던
선행 때문에 당신을 질책하는
그런 불합리한 사람이 되기는 싫습니다.

나는 내담자들이 안토니오처럼 행동해주길 바란다. 그들이 다른 사람에게 어떤 호의를 베풀었든 간에 상대방에게 그에 대해 열거하는 것은 언제나 부질없는 일임을 깨닫기 바란다.

그러나 이와 같은 열거가 쓸모없는 전략이라는 것을 사람들에게 확신시키는 일은 매우 어렵다. 일단 어떤 사람이 자신의 선행에 대해 떠들어대기 시작하면, 나로서는 그런 행동을 바로 멈추게 할 수 없다. 그렇지만 그것을 기억해 두었다가 그의 짝이 없을 때 그 사람과 접근법에 관해서 이야기하며, 그런 접근법이 원하는 바를 이루는 데 조금도 도움이 되지 못한다는 사실을 이해하도록 최대한 돕는다.

망각공포증을 극복하라

현대인들은 요즘 보이는 것, 드러내는 것에 열망하는 경향이 점점 심해지고 있다. 그래서 많은 관심이 대중매체에 등장하는 인물과 운동선수에게 집중됨에 따라 대다수의 사람들은 자신이 잊혀지고 있다고 생각한다. 이런 사람들은 소위 '망각공포증' 이라 불리는 것을 발달시키고 있다. 무시당하는 것에 대한 두려움은 수많은 사람들이 단순한 숫자로 변환됨으로써 더욱 고조되고 있다. 사람들은 남이 알아주는 것만을 가장 중요한 일인 것처럼 여기고, 자신들이 하고 있는 모든 사소한 일마저도 칭찬받기를 원한다.

내가 최근에 간 노인병원의 병실에는 40여 개의 휠체어가 있었다. 그런데 그 의자들에는 모두 'OOO 기증' 이라고 씌어진 작은 장식 판들이 붙어 있었다. 노인들 중 한 사람이 의자에 기댈 때마다 그 기증자의 이름이 등에 새겨지는 셈이다. 이런 망각공포증은 우리가 가까운 사람들로부터 인정받지 못하고 있다고 느낄 때 가장 심해진다.

우리는 때로 사람들의 배은망덕한 행위 때문에 가슴 아파한다. 어떤 사람이 우리가 하고 있는 일을 당연하게 생각하거나, 도움을 주기 위해 전력을 다했음에도 불구하고 우리를 비난할 때, 그를 위해 했던 모든 일들을 큰소리치며 열거하고 싶은 생각이 드는 것은 극히 자연스러운 충동이다.

고마움을 모르는 사람들은 우리가 아무리 최선을 다해 대해줘도, 그런 실망감을 느끼게 만든다.

한 내담자는 자신의 어머니에게 화가 잔뜩 나 있었다. 그녀는 한 해 동안 심사숙고해서 아주 비싼 것은 아니지만 어머니의 능력으로는 도저히 살 수 없는 선물을 사드렸다. 그러나 어머니는 고맙다는 말 한 마디 하지 않았다. 아니, 고맙다는 말은커녕 그녀의 생활 방식과 돈 쓰는 방식에 대해 비판했다.

이때 그녀가 큰소리로 어머니에게 했던 희생들을 열거하고 싶은 충동을 느꼈던 것은 당연하다. 실제로 그녀는 어머니에게 보낼 긴 편지를 가지고 내 사무실로 찾아왔다. 아직 보내지 않은 그 편지에는 그녀가 어머니에게 바쳤던 시간과 돈의 목록이 장황하게 적혀 있었다.

나는 그녀가 자신의 고민에 대해 이야기하는 동안만이라도 그 편지를 보내지 말 것을 요구했다. 그리고 몇 번 만나면서 그 편지를 보내는 것이 누구보다 그녀 자신의 정신에 미치게 될 역효과에 대해 스스로 이해하도록 도와주었다.

- 우리가 많은 일을 도와줬던 어떤 사람이 우리를 학대하고 있다는 느낌이 들지라도, 그 사람을 위해 베풀었던 호의를 열거하는 방법은 결국 더 나쁜 감정만 갖게 만들 것이다.
- 이런 식으로 그 사람을 궁지에 몰아넣었을 때 일시적인 만족감은 느낄지 모르겠지만, 결국 몇 시간이 지나면 다시 혼란스러워질 것이다.

앞에서 보았듯이 셰익스피어는 그런 행동이 '불합리하다'고 말했다. 그리고 목록이 틀림없는 사실일지라도 그것을 발작적으로 제시하면, 자신이 그때 약간 미쳤던 게 아닌가하는 후회만 계속될 뿐이다.

그것은 상대방에게 감사를 간청하는 행위이며, 결국 자신의 가치를 하락시킬 뿐이라는 사실을 깨달아야 할 것이다. 그것은 인정과 사랑을 구걸하는 것뿐이며, 이렇게 함으로써 마음의 평안을 누릴 수 있다고 생각한다면 착각이다.

최악의 경우에는 공허감과 함께 자신이 삼류가 된 것 같다는 느낌에서 벗어날 수 없을 것이다. 그런 통렬한 비난을 통해 친절했던 행위는 본의와 달리 상대에게 속임수로 여겨질 수도 있다. 어쩌면 자신마저도 칭찬이나 다른 무엇인가를 돌려받고자 기대했던 것처럼 느끼기 시작할 것이다.

과거에 어떤 사람을 위해 행했던 일을 떠들어대는 것은 스스로 지금 무력하다는 사실을 의미한다. 과거에 했던 호의들에 의존하는 것은 자신이 약하게 느껴질 때 스스로를 무장시키는 방법의 하나일 뿐이다. 당신이 다른 사람을 위해 했던 일들을 열거할 수밖에 없는 사정이 있다 할지라도, 분명 그 순간에는 고맙다는 말을 듣지 못할 것이다.

편지를 보냈을 때의 이해득실을 곰곰이 생각해본 다음, 그녀는 목록을 적은 편지가 어머니를 설득시키지는 못할 것이라고 판단했다. 처음 편지를 쓸 때 그녀는 편지를 받고 딸의 호의에 감격해 눈물을 흘리며 고마움을 모르는 자신을 증오하는 어머니의 모습을 상상했었다. 그러나 나는 어머니가 오히려 그 편지를 정면공격으로 간주할 것임을 그녀에게 확신시켰다. 즉 그 '선의'들은 사라질 것이며, 자신의 배은망덕을 깨우치는 대신 어머니를 추하게 만들면서까지 자신의 행동을 돋보이게 한 딸을 미워할 것이다.

그런 편지는 감사는커녕 분노만 자아낼 것이다.

승리와 사랑, 당신은 어느 쪽을 원하는가?

대부분의 경우 당신은 매우 화가 나서 상대방이 어떻게 느끼든 상관없다고 생각할지도 모른다. 당장 목록을 열거하는 것만이 중요한 일일 테지만, 자신을 깊이 들여다보고 그런 식으로 과거의 일들을 열거하는 행위가 구걸과 다르지 않다는 사실을 깨달아야 한다. 당신은 감사와 사랑을 유도해내기 위해 기를 쓰고 있는 것이다.

그런 뜻은 추호도 없고 정말 매우 분노하고 있는 것이라 하더라도, 그 자리를 피한 뒤 모든 것을 당신의 불운이나 잘못된 판단 때문으로 돌리는 편이 나을 것이다. 그러나 우리가 상대방의 반응에 많은 관심을 갖고 신경 쓰고 있다는 것은 분명하다. 사랑하는 사람이나 지인들이 우리를 인정해주기를 바라는 것은 당연한 일이다. 특히 직장에서 그것은 생존의 문제다. 우리의 일자리는 상사가 얼마나 인정해주는가에 의해 좌우되는 바가 크다.

상대방을 위해 했던 일을 당사자에게 말하는 모든 경우, 우리들이 그 사람에게 어떤 영향을 미치고 있는가를 조사하는 것이 중요하다.

당신은 가장 낮은 수준에서 그 사람을 욕보이고 있다. 따라서 어떤 논쟁을 벌일 때 과거의 '호의 목록'을 들춰내는 것은 그 논쟁을 추한 수준으로 추락시킬 뿐이다. 사람들은 즉시 당신을 멀리하고 싶어 한다. 당신이 그들로 하여금 신세를 지고 있는 의존적인 존재로 느끼게 만드는 것이다. 또한 그들이 자신을 나쁜 사람이라고 생각하게끔 만들고 있으며, 당신이 그들을 위해 했던 일들이 가져다줄 많은 혜택들을 스스로 망치고 있다.

당신은 도움을 필요로 하는 상대방이 당신보다 더 못난 사람이라고 규정짓고 그의 자존심과 신분을 공격하고 있다. 그가 당신에게 반드시 갚아야 할 빚을 진 사람인 것처럼 만들기 위해 애쓰고 있다. 그것은 그가 당신 없이는 어느 곳에서도 존재할 수 없다고 말하는 것이나 다름없다.

무조건 칭얼대는 아이처럼 굴지 말아라

어떤 사람에게 자신이 그를 위해 했던 일들을 말하는 것은 더이상 방법이 없다고 느끼는 사람의 마지막 수단이다.

당신의 매력, 성숙성, 내적 가치 등이 상대방을 감동시키지 못할 때 사용할 수 있는 마지막 수단은 사람들이 당신에게 빚지게 만드는 것이다. 그들의 죄의식을 괴롭히는 것은 자식을 사랑하지만 그만큼 충분한 역할을 하지 못하는 것을 걱정하는 부모들의 죄의식을 이용하는 아이들의 책략이다.

나는 자신이 얼마나 많은 고통을 당했고, 얼마나 많은 것들을 베풀었는가를 줄줄 외우는 사람들의 얼굴에서, 종종 어린아이의 표정이 나타나는 것을 본다. 어떤 사람들은 그들이 많이 주고 적게 받은 것에 대한 모순을 말할 때 눈을 꼭 감기도 한다.

"내가 당신을 위해 했던 모든 일들은 어떡하지?" 라고 말하고 싶은 충동을 극복하는 방법

1. 상관과의 '공로논쟁'은 득보다 실이 많음을 명심하라.

직장에서 당신의 공로를 알리고 인정받는 것과 그들을 위해 했던 일을 다른 사람들에게 말하는 것의 차이를 이해해야 한다.

직장에서 책임을 진다는 것은, 실수를 했을 때 숨지 않고 앞에 나가 비난을 들어야 하는 것처럼 공로를 인정받을 때에도 당당하게 나서는 것을 의미한다. 흔히 여성들은 칭찬 받을 충분한 자격이 있을 때조차도 앞에 나서기를 꺼린다.

당신 목소리의 높낮이를 살펴 보면 자신과 다른 사람들에게 당신의 공로를 적절하게 인정받고 있는지, 아니면 유아기적인 모욕감에서 이야기하고 있는지를 알 수 있다.

직장생활을 하는 누구나 상관과 만성적인 문제에 직면한 자신을 발견할 때가 있을 것이다. 상관이 당신의 아이디어 혹은 당신이 성사시킨 계약들을 자신의 공로로 가로챈다 할지라도, 당신이 할 수 있는 일은 불행하게도 거의 없다. 수십 권의 책이나 강의를 통해 당신은 그런 상황에서 말하고 행동하는 방법을 다양하게 배우겠지만, 분명한 것은 당신이 상관에게 직접적으로 대들기 위해 어떤 일을 하면 그들은 배반당하거나 공격당한 느낌을 갖게 될 것이라는 사실이다.

당신이 사람들 앞에서 상관에게 반발하는 일은 분명 없을 것이다. 그러나 회의가 끝난 후 "제가 여름 내내 근무시간을 초과해 가면서 연구한 것을 어떻게 당신의 아이디어라고 말할 수 있습니까?"라고 묻고 싶어질 것이다. 그러면 그는 개인적으로 당신의 말에 동의하고 심지어 사람들 앞에서 당신을 칭찬할지도 모른다. 그러나 동시에 상관은 당신이 더 이상 '팀 경기자'가 아니라고 느낄 것이다. 이는 당신이 어떤 일을 한 후, 그 일과 관련해 세운 공로를 절대 잊지 않고 있음을 의미한다.

당신이 이렇게 상사와 전투를 시작했다면, 이기든 지든 이미 패배의 길에 들어서고 있는 것이다. 상관은 당신을 어떤 일이나 비밀이든 신뢰하고 맡길 수 있는 저장고가 될 수 없다고 느낄 것이다. 그 비밀들은 실제적인 사업문제며 상관의 무능력에 대한 '비밀'까지 포함한 다양한 것들이다.

이런 상황에 처해 있던 내담자들은 결국 다른 곳에서 더 나은 미래를 찾으며 조용히 지내기로 결정했고, 이는 매우 바람직한 선택이었다. 당신의 업적을 이력서에 기록하는 것으로 만족하고, 상관이 원하는 것처럼 당신의 노골적인 야망을 억제한다면, 아마도 승자가 되어 떠날 수 있을 것이다.

2. 자식들에게 자신의 희생을 무기로 복종을 강요하지 마라.

부모들은 곧잘 자식들에게 목록을 열거하고 싶은 강한 충동을 느낀다. 자식들에 의해 도전 받고 있다고 느끼거나 바라는 대로 행동하지 않을 때 부모는 자식이 자신들에게 빚을(특히 금전 면에서) 지고 있다는 사실을 상기시킴으로써 그들을 통제하고 싶은 충동을 느끼게 된다. 그때 '우리가 너희들을 위해 했던 모든 희생들' 의 목록이 펼쳐지는 것이다.

거의 모든 부모들이 이런 경향을 가지고 있다. 통계적으로 보면 이혼한 부부 중 더 열심히 일하고 있는데도 언제나 자식들에게 덜 인정 받는 쪽이 특히 그런 유혹에 쉽게 굴복해버린다. 그 확률은 아내 쪽이 더 높은데, 예를 들면 만남이 허락된 날에만 들르는 남편은 자식에게 더 많은 자유를 주며, 약간의 사치품을 사주고 아이가 원하는 소풍도 함께 가준다. 그렇게 자식과 함께 오랫동안 밖에 머무르면서 아이들이 어머니를 유별나게 걱정이 많은 사람 혹은 보수적인 사람으로 여기게 함으로써 어머니를 철저히 소외시키는 것이다.

아이는 어머니가 자신의 생존에 관한 여러 일들 때문에 괴로워한다는 것을 알아차리지 못한다. 아마도 자식이 잠자고 일어나는 시간과 따뜻한 옷을 입는 일로 걱정하는 사람은 어머니뿐일 것이다. 때문에 어머니는 필연적으로 엄격한 교사일 수밖에 없으며, 자식의 삶에 긍정적인 어른의 모습을 심어주기 위해 준비하는 사람이다. 그렇지만 여덟 살의 아이에게는 만나는 날마다 기꺼이 사탕을 사주는 아버지의 행위가 이런 것들보다 더 중요하게 보일 뿐이다.

스스로를 대단한 존재로 생각하는 남편에 대항해 어머니만큼 자식에게 '너를 위해 했던 모든 일들'을 줄줄 외우고 싶은 충동을 느끼는 사람도 아마 없을 것이다. 그러나 그때마저도 절대로 그런 충동에 굴복하지 마라. 당신 자식이 지금 당장 그것을 보여주지 않는다 할지라도 분명히 당신을 사랑하고 있을 것이다. 때문에 당신의 목록은 조금도 도움이 되지 않는다. 그것은 단지 아이를 혼란스럽게 할 뿐이며, 심하게는 병적일 정도로 신경질적이게 보이도록 만들 것이다. 그러나 당신이 계속 책임 있게 행동한다면 틀림없이 언젠가는 자식이 당신이 했던 일에 대해 감사할 것이다. 결국, 당신의 사랑이 이기게 될 것이다.

3. 사랑과 의무감은 공존할 수 없다는 사실을 인식하라.

당신의 장점을 사랑하는 사람에게 자세히 이야기하고 싶은 충동은 당신이 무시당하고 있음을 나타내는 확실한 징후다. 최악의 경우 그 사람이 당신에게서 멀어지고 있다고 느낄지도 모른다.

만약 그가 다른 사람을 아름답다고 생각하거나 실제로 다른 사람과 관계를 갖고 있다 할지라도, 당신이 없었다면 그가 현재의 반만큼도 되지 못했을 것이라고 새삼스럽게 상기시키는 일은 전혀 도움이 되지 않는 방법이다. 우리는 모두 자신이 사랑하는 사람에게 없어서는 안 될 존재였던 것(그리고 지금도 여전히 그런 사이라는 것)을 상기시키고 싶은 유아적인 충동을 갖고 있다. 그러나 그렇게 하는 것은 당신의 적을 나쁘게는 커녕 더 좋게 보이도록 만들 뿐이다.

의무감 때문에 연인과 함께 있기를 원하는 사람은 아무도 없다. 의무감을 미끼로 사랑을 구걸하지 마라. 사랑의 본질은 자유이며, 사랑하는 사람의 눈을 통해 자기 자신의 위대성을 즐기는 것이다.

슬프게도 상대방이 더 이상 당신을 사랑하지 않는다면, 그를 위해 했던 일들을 모두 열거하는 것은 자신을 더욱더 추락시킬 뿐이다. 상대방이 그 목록을 마음에 새기면서 "당신이 말이 옳아. 당신은 나를 위해 내가 알고 있는 것보다 더 많은 일을 했어. 나는 당신과 영원히 함께할 거야." 라고 말했을지라도, 얼마 지나지 않아 그 사람을 진심으로 돌아오게 만들지 못했음을 알게 될 것이다. 그는 단지 죄의식 때문에 당신과 함께하고 있을 뿐이다. 그가 지금 당신 곁을 떠나는 것이 나쁘게 보일지라도, 죄의식 때문에 함께하는 것은 더욱 더 나쁜 경우라고 하지 않을 수 없다. 왜냐하면 무의식적으로 그가 당신을 원하지 않고 있음을 느끼게 될 것이고, 그가 언제 떠날지 모른다는 불안한 상태만이 계속될 것이기 때문이다.

모든 사랑에는 시련의 날들이 있게 마련이다. 사랑 받지 못하고 있다는 느낌으로 괴롭다고 해도 연인에게 당신이 얼마나 많은 일을 해왔는가를 상기시키는 것은 그의 나쁜 감정을 연장시킬 뿐이다. 그에게 자율적인 감정을 허락하지 않음으로써 당신은 그를 더 먼 곳으로 밀어붙이는 셈이다.

마지막으로 당신이 운 나쁘게도 타고난 비방자와 사랑에 빠졌다면, 목록 읊기를 당장 그만두어라. 타고난 비방자는 결코 당신을 칭찬하지 않을 것이며, 그것을 요구하는 일은 당신을 타락시킬 뿐이다.

4. 당신이 베푼 호의를 열거하는 식으로 상대방과 맞서고 싶은 충동이 생기면 "내게 이런 칭찬이 왜 필요한가?" 라고 자문해보라.

만약 칭찬이 사업상 생존을 위해 절대적으로 필요하다면 솔직하게 말하라. 그러나 조심스럽게, 다른 사람을 비난하고 있다는 생각이 들지 않게 말해야 한다. 당신의 목소리에서 어떤 하소연이나 자기연민도 배어 나오지 않도록 연습을 하는 것도 도움이 될 것이다. 하지만 상관을 마지못해 칭찬하도록 만드는 것은 당신에게 아무런 도움이 되지 않음을 명심하라.

가족의 구성원이나 연인에게 그런 충동을 느끼더라도 당신은 참아야만 한다. 그런 다음 당신의 기분을 연구해보라. 당신은 무엇 때문에 이런 목록을 제시할 수밖에 없는 것인가?

5. 배은망덕한 사람과 교제하고 있다면 가급적 손실을 줄여라.

어떤 사람과 함께 있을 때 습관적으로 과거에 베푼 일들을 열거하고 싶어진다면, 당신이 지금 그에게 너무 많은 것을 주고 있는 것은 아닌지 따져봐야 한다. 이를 악물고 견뎌내야만 하는 일이나 상황이 아니라면 주는 것을 중지하는 것도 치료책일 수 있다.

당신이 그를 위해 했던 일들을 말하고 싶은 충동이 끊임없이 일어난다면, 아마도 그가 은혜를 모르는 사람이거나 당신의 '호의적인 행위들'을 원하지 않음을 의미할 것이다. 그러나 어떤 경우든 당신이 그를 위해 했던 일들을 나열하는 것은 완전히 시간낭비다. 진가를 인정받지 못하는 공헌은 그만두어라.

6. 당신의 공헌을 언급하지 않으면서 논쟁하는 법을 배워라.

처음 시작한 논점을 계속 유지하라. 흔히 어떤 논쟁에 관계가 없는 사항들을 자꾸 끌어들이는 것은 좋은 일이 아니다. 사람들이 당신에게 빚지고 있다는 식으로 말하는 것은 가장 나쁜 형태의 욕설이나 마찬가지다. 당신이 지적하는 그것이 어떤 사람들에게는 삶의 방식일 수도 있다.

어떤 가족과 사무실 직원들은 의사소통의 한 방법으로 자신들이 했던 일을 계속해서 언급하기도 하지만 다른 사람들이 한다고 해서 당신도 그런 방식에 휩쓸리면 곤란하다.

현재시제에 머물러라. 과거를 다시 말하는 것은 결코 효과적이지 않다. 논쟁의 기본 쟁점이 다른 사람의 배은망덕이라면, 그에게 배은망덕한 사람이라고 말하되, 당신이 그를 위해 했었던 일들은 모두 잊어버려라.

 안토니오의 방법을 기억하라. 다른 사람에게 베푼 호의는 가슴 속에 그대로 간직하라. 그러면 상대방이 어떻게 행동하든 상관없이 당신 자신에 대해 더 건강하게 생각하고, 더 많은 확신을 갖게 될 것이다.

4

다른 사람을 기분좋게 만들어라

우스꽝스러운 천재, 폴스타프

셰익스피어의 가장 불가사의한 등장인물 중 하나는 뚱뚱하고 나이든 존 폴스타프*John Falstaff* 경이다. 셰익스피어는 폴스타프를 허풍쟁이, 거짓말쟁이, 술주정꾼이지만 모든 희곡을 통틀어 가장 호감 가는 등장인물로 묘사한다. 셰익스피어 자신이 폴스타프를 사랑했음에 틀림없다. 폴스타프는 셰익스피어가 평소 알고 있었던 어떤 귀족을 염두에 두고 만든 것으로 추측된다.

폴스타프는 〈헨리 4세 *Henry IV*〉의 제1부에서 장난기 많고 떠돌아다니는 책임감 없는 인물로 갑자기 등장한다. 헨리 4세의 아들이며 왕위 계승자인 핼*Hal*왕자는 많은 시간을 폴스타프와 함께 술을 마시며 지낸다. 두 등장인물의 사회적 신분이 이처럼 큰 차이가 나는 것도 다른 극에서는 보기 힘든 일이지만, 그들은 서로를 좋아하며 매우 친하다. 그 희곡 여기저기에서 우리는 사람들이 나쁜 일을 하도록 꾀를 짜내고, 못된 장난을 하고, 뻔한 거짓말을 하고, 남들의 웃음거리가 되는 폴스타프를 만나게 된다.

〈헨리 4세〉의 제2부에서 폴스타프는 생기가 넘치고 쾌활한 인물로 다시 등장한다. 이 등장인물의 성격은 대중들의 공상적인 이야기를 들으며 자랐던 셰익스피어의 마음속에 일찍부터 자리 잡고 있었던 것으로 보인다. 엘리자베스 1세Queen Elizabeth는 셰익스피어에게 폴스타프를 주인공으로 한 희곡을 쓰도록 주문했는데, 그것이 바로 〈윈저의 명랑한 아낙네들The Merry Wives of Windsor〉이다. 〈헨리 5세 Henry V〉에서 언급된 폴스타프의 죽음은 진정한 비극이라고 할 수 있을 것이다.

그렇다면 실제로 존재했던 사람도 아닌 폴스타프라는 인물이 서로 다른 네 개의 희곡에 모두 등장하는 이유는 무엇일까? 폴스타프에게 셰익스피어 전체 작품에서 이런 특별한 지위를 차지할 만한 무엇이 있는 것일까? 또한 베르디는 왜 폴스타프를 자신의 위대한 오페라들 가운데 한 주제로 선택했을까?

그것은 폴스타프에게서 바로 우리의 모습을 볼 수 있기 때문이다. 아니, 그것보다도 그와 함께 있을 때 우리는 자신을 좋아할 수 있기 때문이다. 그는 언제나 풍요로운 분위기를 창출해내고, 그의 청중인 우리가 훈훈함을 느낄 수 있도록 만들며, 이 매력적인 인물보다도 우리가 약간 더 우월하다는 의식을 갖게 한다. 우리는 그가 자신의 비밀을 솔직히 털어놓을 수 있는 상대로 우리를 선택한 데 대해 긍지를 갖게 되며, 그가 우리를 좋아하고 있다고 느끼게 된다.

폴스타프도 자신이 다른 사람들을 생기 있게 만드는 재능을 가지고 있다는 사실을 알고 있다. 그리고 이렇게 하는 것이 얼마나 소중한 일인지 안다. 그는 다음과 같이 당연하다는 듯이 지껄인다.

나는 본질적으로 재치가 있을 뿐만 아니라
다른 사람들을 재치 있게 만드는 원천이다.

그는 또한 여성들을 재치 있게 만드는 원천이기도 했다. 그에게는 우리 마음속에서 최상의 것들을 끄집어낼 수 있는 능력이 있었다. 그와 함께할 때 우리는 자신을 한층 더 사랑하게 된다. 폴스타프는 다른 사람들과 성공적으로 함께 있을 수 있는 비밀을 알고 있었다.

나의 '탁월함'은 상대의 '열등감'을 자극한다

어떤 이에게 좋은 인상을 남기면 그가 당신을 출세시켜 줄 거라고 믿는 것은 오해다. 지성과 세련미는 확실히 중요한 것이다. 그러나 그것만으로 많은 사람에게 성공적인 인상을 남겼는지를 판단하는 것은 옳지 않다.

다른 사람들을 당신의 공로와 통찰력으로 감탄시키는 것이 그 사람들을 이끌고 신분을 성취하는 명확한 방법처럼 보일 수도 있다. 분명 당신은 일생 동안 그런 방식으로 두각을 나타내라고 귀 아프게 들어왔을 것이다. 학창시절 당신은 다른 학생들과 경쟁하는 법을 배웠다. 학급에서 1등을 하고, 그 사실을 다른 모든 사람들이 알고 있어야 했다. 그것이 명예를 획득하는 방식이었다.

그러나 그것은 아직 당신의 삶에 난해한 요소가 끼어들기 전의 상황이다. 학교와 이웃이라는 매우 협소한 세계에서 당신은 자신의 경쟁에서 이겼던 사람들을 필요로 하지 않았다. 경쟁에서 진 사람들도 중요하지 않았다. 중요한 사람들(부모와 권위자들)은 당신이 탁월한 능력을 가지고 있을 경우 대부분 당신 편에 있었다. 그러나 실제 세계에서 일어나는 일들은 그렇게 간단하기만 한 것이 아니다. 탁월하다고 해서 언제나 좋다고 할 수도 없다. 거기에는 상대적으로 다른 사람들이 스스로를 왜소하다고 느끼게 만들 수 있는 위험이 항상 존재하기 때문이다. 어른이 되면 오히려 쉽게 이겼던 사람들로부터 상처를 입을 수도 있다.

예민한 여성 상관이 자신보다 당신이 훨씬 더 매력적이라고 느끼고 있는 경우를 가정해보자. 아니, 남성이든 여성이든 간에 당신의 상관이 당신이 자신의 일에 더 맞는 사람이라고 주목하고 있는 경우 당신은 매우 심각한 어려움에 빠지게 될 것이다.

'파이 개념'을 역이용하라

많은 사람들은 인생과 관련한 '파이 개념(The Pie Concept ; 좋은 것만 모아서 만든 한 개의 파이가 있을 때, 한 사람이 큰 부분을 가지면 결국 다른 사람들은 더 작은 부분을 갖게 된다는 생각)'을 가지고 있다. 이런 사람들은 좋은 일이 당신에게만 일어나고 자신에게는 일어나지 않을 때 반사적으로 스스로를 왜소하게 느낀다. 그들은 당신의 몸무게가 300g 줄면 자신이 더 살찌는 것처럼, 혹은 당신의 임금이 많이 오르면 자신이 더 가난해지는 것처럼 느낀다.

그러나 사람들이 두각을 나타내는 사람들과 함께 있을 때 너무 자주 자신을 볼품없다고 느끼는 것을 반드시 파이 신경증으로 몰아붙일 수는 없다. 당신은 대화나 관계에서 조금씩 이겨나가는 방식으로 아주 건강한 사람마저도 미미한 존재인 것처럼 느끼게 만들어버릴 수 있다.

어떤 만남 후에 당신이 자문해야 할 질문들이 "내가 얼마나 잘했을까?", "내 말이 어떻게 들렸을까?", "내 모습이 어떻게 보였을까?"가 아님을 명심해라. 그보다는 다른 사람들과 함께 있을 때 그들이 당신을 어떻게 느끼도록 만들었는가가 더 중요하다. 이 질문들이 아무리 무시할 수 없는 것들이더라도, 매사에 성공한 사람이라면 훨씬 더 깊은 제2의 수준을 바라볼 것이다.

그런 사람은 "그 집단에 있는 주요인물들이 내게 존중 받고 있다고 느꼈을까?", "내가 그들을 기분 좋게 만들었을까? 그들의 기분을 엉망으로 만든 것은 아닐까?", "그들이 확실한 방법을 찾기 원할 때 과연 내가 그들을 도와줄 수 있을까?"라고 자신에게 물어볼 것이다. 예를 들어 당신보다 나이가 많은 사람과 대화를 했다면, "그가 스스로를 젊다고 느끼도록 배려했을까?"를, 대학교육을 받지 못한 사람과 이야기했다면, "그가 교육받은 사람처럼 느끼게 해줬을까?" 등을 생각해야 한다.

당신이 위대해지기 원한다면 다른 사람들이 당신보다 못해야 한다는 '파이 개념'을 거부하라.

내담자를 기분 좋게 만들어라

가끔 자신들이 원하는 일자리나 신용거래를 위해 이야기하려고 찾아오는 사람들이 있다. 그리고 그들은 나에게 "꼭 해주고 싶은 당부의 말씀은 없습니까?"라고 묻는다. 그러나 그런 상황에서 내가 해줄 말은 거의 없으며, 심리요법 치료사들은 실제로 그런 충고를 하지 않는다.

나는 내담자를 기분 좋게 만드는 것이 제일 중요하다고 생각한다. 또한 그가 훌륭한 질문을 했으며, 자신의 일을 잘하고 있다는 느낌을 가질 수 있도록 도와야 한다고 생각한다.

그래서 나는 먼저 내담자가 면담을 위해 철저한 준비를 했다고 가정하지만 그가 아직도 준비를 끝내지 못했다면 이미 때는 늦은 것이다. 그렇지만 준비를 매우 잘한 내담자들도 마지막 순간에, 자신도 한 인간에 불과하며 스스로의 유능함을 만끽하고 싶은 단순성이 있음을 깨닫지 못함으로써 기회를 놓치는 경우가 많다. 하지만 내담자를 오로지 자신의 가치를 증명하기 위해서 그곳에 와 있는 것처럼 보고 쉽게 말해서는 절대로 안 될 것이다. 가능하면 내담자의 질문을 즐기며 그런 질문들이 흥미롭다는 인상을 전해야 한다. 내담자를 이해할 수 없는 언어 속에 파묻히게 하지 마라. 만약 그가 자신의 공로나 경험들을 언급한다면 그것의 진가를 인정할 시간을 가져라.

'잔존효과'가 만남의 성패를 좌우한다

모든 만남의 진정한 효과는 흔히 우리가 '잔존효과'라고 부르는 것에서 발생한다.

당신과 헤어진 후 상대방의 무의식 속에 자리 잡게 되는 감정과 인상들의 집합인 잔존효과가 당신의 성공과 실패를 가름한다. 다른 사람이 당신을 좋아하고 존경하는지, 당신과 그 계약을 맺을 것인지, 당신과 다시 한 번 데이트를 할 것인지 등을 결정하는 것은 바로 당신 말을 듣고 있는 사람의 무의식 속에서 울려 퍼지는 잔존효과다.

당신의 지성과 매력을 사람들의 무의식에 각인시키는 것보다 더 중요한 일은, 그들이 당신과 함께 있을 때 스스로를 더 매력적이고 젊고 총명하고 생기 넘치게 느낄 수 있도록 만들어 무의식적으로 감동시키는 것이다. 당신이 사람들을 자신도 알지 못하는 사이에 스스로를 사랑하게 만들 수 있다면, 그들은 또다시 당신을 원할 것이다.

좋은 잔존효과를 남겨라. 그러면 다른 사람들이 당신에게 다가오고 당신을 소중히 여길 것이다. 부정적인 잔존효과를 남기면 문은 영원히 닫힐 것이다. 처음 당신에 대해 좋은 인상을 가졌던 사람이 나중에는 무시당하고 있다는 느낌을 가질지도 모른다. 당신이 그에 대해서는 한 마디도 묻지 않고, 그가 말할 때 관심 있게 듣지도 않는다고 느끼게 했다면 둘 사이에는 어둠이 자리 잡게 될 것이다.

신선한 재치와 빠른 대답 때문에 다른 사람들이 당신을 좋아하게 되리라는 생각은, 어떤 영역에서 한 발 앞서면 남들이 당신을 더 좋아할 것이라고 생각하는 것만큼 잘못된 것이다.

그러면 어떻게 해야 다른 사람들이 당신과 함께 있을 때 스스로를 좋아하도록 만들 수 있을까? 여기 몇 가지 규칙들이 있다.

다른 사람들이 당신과 함께 있는 것을
좋아하게 만드는 8가지 규칙

1. 다른 사람들이 말할 때 눈에 띌 정도로 충분히 적극적으로 들어주어라.

자신이 말할 때는 생기 있어 보이지만 상대방이 말할 때는 뚱한 표정을 하는 사람들이 있다. 그런 사람들은 아무리 총명할지라도 함께 있는 사람들의 사기를 저하시킨다.

2. 당신이 그들에게 흥미를 갖고 있음을 보여줘라.

다른 사람에게 그들 자신, 그들의 공로, 그들의 관심에 관해 질문하라.

3. 의례적이고 인구학적인 질문은 피하라.

인구학적인 질문은 인구조사 양식에서 발견하게 되는 것들로 즉, "나이가 몇 살인가?", "직업이 무엇인가?", "당신의 집을 소유하고 있는가?", "그 집은 완전히 당신 것인가?", "방은 몇 개인가?", "당신에게 보고하는 사람이 있는가?" 등이다.

이런 질문들은 수준 낮고 거칠게 보일 것이다. 게다가 더 세련된 화자들은 결코 이런 질문들을 하지 않을 것이다. 그러나 아직도 많은 사람들 사이에서 이런 질문들이 상대방에게 물어야 할 첫번째 사항들로 간주되고 있다. 그것들은 서먹서먹한 분위기를 푸는 열쇠처럼 보이며, 어쩌면 당신도 새로운 사람들을 만나게 되는 대부분의 칵테일 파티나 사교적인 모임에서 이런 질문들을 기대하고 있을지 모른다.

그러나 위와 같은 질문들은 상상하는 것보다 훨씬 더 당신을 괴롭힐 수 있다. 사실 이런 질문들은 당신이 꼭 참석해야 하며 좋아하기까지 하는 파티에 가는 것을 약간 두렵게 만들 수도 있다. 이런 질문들이 새로운 사람들에게 당신을 나타내는 가장 좋은 방법이라고 생각하는 것은 착각이다. 오히려 많은 사람들을 귀찮고 당혹스럽게 하며, 사람들로 하여금 즉석에서 직접적이고 사실적인 대답을 하게 만드는 기분 나쁜 질문들이다.

당신 말을 듣고 있는 사람은 기껏해야 당신의 질문들을 의례적인 것으로 간주하고 이전에도 늘 그랬던 것처럼 자포자기 식으로나 귀찮다는 표정을 지으며 대답할 것이다. 최악의 경우 그 질문을 주제넘은 것으로 생각할 수도 있다. 그들이 내키지 않는 대답을 싫어하며, 당신보다 더 나이가 많고, 시세가 낮은 지역에 살고, 자신의 직업을 자랑스럽게 생각하지 못하고 있다고 가정해보자. 그렇다면 그들은 당신을 만남으로써 전보다 더 자기 자신을 싫어하게 됐다고 생각할 것이다. 그들은 정확한 이유도 모른 채 당신과 함께 있는 것을 불쾌하게 생각할 것이다.

더군다나 그들이 자신의 이미지를 높이기 위해 마지못해 거짓말을 해야 하는 경우라면 거짓말을 하게 만든 당신을 더욱 싫어하게 될 것이다.

그런 질문들 대신 공통적인 제3의 주제에 관해 이야기하려고 노력하라. 모두가 알고 있는 공통 관심사, 새로운 사건, 스포츠, 또는 사회적 사실 등이 이에 해당한다. 우리의 이상형인 폴스타프는 다른 사람들이 두각을 나타낼 수 있는 주제에 관해 이야기하는 비상한 재주를 가지고 있었다.

인구학적인 사실들은 어차피 저절로 밝혀질 것이다. 특히 당신이 그 사람을 오랫동안 알게 될 경우에는 확실하게 드러날 것이다. 그러므로 당신은 상대방이 원하는 때에 그것을 밝힐 수 있도록 자유를 주어야 한다.

4. 사람들이 이야기하고 있는 주제에 머물러라.

이야기 주제를 바꾸는 것은 긴박감을 조성한다. 사람들이 이야기하고 있을 때 갑작스럽게 대화의 초점을 이동시키는 일이 없도록 하라.

예를 들면 어떤 사람이 이야기하고 있는 세금문제에 대해 당신이 잘 이해하지 못한다고 해서 "어차피 우리가 어쩔 수도 없는 문제들에 관해 왜 저렇게 장황하게 이야기하는지 모르겠어." 라는 식으로 의아하게 말하지 마라. 대화에 끼어들어 화자의 박식함에 대해 깊은 인상을 받았다고 말할 때 마저도 당신은 대화의 흐름을 깨고 있는 것이다.

사람들이 말하고 있는 주제에 대해 잘 알고 있지 못하다면 차라리 조용히 있어라. 곧 새로운 주제가 나타날 것이다. 당신의 새로운 주제로 분위기를 바꿀 수 있을지라도 대화의 흐름을 방해하지 마라.

5. 실제로는 그렇지 않더라도 사람들 앞에서만은 시간적 여유가 있듯이 행동하라.

사람들과 함께 있을 때 당신이 그들과 전적으로 함께 있다는 느낌을 전달하라. 절반은 그들과 함께 있고, 나머지 반은 다음 약속을 미리 생각하고 있다는 인상을 주어서는 안 된다.

함께 할 수 있는 시간이 매우 한정돼 있다면 그들에게 직접 말하라. "내가 곧 다시 전화할게. 지금은 이야기할 시간이 많지 않아. 약속시간이 다 되었거든."

이렇게 미리 말함으로써 당신은 상대에게 할 말이 있으면 빨리 하라는 경보를 보낼 수 있다. 물론 그보다는 당신이 아주 짧은 시간만을 함께 해야 하는 이유가 단순히 시간제약 때문임을 그들에게 알려주는 것이 더 중요하다. 당신이 이런 식으로 직접 말하면 그것은 하나의 사실이다. 그러나 상대방이 이것을 당신이 서두르는 태도로 알아차리게 되는 경우 통제할 수 없을 정도로 매우 다양한 감정들이 그에게 엄습할 것이다. 그는 자신을 하찮은 존재로 느끼거나, 당신이 그를 좋아하지 않으며 함께 이야기할 더 좋은 사람을 기다리고 있다고 생각할 것이다. 당신이 서두르는 이유를 알지 못하는 상대방은 자신이 당신을 귀찮게 하고 있다고 생각할지도 모른다. 당신이 대화를 끝내기를 바라고 있다는 인상을 줌으로써 상대방이 자신을 초라하게 여기도록 만드는 불행한 일이 일어나지 않도록 조심하라.

6. 대화의 중심을 당신에게로 옮기려 하지 마라.

어떤 사람이 지체된 비행기 여행에 관해 이야기하고 있을 때 당신의 비슷한 경험을 곧바로 이야기하지 마라. 더군다나 이야기 중간에 끼어드는 것은 훨씬 더 나쁘다. 그런 행위들은 대화의 중심을 그 사람에게서 당신에게로 옮겨놓는다. 당신을 즐겁게 해주려는 그 사람의 이야기를 가만히 듣고 있어라. 사람들이 농담을 할 때 당신도 이어서 농담하고 싶은 유혹을 뿌리쳐라.

7. 어떤 사람의 이야기가 누군가에 의해 중단됐을 경우, 그가 말하고 있던 것을 다시 요청하라.

그 사람에게 어디까지 이야기했는지 상기시키고 계속 해주도록 요구하라. 파티에서 이런 행동을 하는 사람은 화자가 무엇인가 흥미롭거나 중요한 것을 말하려 한다는 뜻을 전달하는 데 능숙한 사람이다.

8. 다른 사람들의 학식이나 통찰력에 대해 당신이 좋은 인상을 받았을 때는 기꺼이 칭찬하라.

그리고 언제나 "나는 미처 그 생각을 하지 못했는데…. 대단해."라고 말하는 습관을 들여라.

폴스타프와 그의 재능은 치료사인 나에게 매우 특별한 의미가
있었다. 사실 우리 부모님만큼 사회적 신분과 인생의 출발점이 서
로 다른 사람들도 없을 것이다. 아버지는 부유한 가정 출신으로
교육받은 사람이었지만, 어머니는 부모들이 집세 내는 것을 돕기
위해 일해야만 했던 초등학교 졸업자였다. 아버지 프레드는 10명
이나 되는 어머니의 형제자매들에게 매우 인기 있는 것처럼 보였
지만 사실 냉소적이고, 거만하고, 남을 얕보고, 언제나 허풍만 치
는 사람이었다.

내가 그의 모습을 기억할 수 있기도 전에 아버지는 집을 나가버
렸다. 그가 생활비를 한 푼도 보내주지 않았기 때문에 어머니는
얼마 동안 험한 일들을 해야만 했다. 아버지는 다른 사람들을 기
분 나쁘게 만드는 특성을 가지고 있었던 반면에 어머니는 남들을
기분 좋게 하는 일에 헌신하는 사람이었다. 아버지는 컬럼비아 대
학과 예일 법대를 졸업했지만 자신을 스마트하게 보이기 위해 가
족들을 버렸기 때문에 친척들은 한두 명씩 그로부터 멀어져 갔으
며, 아무도 우리 가족을 도와주지 않았다.

열여덟 살이 되어 아버지를 만났을 때, 그는 맨해튼 중심가 브
로드웨이의 싸구려 호텔에서 살고 있었다. 17년 동안 그가 나를
만나려고 노력하거나 내가 자라는 모습을 보기 위해 온 적은 한
번도 없었다. 그때 그는 모든 사람들로부터 단절되어 있었다. 잘

못된 판단 때문에 상속재산을 받지 못했으며, 변호사 개업도 그의 독선적이고 거만한 성격 때문에 실패했다.

누추한 방에서 아버지는 그럴 듯한 말로 나에게 좋은 인상을 남기려고 노력했다. 그는 내가 아직 미숙하고 어리석다고 말하면서 자신은 많은 지식을 가진 천재임을 은근히 자랑했다. 그는 많은 책들을 읽었다고 말했으며, 그가 가난한 것은 사람들이 자신의 재능을 제대로 평가하지 못하고 있기 때문이라고 설명했다. 나는 어머니라면 결코 그런 식으로 말하지 않았을 거라고 생각한다.

어머니는 그때 비서실에서 타자를 치다가 성공해 한 변호사의 담당 비서가 되었다. 그녀는 허식을 부리지 않고 많은 면에서 헌신적으로 봉사했기 때문에 계속 많은 임금을 받을 수 있었다. 그녀는 그 변호사가 30년 후 뉴욕 시장에 출마할 때까지 함께 일했다.

내가 어머니와 아버지 중 어느 쪽을 더 좋아할 거라고 생각하는가?

그 이후에도 나는 아버지와 같은 유형의 '약삭빠른 사람'을 많이 만났다. 그리고 그들이 모든 사람들에게 좋은 인상을 주었음을 확신하고 있을 때마저도 스스로를 무능력자로 만드는 것을 목격했다. 반면에 타고난 재주는 신통치 않지만 다른 사람들을 즐겁게 만들어주고 언제나 기꺼이 웃으며 친구에게 "나는 그것까지는 생각해보지 못했는 걸." 이라고 말하는 사람들 또한 많이 봐왔다. 남을 잘 받아들이고 결코 허풍 떨지 않는 사람들, 즉 우리들이 사랑하는 폴스타프처럼 남들을 기분 좋게 만드는 사람들은 거대한 숲을 이루는 큰 나무들처럼 느리지만 확실하게 성장한다.

셰익스피어가 암시하고 있는 것처럼 재치와 품위가 대결하면 재치는 2등밖에 하지 못하는 것이다.

5
충고하려 들지 마라
골치아픈 훈계자, 폴로니어스

셰익스피어라는 이름은 대중매체가 발달된 오늘날 다양한 생각을 불러일으킨다. 어쩌면 지금의 많은 사람들은 그 이름을 듣자마자 뒷걸음질칠 것이다. 어린 시절 셰익스피어의 희곡들이 다른 '위대한' 작품들과 함께 침투했을 때부터 그에 대한 강한 저항감을 키워온 것이다.

하지만 후에 셰익스피어, 베토벤 혹은 마크 트웨인 같은 위인들을 사랑하게 된 사람들도 있을 것이다. 그러나 그것은 결코 그런 지식을 가르쳐준 선생님 덕분이 아니다. 오히려 선생님들은 우리들이 '대가들'을 순수하게 좋아하지 못하도록 음모를 꾸미고 있는 것처럼 보인다. 물론 예외도 있었지만 대부분의 선생님은 경외심과 도덕적 숭배감이 깃든 목소리로 우리에게 위대한 예술가들을 소개했기 때문에, 우리가 그들의 작품을 이해하지 못하면 우리의 어리석음을 꾸짖었다. 그렇지만 어쩔 수 없게도 당시 우리가 접한 작품 대부분은 참으로 이해하기 어려운 것이었다.

그래서 우리들은 셰익스피어와 다른 대가들을 신비스런 존재, 즉 일상적인 세계와는 동떨어진 어른들과 동일시하기 시작했다. 많은 학생들에게 셰익스피어와 영어선생님은 양복도 벗지 않고, 웃지도, 외출도 하지 않는 동료처럼 보였다.

물론 우리들은 그 가르침이 잘못되었다고는 생각하지 못했고, 그저 우리에게 뭔가 문제가 있는 것이라고 생각했다. 그리고 셰익스피어를 어렵고 지겨운 학문적 도전으로 간주하기 시작했다. 내 친구는 이렇게 말하곤 했다.

"누구도 기분이 좋아지기를 기대하지 않았지."

셰익스피어는 자신이 이런 식으로 소개되는 것을 결코 원하지 않았을 것이다. 때때로 그는 많은 말을 하고, 선술집에서 얼마간의 시간들을 보냈던 난폭한 사람이었으며, 친구들과 함께 어떤 사람의 생명을 위협한 혐의로 법정에 출두한 적도 있었다. 희곡을 쓰는 그의 유일한 목적은 누군가를 즐겁게 해주는 것이었다. 연극을 관람하는 사람들은 지금의 하키 경기나 블록버스터급 영화에 기대하는 재미를 바라고 있다고 생각했던 것이다.

희곡의 목적은 도덕률을 가르치는 것이라는 중세적 견해가 팽배했던 당시의 다른 극작가들과 달리 셰익스피어는 근대적인 관점을 갖고 있었다. 그의 연극은 청중을 끌어 모아 그들에게 굉장한 경험을 선사하는 것이 목적이었다. 그는 난해한 프랑스 예술영화의 감독보다는 오히려 스티븐 스필버그에 가까운 사람이었다. 그는 청중에게 그들이 흥미를 가지고 지지하거나 반대할 수 있는 행위와 등장인물을 제공하고자 했다. 그의 희곡들이 런던 시민들을 위해 상연되었을 때 극장 안은 매우 시끄러웠으며 술을 마시는 사람들도 많았다. 스포츠 경기에서처럼 골치 아픈 사람들이 무대에 뛰어들지 못하게 막기도 했다.

심지어 엘리자베스 1세 여왕의 궁전에서 상영되는 연극마저도 남녀간의 유희행위가 난무하고 음식물이 제공되는 느슨한 분위기 속에서 행해졌다. 딱딱한 영국식 거품 같은 것은 아예 찾아볼 수 없었다.

훌륭한 심리학자는 직접적인 충고를 하지 않는다

심리학의 목적은 사람들이 스스로를 발견하여 자신만을 위한 선택을 할 수 있도록 도와주는 것이다. 간혹 젊고 의욕적인 개업의들은 자신들이 환자를 위해 할 수 있는 일을 과대평가해 그들에게 '어버이 같은' 지시를 내리기도 한다. 그러나 환자가 왜곡된 지각능력을 갖고 있다면 아무리 올바른 지시나 충고도 별 도움이 되지 못할 것이다. 시각의 경우 교정을 필요로 하는 것은 눈 자체다. 그러므로 환자에게 사물들을 지적해주는 것은 아무런 도움이 되지 못할 것이다.

인간 안에 깃든 진실을 꿰뚫고 있었던 셰익스피어는 이런 충고의 쓸모없음을 파악하고 있었다. 어떤 의미에서 그는 최초의 대중심리학자였으며, 무의식이라는 개념을 사용한 사람이었다. 그는 오늘날 심리학에서 사용되는 억압, 승화, 과잉보상 등의 개념들을 이해하고 있었다. 그러나 그는 결코 자신이 독자들보다 감수성이 더 뛰어나다고 생각하지는 않았다.

그의 통찰력은 명확했지만 그것을 우리에게 강요할 의도는 전혀 없었다. 그러므로 그의 통찰력을 이용하기 위해서는 그의 희곡들을 자세히 조사하고 반복되는 주제에 친숙해질 필요가 있다. 그는 단지 우리들이 진리에 대해 생각해볼 수 있도록 그것을 우리가 다니는 길 위에 놓아두었을 뿐이다. 어떤 등장인물이 우연히 내뱉는 말과 그가 위기에 직면했을 때 반응하는 방식을 통해 독자들은 무한한 가치의 통찰력을 획득하는 것이다.

그러나 이 중 어느 것도 우리들에게 직접적인 충고의 형태로 주어지지 않는다. 실제로 셰익스피어는 충고를 하는 사람에게 강한 거부감을 갖고 있었던 것으로 보인다. 대부분의 희곡에서 그는 충고자들을 어릿광대로 나타냈다. 다른 사람들에게 삶의 방법에 대해 말하는 사람들은 고통스러운 삶을 살아가는 반면, 충고를 받는 사람들은 그것을 모두 지루하게 들으며 반드시 무시해버린다.

그러므로 우리들에게 강요되는 셰익스피어의 모든 구절 중 가장 경건하게 받아들여지는 하나가 유명한 충고 연설임은 매우 부끄러운 일이다. 셰익스피어의 다른 구절들처럼 그 연설에는 탁월한 통찰력이 내포되어 있지만, 그것은 거만하고 역겨운 충고자를 묘사하기 위해 씌어진 것이다.

훈계자들은 매력적이지도, 흥미롭지도, 유쾌하지도 않다

그것이 훌륭한 정보를 포함하고 있느냐 없느냐에 상관없이, 원하지도 않은 긴 훈계에 시달리기를 좋아할 사람은 없다. 우리들이 지금 그런 훈계 없이는 살아갈 수 없을 것처럼 교육받은 것은 어린 시절의 고난 중 하나였다.

선생님들은 요청 받지도 않은 충고를 하기 위해 셰익스피어가 조롱하려고 썼던 연설을 그 등장인물이 했던 것과 똑같은 방식으로 이용한다. 이것은 아이러니컬하게도 선생님들이 훈계자의 위치에 놓이게 됨을 의미한다. 셰익스피어는 청중들이 그 연설을 하는 배우의 면전에서 마음껏 비웃어주기를 기대했음에도 불구하고, 우리들은 그 연설을 꼭 붙들고 있어야만 하는 불행한 위치에 놓이게 된 것이다.

연설의 어떤 부분은 다음과 같이 매우 친숙하기까지 하다.

돈은 빌려주지도 빌리지도 마라.
돈을 빌려주면 돈도 잃고 친구도 잃기 때문이지.

게다가 돈을 빌리면 절약심도 줄어들지.
무엇보다도 자기 자신에게 충실한 것이 중요해.
그렇게 하면 밤이 지나고 낮이 오듯이
다른 사람에게 나쁜 짓을 않게 될 거야.

이것은 의심할 여지없이 좋은 충고이다. 누구나 이 연설을 읽으면 모두 훌륭하게, 점잖게 행동하고, 절제해야 됨을 바로 알게 될 것이다. 그러나 이것은 '기분이 좋아지기를 기대하지 않는' 경험들에 대한 또 하나의 연설이다. 이것은 또한 '내가 하는 대로가 아니고 내가 말한 대로하라'는 연설의 중요한 예다.

〈햄릿〉에서 이 연설을 하는 폴로니어스*polonius*는 결코 신뢰할 만한 인물이 아니다. 그는 자신의 아들에게 우정을 목적 그 자체로 간주하라고 설교하지만 정작 그 자신은 모든 관계를 자신의 이익을 위해 이용하고 있다. 그는 자신에게 이익이 되지 않는 사람과는 어떠한 관계도 맺지 않는다. 어쨌든 폴로니어스가 하려는 것은 부모가 간단히 이야기할 수 있는 그런 충고가 아니다.

폴로니어스, 어느 누구도 그를 알고 싶어 하지 않는다

폴로니어스는 덴마크 왕에게 봉사하는 귀족으로, 항상 사람들에게 충고하고 싶어 하는 등장인물이다. 그는 자식과 다른 사람들의 타고난 훈계자며, 덴마크 왕과 왕비의 고문관이다. 우리들은 그가 누구에게나 충고하고 싶어 한다는 것을 안다. 많은 사람들이 그의 말을 들어주지만 주의를 기울이지는 않는다. 햄릿은 그를 '따분한 바보 늙은이'라고 부르며, 그가 사고로 죽었을 때도 슬퍼하는 청중은 아무도 없다.

셰익스피어 작품의 많은 등장인물들처럼 폴로니어스 역시 매우 복잡한 인물이다. 셰익스피어는 이 거만하고 이기적인 훈계자에게 설득력 있는 통찰력을 부여했다. 이는 셰익스피어 자신이 그런 통찰력을 가지고 있어서 우리들에게 충고를 하지 않고서는 배겨날 수 없는 사람이었기 때문은 아니다. 폴로니어스는 왕궁에서 재치로 살아가는 사람이다. 그는 더 많은 총애를 받기 위해 끊임없이 다른 사람들을 관찰하고, 자신의 계획과 기술의 성공과 실패를 계산할 필요가 있었다. 때문에 그는 실제로 나이가 들어감에 따라 유용한 지식을 획득했다. 이런 점에서 폴로니어스는 자신이 감당할 수 있는 것보다 더 많은 지식을 갖고 있었다.

폴로니어스의 연설은 셰익스피어의 작품 중에서 가장 잘 알려진 연설 가운데 하나이다. 폴로니어스 역을 맡는 배우들의 자질은 폴로니어스가 아들 라에르테스*Laertes*에게 충고하는 부분을 얼마나 실감나게 잘 연기하느냐에 의해 판단되었으며, 또한 많은 배우들이 이 연설 때문에 그 역을 맡고 싶어 했다. 어떤 비평가들은 마치 그 연설이 연극의 등장인물이나 되는 것처럼 중요하게 논평하기도 했다.

하지만 그 연설은 '소귀에 경 읽기' 처럼 완전히 쓸모없는 것이다. 아무리 훌륭한 충고라 할지라도 원하지 않을 때 주어지면 무의미하고 번거로울 뿐이라는 것이 셰익스피어가 전하고자 하는 것이다. 프랑스로 막 떠나려는 아들을 붙잡아놓고 아버지가 이야기하고 있다. 청중들은 만약 그 젊은이가 자제할 수 있고, 듣고 배울 수 있고, 돈을 빌려 쓰는 것을 억제할 수 있고, 자신에 충실할 수 있다면 그런 충고가 필요하지 않음을 안다. 그리고 만약 그가 평범한 인간에 불과하고 아직 젊은데다가 이제까지 말한 어떤 것도 제대로 이행할 수 없다면, 아버지의 작별 연설은 자식에게 이롭지 못할 것이다. 폴로니어스는 거드름을 피우기보다 차라리 아들을 부둥켜안고 행운을 빌며 보고 싶을 거라고 말하는 편이 훨씬 더 좋았을 것이다.

사람들을 변화시키지 말고 경험하라

나는 모든 사람들이 저마다 다른 사람들에게 충고하고 싶어 하는 그런 환경에서 성장했다. 거리를 걸어갈 때마다 어른들은 우리를 붙잡고 '지금 하고 있지 않는 것을 해야만 한다'고 충고했다. 대공황 후 주로 이민 2세들이 정착한 우리 동네는 모두들 비교적 열심히 일하며 살고 있었다. 그곳 사람들은 경제적인 파산과 권력기관을 병적으로 두려워했다. 안정된 직업을 얻는 것이 가장 중요한 목표였으며, 가장 높은 가치는 조용히 사는 것이었다. 그런 맨해튼의 워싱턴 하이츠는 많은 사람들이 모여 사는 지역이었지만 위험하지는 않았다.

어렸을 때 우리는 장래에 관해 많이 고민하지 않았지만 부모님은 언제나 걱정했다. 그들은 자신이 성취한 것보다 더 많은 것을 우리에게 원했다. 나는 거의 날마다 나보다 뛰어난 어른들에게 바른 자세로 서서 충고를 들어야만 했다. 그들은 그날 내가 했던 것에 대해 묻고, 내가 해야만 되는 것에 대해 훈계했다. 딱히 말할 주제가 없을 때는 그냥 착한 소년이 되라고 말하곤 했다.

우리들은 십대에 들어서기 전부터 대부분 부모들의 걱정이 몸에 배어 어른이 되어서도 충고하는 사람이 되었다. 몇몇 친구들은 마음속에 떠오르는 것이면 무엇이든 자유롭게 나에게 훈계하기 시작했다. 그들은 내가 야구장의 3루 베이스 쪽에 앉아 있으면 1루 쪽에 앉는 편이 더 좋을 것이라고 말했고, 야구장에 들어가기 위해 '회전식 문 보이'로 일하는 나에게 프랑크푸르트 소시지를 파는 것이 더 좋을 것이라고 충고했다. 더 많은 돈을 벌려면 그런 일만으로는 안 된다는 것이었다. 하지만 내가 프랑크푸르트 소시지를 팔면 그들은 경기 점수표를 파는 것이 더 좋을 거라고 말했을 것이다.

그런 이유로 나는 자연스럽게 다른 사람을 간섭하지 않는 태도를 지니게 되었고, 나의 관심은 내가 무엇을 해야 되는지를 말하는 대신 반갑게 맞이해주는 사람들 쪽으로 움직여 갔다. 관심의 대상이 되어 끊임없이 무엇을 입고, 아침 몇 시에 일어나고, 착한 소년이 되려면 어떻게 해야 한다는 충고를 받기보다는 차라리 국외자가 되는 편이 더 좋을 것 같았다.

나는 지적하지 않고 나를 있는 그대로 받아들여줄 친구, 지인, 동료들이 있는 어른들의 세계를 결코 꿈꿔보지 못했다.

나는 가족 모임에 온 어른들 모두가 공부를 잘하는지, 열심히 하는지, 얼마나 오랫동안 공부하고 있는지, 눈이 나빠지지 않도록 꼭 밝은 램프 아래에서 책을 읽고 있는지에 대해 물었던 것을 기억한다.

그 친척 중 한 아저씨만 나를 사심 없이 환영했다. 가끔 우리는 함께 산책했으며, 그는 충고하는 대신 나를 있는 그대로 받아들였다. 지금도 나는 그를 기억하고 있다. 그 아저씨에게 나는 꽤 괜찮은 아이였지만 그 밖의 다른 사람들과 함께 있을 때 나는 언제나 고쳐야 할 것 투성인 아이였다.

나는 그때 지금은 분명하게 느끼는 사실인, 모든 사람들은 충고를 받기보다는 스스로 경험하기를 원한다는 것을 말할 수 없었다. 내용이 무엇이든 간에 나는 충고하는 사람을 싫어하게 되었다. 지금도 사람들에게 어떻게 살아야 하는지, 누구와 데이트하고 결혼해야 하는지 혹은 배우자를 어떻게 다루어야 하는지를 은근히 강요하는 노련한 치료사를 볼 때 나는 화가 난다. 좋은 관계를 유지하는 비결은 사람을 변화시키는 것이 아니라 경험하는 것이라고 나는 확신할 수 있다.

대학에 입학했을 때, 나는 똑똑하고 경쟁적인 사람들을 많이 알게 되었다. 그들은 얼마 안 되는 장학금과 일자리를 획득하려고 혈안이 돼서 서로 도와주는 일이 없었다. 이때 서로에 대한 충고는 당치도 않은 것이었다. 적어도 사람들은 서로에게 살아가는 법을 말하기 위해 만나는 것 같지 않았다.

그때 나는 무의식적으로 있는 그대로의 나를 받아들여주고, 나역시 있는 그대로 받아들일 수 있는 사람을 찾고 있었다. 그러다 나와 관심분야는 같지만 어떤 방향으로도 나를 조정하지 않는 친구들을 만나게 되었다. 물론 나 또한 그들을 조정하지 않았다. 나는 원하지도 않은 충고로 나를 귀찮게 하는 사람들 사이에 있는 것보다 내가 선택한 그들과 함께 흠뻑 빠져 있는 것이 훨씬 더 좋았다.

몇 년 후 나는 컬럼비아 대학에서 박사학위 과정을 밟게 되었다. 그곳의 사람들 또한 서로에게 충고하는 것을 삼갔는데, 그들이 서로 경쟁하고 있기 때문만은 아니었다. 단지 충고하고 싶은 충동을 덜 느끼고 있을 뿐이었다. 대부분의 학생들이 내가 알고 있던 것보다 더 탄탄한 집안 출신들이었다. 그들은 스스로를 입증할 필요가 없었기 때문에 대부분 조용했다. 그들이 몇 가지 면에서 활동적이지 못한 것은 사실이었지만, 자신뿐만 아니라 다른 사람들에 대해서 많은 인내심을 갖고 있었다. 그들은 드러내놓고 경쟁하지 않았으며 서로에게 충고도 많이 하지 않았다.

내가 살았던 동네의 아이들과 달리 그들은 자랑도 하지 않았다.

그들은 성공에 익숙해져 있었고, 다른 사람들이 스스로를 잘 조절하는 것을 보는 일에 길들어져 있었다. 이는 굳이 그들만 중심적인 역할을 할 필요는 없다는 것을 의미했다.

졸업하고 나서 얼마 동안 병원에서 일한 후 나는 개업의 생활을 시작했으며, 다양한 분야에서 일하는 사람들의 삶에 은밀히 관여하게 되었다. 내가 자신의 방식대로 살아가는 사람들과 충고하고 싶어 안달하는 사람들 사이의 상관관계를 발견한 것은 바로 그 시기였다. 나는 성공한 사람들은 대부분 다른 사람들을 고치기 위해 자신의 에너지를 낭비하는 일이 없음을 알게 되었다. 그들은 단호하고 꿈이 많았으며 관대했다. 자신들의 생산성과 미래가 불확실할 때, 그들은 삶을 개선시키는 데 필요한 것들에 꾸준히 관심을 집중시키고 있었다.

말수가 적은 내담자 중 한 사람이 아무것도 없는 상태에서 자신의 사업체를 일궈냈다고 말했을 때 나는 깜짝 놀랐다. 창의적인 사람들(배우, 조각가, 감독, 화가, 작가 등)과 일할 때 나는 성공한 사람들은 자기 분야에 대해 남들에게 충고하지 않는다는 사실을 발견했다. 그들은 자신을 향상시키고, 기술을 완벽하게 만들며, 일을 행하는 동안 빠뜨린 것을 찾아내는 것만으로도 매우 바빴다. 또한 내가 함께 성장했던 사람들과 모든 면에서 달랐다. 내 이웃사람들은 무리한 충고를 함으로써 친구보다 적을 만들면서도 정작 본인은 그것에 별로 신경 쓰지 않는 것처럼 보였다.

나는 이런 관찰들을 통해 매우 값진 결론을 얻어낼 수 있었다.

그것은, 즉 세상에서 성공하는 것과 훈계자가 되는 것은 결코 어울릴 수 없는 관계라는 것이었다.

성공한 사람일수록 남에게 충고하지 않는다

상대가 요구하지도 않았는데, 충고를 하는 사람들은 대개 불안에 사로잡혀 있다. 그들은 자신의 삶에서 무언가가 잘못되고 있다는 것을 알지만 그것을 파악할 수가 없다. 그런 이유로 계속해서 다른 사람들을 규제한다. 이것이 자신의 불안을 해소시켜 주는 또다른 해결책이기 때문이다.

충고를 많이 하는 사람들은 자신의 발전에 만족하지 못하고 있는 것과 같다. 남들에게 살아가는 방법을 말하고 싶은 욕구는 자신이 그만큼 행복하지 못하다는 결정적인 증거이기도 하다. 그들은 스스로를 관리할 수 없기 때문에 남들을 관리하려고 노력하는 것이다.

어떤 사람이 원하지도 않은 충고를 계속할 때 나는 그가 아무리 많은 자랑을 하더라도 실제로는 그가 인정하는 것보다 훨씬 성공적이지 못하다고 결론짓는다. 반대로 능력 있는 사람들이 충고하기를 망설일 때 나는 그들이 스스로 인정하는 것보다도 훨씬 더 성공적인 사람들이라고 생각한다.

그들이 성공한 이유는 관계에서 가장 중요한 것이 비판이 아닌,

반응이라는 규칙을 이해했기 때문이다.

충고는 언제나 소리 없는 비판이다

남들에게 어떻게 살고 무엇을 할 것인가에 대해 말하지 않고 부당함과 불의에 저항할 수 있는 사람들은 성공하게 마련이다. 어떤 사람이 자신과 다른 방식으로 살더라도 어떠한 판단도 함부로 내리지 않고 그들을 존중해준다. 자신에게 옳은 것이 반드시 다른 사람에게도 옳은 것은 아니라고 생각하기 때문이다.

우리는 그런 사람들을 떠나보내고 나서야 비로소 우리의 정신을 드높여준 사람과 함께 있었다는 사실을 깨닫게 된다. 그런 사람들은 우리를 의기소침하게 만들지 않는다.

다른 사람이 우리에게 충고하고자 하는 것은 그 사람이 우리에게 무엇인가 부족함을 느끼고 있음을 의미한다. 만약 그 사람이 매우 큰 소리로 우리에게 바로잡을 것을 요구한다면 우리의 삶이나 주변에 그가 명예를 걸고서라도 고치려고 애쓸 무엇인가가 존재하는 것이다. 이따금 우리에 대해 매우 좋은 감정을 가지고 그런 행동을 하는 사람을 만날 수도 있다. 그러면 우리는 다른 사람들에게는 보이지만 차마 언급되지 않는 결점이 과연 무엇일까 하고 의아해 하게 된다. 충고하는 사람들은 두 범주로 나뉜다.

- 주제넘게 나서는 사람
- 빗대어 말하는 사람

주제넘게 나서는 충고자들은 자신들의 말에 언제나 주목해야 한다고 훈계한다. 그들은 인생을 어떻게 살아야 하는지 알고 있으며, 만약 우리가 그들의 충고에 따르지 않으면 틀림없이 실패할 거라고 넌지시 내비친다.

예를 들어 낭만적인 분위기로 유명한 몇몇 고급 레스토랑의 한 단골고객은 종종 퉁명스럽게 불평을 늘어놓곤 했다. "실내가 더 밝으면 좋을 텐데요. 무엇을 먹고 있는지 도무지 볼 수가 없군요." 나중에 그는 자신이 그렇게 충고를 했음에도 불구하고, 주인이 다른 고객과는 달리 자신의 이름을 기억하지 못하고, 따뜻하게 인사하지도 않는 것을 의아하게 생각했다. 그러나 주제넘게 나서기 좋아하는 충고자치고 그런 레스토랑이 인기가 있는 이유를 묻기 위해 발걸음을 멈추는 사람은 결코 없다.

어떤 사람이 당신에게 무엇을 해야 한다고 말하는 것은 사실 당신이 일을 옳지 않게 하고 있다고, 인생의 본질을 놓쳐버렸다고, 기회들을 낭비해버렸다고 말하는 것이나 다름없다. 그 사실을 당신보다 자신이 더 잘 안다고 말하고 있는 것이다.

빗대어 말하는 사람들의 독성은 아무도 모르는 사이에 퍼지기 때문에 훨씬 더 해롭다. 그들을 찾아내지 않으면 우리는 그들을 피할 수도 없거니와 우리에게 미치는 영향을 줄일 수조차 없을 것이다. 오히려 우리가 어리석고 잘못됐다는 생각을 갖게 될 것이다.

그들은 "아이를 갖지 않으면 언젠가 후회하지 않을까요?"라고 말하면서 아직 아이를 갖지 않은 당신에게 문제가 있음을 강조한다.

또는 "요즘은 취직하기가 쉽지 않다구. 상사가 그렇게 나쁜 사람만은 아닐 텐데…." 라고 말한다. 이는 사악한 상사가 무슨 짓을 하든 일자리를 계속 지키는 것이 좋다는 의미이며, 지각 있는 사람은 일자리를 쉽게 옮기지 않는다며 당신을 은근히 나무라는 것이다.

혹은 "어머! 당신이 먹고 있는 그 옥수수빵은 지방이 너무 많다고요."라고 말한다. 자신이 살을 빼기 위해 그 빵을 피하는 것처럼 당신도 그래야 한다는 의미인 것이다.

이것은 단순히 우리의 행동만을 말하는 것이 아니다. 이 사람은 우리에게 판단이 서투르고, 기품이 없고, 세련되지 못하고, 도덕심도 없다고 돌려서 말하는 것이다.

주제넘게 나서든 돌려서 말하든 훈계하는 사람들에 대한 우리의 반응은 자신을 미워하거나 움츠러드는 것이다. 나중에 우리에게 행해지고 있는 것이 무엇인지를 파악하고 상대방에게 분노를 터뜨릴지도 모른다. "나를 헐뜯고 있는 이 사람은 도대체 누구인가?" 라고.

훈계자들로부터 자유로워지는 길

그가 당신에게 필요한 사람, 예를 들어 고객이거나 상관이라면 당신이 직접적으로 할 수 있는 일은 아무것도 없을지 모른다.

그러나 적어도 그를 무력화시키고자 한다면, 다음과 같은 조치를 취할 수 있을 것이다.

- 당신에게 충고하는 사람의 말을 확인해보라. 그러고 나서 마음 속으로 그 공격을 무시하라.
- 충고가 당신이 잘못한 어떤 일에 대한 반응이 아니라, 그 사람의 제어할 수 없는 욕구 때문에 행해지고 있다는 사실을 인식하라.
- 그런 사람과의 접촉은 될 수 있는 대로 정중하게 최소화하라.
- 충고하는 사람이 부모만큼 사랑하는 사람이라면 그것에 관해 말하라. 그 또는 그녀가 하고 있는 일을 될 수 있는 대로 가볍게 말하라. 그 사람이 당신을 사랑하고 돕기 위해 노력하고 있다는 점을 인정하라. 그러나 당신은 그 도움을 원하지 않음을 명확하게 밝히고, 단지 그 사람과 함께 즐거운 시간을 갖고 싶을 뿐이라고 말하라.
- 이는 돌려서 충고하는 사람들에게도 해당되는 말이다. 당신은 그저 침묵으로 반응할 수도 있는데, 이는 당신이 아닌 그들의 문제라는 것을 분명히 밝히는 좋은 방법이다.
- 무엇보다도 중요한 것은 그 사람이 말하는 것을 스스로 확인해 보는 일임을 명심하라.

- 그것이 부드럽고 진지하게 들린다고 해서 충고의 압력에 굴복하지 마라. 빗대어 말하는 사람들은 부드럽게 말하는 척하면서 주제넘게 나서는 사람보다 더 많은 압력을 준다. 만약 당신이 그들의 말에 동의하지 않으면 모든 것을 잃게 될 것이라고 속삭이는 것이다.

당신은 그들과 자유롭게 이야기 나누게 될 때, 그들이 표면화시켜 전하려는 메시지를 스스로 알게 만들어야 한다.

"우리들은 모두 자신의 방식대로 살아야 해." 혹은 "지금까지 너는 나에게 삶을 향상시키기 위한 방법을 네 가지나 말했어. 그런데 우리는 고작 30분 함께 있었을 뿐이잖아. 도대체 무슨 말을 더 하고 싶다는 거야?"

혹은 그 또는 그녀가 무엇을 하고 있는지를 분명히 하기 위해 상대방의 말에 장단을 맞추는 방법도 사용할 수 있다. "내가 그렇게나 많은 실수를 저질렀는데도 아직도 살아 있다니, 놀라운 일이야."

셰익스피어의 등장인물들이 충고를 받았을 때 가장 많이 취하는 태도는 될 수 있는 대로 정중하게 듣고 나서, 하고 싶었던 일을 계속 하는 것이었다. 폴로니어스의 아들도 그렇게 했다. 셰익스피어의 후기 희곡 중 하나인 〈트로일로스와 크레시다 *Troilos and Cressida*〉에 등장하는 여러 나이든 왕들은 충고하는 일에 중독되어 있는 것처럼 보인다. 반면에 그 충고를 듣는 사람들은 졸고 있다. 연출자와 무대 위의 배우가 이 충고의 전문가들을 진지하게 다룰 때 연극은 생기를 잃어버린다. 반면에 그들의 공허한 충고가 쇠퇴의 징후로 여겨질 때 그들은 더욱더 실제적 인물이라는 인상을 주며, 연극은 훨씬 더 재미있게 전개된다.

충고가 치명적인 결과를 초래한 경우

나를 찾은 내담자 중 한 사람은 수십 년 전 원하지 않은 충고를 들었을 때 셰익스피어가 기술한 바 있는 이 방식을 사용한 적이 있다고 말했다.

나중에 세계적인 요리점 경영자가 된 이 사람은 일찍부터 자신의 직업을 선택했었다. 한국전쟁 동안 그는 스무 살의 이등병으로 전투지역에서 떨어진 작은 섬에 근무하면서 이미 우아한 장교식당을 책임지고 있었다. 다음 금요일에 맥아더Mac-Arthur장군이 그 식당을 방문할 예정이었다. 그의 지휘관이었던 대령은 장군을 위해 호화로운 만찬을 베풀고 싶었기 때문에 그는 현지에서 구할 수 있는 재료들과 비행기로 공수해올 재료들로 음식을 만들기 위해 매우 자세한 만찬계획을 세워야 했다.

대단한 미식가였던 대령은 그 젊은이의 전문지식을 인정하고 있었다. 게다가 그가 실내장식과 좌석배치, 최고의 식단표 등을 포함한 자세한 계획안을 가져왔을 때 기꺼이 동의했다.

맥아더가 방문하기 3일 전, 식당 전체가 만찬을 준비하느라 와글거리고 있을 때 그 기지에서 잘 알려진 한 여자가 나타나 누가 그만찬을 책임지고 있냐고 물었다. 그는 자신이 책임을 지고 있다고 대답했다. 어느 고위장교의 부인이기도 했던 그녀는 자신을 사교적인 매력을 갖춘 그 섬의 숨겨진 실세로 생각하고 있었다. 그녀는 그에게 모든 것을 잘못하고 있다고 비난하며 거만하게 식단표를 훑어보고 나서 붉은 포도주를 생선과 함께 내놓는 그만의 독특한 선택에 대해서는 더더욱 찬성하지 않았다. 그녀는 오랜 시간 동안 비행기를 타고 온 군인들에게 충분히 실속 있는 식전 음식이 제공되지 못하고 있다고 생각했다. 그리고 20분 동안 계속해서 좌석 배치며, 꽃꽂이, 웨이터들의 위치 등에 관해 이야기했다.

그는 이 반갑지 않은 충고들을 모두 정중하게 들었다. 그러나 아무것도, 즉 냅킨을 접는 방법마저도 바꾸지 않았다. 만찬은 대성공이었다. 맥아더는 "태평양 한가운데에서 이토록 완벽한 식사를 할 수 있다니 놀라운 일이다."라고 말하면서 대령에게 고마워했다.

다음날 대령은 그를 불러 맥아더의 칭찬을 전달했다. 그리고 그는 배짱 좋게 받아들이지 않았던 반갑지 않은 충고를 20분 동안이나 한 그 여자에 관해 말했다. 그는 그녀의 이름을 밝히지 않았지만 대령은 누군지 금방 알았다. 그녀는 처음 이 섬에 도착하여 긴장해 있는 모든 사람들에게 그런 식으로 계속 충고해온 것으로 유명했던 것이다. 물론 누구도 그런 그녀를 좋아하지 않았다.

3주 후 그녀에게 귀국조치가 내려졌고, 그녀의 남편은 한국의 전투지역에 배치돼 그 해가 가기 전에 전사했다.

충고하기의 결과가 이처럼 죽음을 가져오는 경우는 매우 드물다.

그러나 반갑지 않은 충고를 했을 때 그것이 자기 자신과 남에게 가져다주는 해악은 대단하다. 그러나 충고를 듣는 사람들이 그것을 무시하고 스스로 현명한 조언자인 척하는 사람들과 거리를 유지하고 있기 때문에, 그리고 충고를 하는 사람들도 자신들의 행동이 인간관계에서 얼마나 많은 손해를 끼치는지 결코 이해하지 못하고 있기 때문에 해악이 과소평가되고 있을 뿐이다.

충고에 관련해 생각해볼 몇 가지 사항들

1. 충고를 해야만 하는 경우라면 가급적 조심스럽게 하라.

우리는 굳이 상대로부터 요구 받지 않아도 충고해줘야 하는 경우를 겪은 적이 있다. 그러나 그럴 때라도 매우 조심해야 할 것이다. 성공한 사람들은 요구 받았을 때마저도 충고하는 일을 망설인다. 누군가가 성공을 위해 무엇을 해야만 하는지 물으면 성공한 사람은 보통 충고하는 사람에게서 자연스럽게 배어 나오는 우월감을 나타내지 않으려고 노력한다. 그들은 "나는 당신이 가장 잘 알고 있다고 확신합니다." 또는 "당신도 아마 나름대로 실현시킬 수 있는 방법을 갖고 있겠지만, 내가 만약 당신이라면…." 라는 식으로 말할 것이다.

• 어떤 사람이 당신에게 문제를 가지고 왔을 때, 즉시 그 사람에

게 충고하는 식으로 반응해서는 안 된다는 것을 기억하라.

- 관계의 목적은 상대방을 변화시키는 것이 아니라 경험을 같이 하는 것임을 잊지 마라.
- 상대방이 이야기하는 것을 들으면서 당신이 그의 말을 듣고 있음을 그가 알게 하라. 되도록 그의 갈등을 공감하려고 노력하라. 아마 당신에게도 해결책이 없을 것이며, 있다고 할지라도 그가 당신의 해결책을 진실로 원하는 것은 아님을 기억하라. 그는 당신이 한쪽에 가만히 있어주길 원하고 있다.
- '해야 할 일'이라는 목록을 제공함으로써 다른 사람의 고통을 증대시키지 마라.

　자신의 말을 호의적으로 들어줄 것이라고 기대하고 온 사람에게 여러 가지 지시사항들을 전달하는 것은 한 마디로 끔찍한 일이다. 그 사람은 이미 고통 받고 있다. 따라서 그는 아마도 당신이 "무슨 일이 발생하든 나는 당신과 함께 할 것이다."라는 힘이 되는 이야기나 "나는 당신이 언제나 그랬던 것처럼 올바른 결정을 내릴 것이라고 믿는다"고 확신시키는 말을 해줄 것으로 기대하고 있을 것이다.

　어려운 처지에 빠지게 되어 사랑과 지지를 얻으러 온 사람에게 충고를 하고 싶은 이 특이한 욕구 때문에 남편과 아내, 부모와 자식 사이에 많은 문제들이 발생한다.

　자식이나 배우자가 당신에게 문제를 안고 와서 동정과 지지를 원한다고 가정해보자. 그때 당신의 목적은 그들의 고립감과 노력을 같이 경험하는 것이어야 한다. 특히 자식들은 흔히 "내가 엉망인 상태에 있거나 곧 그렇게 된다 하더라도 부디 나를 사랑한다고 말해주세요." 라고 말한다. 그러나 충고를 하는 것, 즉 어떻게 변해야 한다고 말하는 것은 "나는 너를 있는 그대로 사랑한다"는 말의 정반대다.

다른 사람들의 불확실성을 받아 들이고 함께 사는 법을 배워라. 불행하게도 많은 사람들은 남들의 불확실성과 함께 사는 것이 거의 불가능하다고 생각한다. 그들은 "여기에 당신이 해야 할 일들이 있다." 또는 "여기에 당신이 했으면 좋았을 일들이 있다." 라는 충고를 끊임없이 하지 않고서는 견디지 못한다.

반갑지 않은 충고를 하고 싶은 충동은 자식을 한 명만 가진 부모들에게 특히 강한 편이다. 우리가 도울 수 있다는 것이 확실할 때, 사랑하는 어떤 사람 또는 우리보다 더 무력한 사람이 실수를 저지르는 것을 가만히 보고 있기는 어렵다. 바로 뛰어들어 그 실수를 막아주고 싶은 욕구가 강렬하게 일어난다. 그러나 그렇게 하는 것은 본 뜻에서 완전히 벗어난 일이 되기 쉽다. 당신은 그 사람의 행동에 관한 무언가를 변화시키기 위해 노력하고 있는 것이며, 이는 당신이 그의 경험의 공유를 거부하고 있음을 뜻한다.

당신이 스스로를 제어하지 못하면 상대방은 자신의 말을 당신이 관심 있게 듣는 대신 지나치게 규제하고 있다고 느낄 것이며, 말한 것을 후회할 것이다. 가장 강력한 신뢰의 표시는 공감을 나타내는 적이며, 실수를 인정하고 나서 뒤로 물러나 그가 자신의 삶을 살도록 허락하는 것이다.

2. 상대방의 말을 끝까지 들어라.

상대방에게 당신의 경험, 즉 당신의 뛰어난 통찰력을 전할 작정이라 할지라도, 먼저 상대방을 위로하고 나서 당신에게 요구한 것만을 직접적인 방식으로 제시하라.

3. 당신의 충고를 거부하기 쉽게 만들어라.

가능하다면 사람들이 스스로 선택하기 편리한 메뉴의 형태로 충고하라. 혼자서 일할 수 있도록 도와주는 많은 책들처럼 우리의 책도 이런 메뉴의 형태로 충고사항들을 제시하고 있다. 그 중에는 유익한 것도 있고 유익하지 못한 것도 있을 것이다.

상대방도 당신만큼의 판단력을 가지고 있음을 믿어라. 당신은 그가 보지 못한 것을 보았을지도 모르나 그것으로 만족하라. 당신 자신을 상대방이 특별한 목적을 위해 고용한 의논상대로 생각하라. 가장 훌륭한 의사나 변호사, 심리학자, 그리고 모든 분야의 컨설턴트들이 이런 식으로 생각하고 있다. 그들은 다른 사람들이 하지 않았던 특수한 분야에서 일하고 있기 때문에 기꺼이 자문에 응한다. 사람들은 그런 전문가들의 전공에 속한 선택 메뉴를 얻기 위해 그들에게 간다. 그러나 전문가들은 결코 자신들을 남보다 '더 나은' 존재로 나타내지 않는다.

4. 당신이 자진해서 충고를 할 때마다 상대방은 선택의 기로에 선다는 사실을 명심하라.

상대방은 당신 말을 따를 것인지, 거부할 것인지를 결정해야 한다. 당신의 충고를 따름으로써 계속 당신이 마음에 들 수도 있지만 충고가 잘못되었을 때 그는 당신을 비난하며 피할 것이다. 그의 다른 선택은 당신에게 '불복종하는' 것이다.

그가 당신의 충고를 따르지 않는 길을 선택한다면 그것을 당신에게 보고하든 하지 않든 간에 거리감이 생길 것이다. 이로써 당신은 권위적인 인물이 되어버렸다. 당신은 상대방을 남이 지시하는 대로 행동해야 하는 비굴한 위치에 서게 함으로써 당신의 품위를 떨어뜨리고 그를 당신의 적으로 만들고 만다.

5. 비록 일시적이라 할지라도 모든 충고들은 상대방을 비굴한 위치에 서게 만든다는 사실을 인식하라.

살아가는 동안 우리는 재빨리 서로의 견해를 주고받지만 대개 어떤 해악도 끼치지 않는다. 그러나 선천적으로 충고하기를 좋아하는 사람들은 계속 거만한 자세를 유지한다. 단지 도움을 주기 위해 애쓰고 있음을 상대방에게 전달하기 위해 아무리 많은 노력을 하더라도, 그들은 충고를 들어야 하는 사람들과 거리감만 만들어낸다.

충고는 사랑의 행위인 것처럼 자신을 가장한다. 그러나 충고하려는 욕구를 억제하는 것이 진정한 사랑이다. 관계의 본질은 사람들을 경험하는 것이다. 감히 그들을 변화시키려고 하지 마라.

6

품격 있는 말치레는 최고의 선물이다

발렌타인의 연인

한 친구가 내 컴퓨터를 보기위해 사무실을 방문한 적이 있었다. 얼마 전에 새로운 스캐너를 사서 설치했는데, 그도 그 스캐너를 살 계획이었다. 나는 그가 내 스캐너를 보고 아무리 마음에 들어도 결국 트집 잡을 것임을 미리 알고 있었다. 그는 결코 내 판단을 칭찬하거나 그 장비를 구입한 데 대해 좋게 이야기하지 않을 것이다. 그는 관대하고 예의바른 사람이지만 말치레는 거부하는 것 같았다.

반면, 너무 과도하거나 상투적으로 고리타분한 말치레를 함으로써 우리들을 난처하게 만드는 사람들이 있다.

"저 소파는 매우 훌륭하군요! 새로 산 것입니까?"

"아니오. 7년 동안이나 사용하고 있는데요."

"우리는 어제 당신에 관해 이야기했는데, 모두들 당신이 지난 몇 년 동안 매우 멋있어졌다고 말하더군요."

이때 당신은 특히 그 말치레가 일반적인 것이고 누구에게나 적용될 수 있는 것이라면 자신의 감정이 조롱당하고 있다고 느낄 것이다. 우리는 가끔 말치레하는 것을 듣는다. 그리고 우리 자신도 (사무실이나 연인관계, 또는 가장 격의 없는 친구관계에서도) 사람들을 칭찬해야 하는지, 그 칭찬이 어떻게 들릴지에 관해 스스로 결정해야 할 경우가 있다.

당신이 말치레를 어떻게 생각하느냐는 삶에 매우 큰 영향을 미칠 것이다. 만약 사람들을 절대로 칭찬하지 않기로 결심한다면 당신은 그 대가를 치르게 될 것이다. 다른 사람들은 기만당했다고 생각하며 당신에게서 멀어질 것이다. 너무 많은 칭찬을 하는 것 또한 비싼 대가를 치를 것이다. 사람들은 곧 당신이 그들을 속이거나 조롱하고 있다고 느끼게 될 것이며, 이것 또한 그들과 큰 거리감을 생성할 것이다.

품격 있는 말치레를 위하여

말치레는 단순히 셰익스피어 시대에 엘리자베스 1세를 둘러싼 사람들이 사용했던 16세기의 기술이 아니다. 성공한 사람들의 대부분은 여전히 말치레를 잘하는 사람들이다. 르네상스 시대의 학자들은 말치레를 연구해볼 만한 복잡한 대상으로 생각했다. 우리가 그것을 인정하든 인정하지 않든 간에 그 기술의 세세한 부분까지 터득한 사람들이 그것을 유리하게 사용하고 있다는 사실은 확실하다.

당신의 연인이 정말로 피곤해 보일 때 안색이 좋아 보인다고 말하는 것은 속임수일까? 이는 속임수면서도 동시에 속임수가 아니다. 당신은 정직하다고는 할 수 없는 선택을 하고 있다. 그러나 그 말에 의해 해를 입는 사람은 없을 것이며 나쁜 상황이 더 나빠지지도 않을 것이다.

완전한 세상이라면 우리는 상관이나 동료에게 말치레를 할 필요가 없을 것이다. 그러나 우리가 사는 세상은 완전한 곳이 아니다. 이것을 일찍 깨달은 사람들은 그렇지 못한 사람들보다 훨씬 더 잘 살아가고 있다.

당신이 아는 사람 중 언제나 옳은 말만 하는 것처럼 보이는 사람들을 생각해보자. 이들은 아마도 마음속으로 몇 번 생각해보지 않고서는 결코 행동으로 옮기지 않을 것이다. 의심할 필요 없이 이 사람들도 삶의 어느 시점에서 말치레를 다루는 방법을 익히게 되었으며, 어떻게 그리고 언제 그것을 할 것인가를 결정했을 것이다.

그러나 말치레는 성격상 비밀스러운 기술이다. 그것에 숙달된 사람들도 자신이 어떤 기술을 사용하고 있다고는 결코 인정하지 않을 것이다. 그들은 정말로 자발적이고 솔직한 마음으로 그런 말을 하고 있다는 점을 상대방에게 전달하고 싶어 한다.

셰익스피어의 말치레

셰익스피어는 그만의 천재성으로 몇 가지 말치레의 미묘한 차이를 파악해냈다. 그는 정도가 지나친 아첨은 몹시 싫어했다. 그러나 그의 작품들을 조심스럽게 연구해보면, 그가 말치레의 역할에 대해 충분히 생각했었다는 것을 알 수 있다. 그는 말치레의 사용을 몇 가지로 구분했는데, 그것들은 지금도 일상생활에서 우리들이 이용할 수 있는 입문서 역할을 한다.

셰익스피어는 말치레를 다음과 같이 세 종류로 나누어 설명하고 있는데, 그 구분은 어느 정도 타당한 것으로 보인다.

- 정략적인 말치레
- 과장된 말치레
- 순수한 기쁨의 말치레

정략적인 말치레 : 우리들이 전통적으로 생각해왔던 '아첨'과 같은 것이다. 이것은 가장 불쾌한 형태의 말치레다. 실제로는 그 말을 들을 만한 자격이 없는 사람에게서 무엇인가를 얻어내기 위해 궁리해낸 말이기 때문이다.

이 세상 누구도 언제나 진실할 수만은 없다. 사업상의 거래처럼 경쟁하는 상황이라면 더욱더 그렇다. 그러나 이익을 얻기 위해 아첨하는 것이라면, 당신은 기본적으로 부정직한 행위를 하고 있음을 인정해야 한다. 아첨하는 것은 다른 사람으로 하여금 당신이 원하는 것을 내놓게 하려고 목적을 숨기는 행위와 같다.

그렇다면 순수한 사리 추구를 위해 누구에게도 결코 아첨을 하지 않는 방법을 택해야만 하는 것일까?

이는 당신 자신이 많은 대가를 치르면서도 나무랄 데 없이 순수하게 살아가는 것을 의미한다. 셰익스피어의 〈코리올라누스 *Coriolanus*〉는 이런 종류의 말치레를 매우 싫어해서 그것을 결코 사용하지 않았던 고대 로마장군의 이야기다. 결국 코리올라누스는 로마에 사는 어느 누구에게도 진실되지 못한 말치레를 하는 것을 거부했기 때문에 그 대가로 자신의 생명을 잃게 된다.

셰익스피어는 코리올라누스의 친구로 하여금 그에 관해 다음과 같이 말하게 한다.

그의 성품은 이 세상을 살기에는 너무나도 고귀한 것이다.
그는 삼지창을 얻기 위해 바다의 신에게,
또는 천둥의 힘을 얻기 위해 조우브 신에게
아첨하지 않을 것이다.
그의 말은 진심에서 나오는 말이다
그의 혀는 그의 가슴이 생각하고 있는 것만을 내뱉는다…

코리올라누스는 실제로 존재했던 인물이다. 셰익스피어의 이야기는 고대 역사가 플루타르크의 설명에 기초하고 있다. 플루타르크의 기록에 의해 판단해볼 때, 코리올라누스에 관한 셰익스피어의 기술은 매우 정확한 것이다.

오늘날 실제로 코리올라누스처럼 살아가는 사람은 거의 없다. 우리는 정략적인 아첨을 습관적으로는 아니지만 때때로 사용한다. 만약 당신이 그것을 사용하게 된다면, 그 사실을 솔직하게 자백하는 것이 현명한 행동일 것이다.

현실을 직시하자. 정략적인 말치레는 전통적인 예술형식의 하나일 뿐이다.

- 정략적인 말치레가 성공하기 위해서는 가능한 한 진실에 접근하는 것이 가장 중요하다. 자칫하면 그것이 비웃음으로 들릴 수도 있다는 사실을 인식하라. 그것들 사이의 경계를 넘나들지 마라.
- 당신의 진술이 정확하거나, 적어도 정확한 것으로 통할 수 있어야만 한다는 사실을 명심하라. 대부분의 사람들은 자신의 결점이 무엇인지를 잘 알고 있다. 명백하게 진실이 아닌 것은 말하지 마라.
- 되도록 진실을 기발하게 변형시키는 방법을 찾아보아라. 어떤 여자가 "나는 내 자신이 미워요. 키가 너무 작거든요."라고 말했을 때, 마치 그 여자가 정말로 키가 크다는 듯이 "아니오, 당신은 작지 않아요."라고 말하지 마라. 그녀는 자신이 키가 크지 않다는 것을 알고 있다. 대신 그녀의 전제상황은 인정하되, 그것을 더 좋은 방향으로 해석해주어라. 예를 들면 "그렇게 가냘프게 생긴 것이 정말로 여성적이다."라고 말하는 것도 좋은 방

법이다.

몇 달 전 점점 나이 들어가는 한 여자가 그녀의 새 남편과 함께 내가 참석했던 회의에 왔었다. 그때 그녀는 막 결혼한, 그녀를 사랑하고 있는 것이 분명해 보이는 젊은 남편이 "나 같은 늙은 퇴물을 왜 좋아하는 걸까요?" 큰 소리로 우리에게 물었다. 그러자 어떤 남자, 즉 그녀의 매우 정중한 종업원 한 명이 "난파선 안에는 무척 많은 금이 있기 마련이죠." 라고 대답했다. 그것은 내게 영원히 잊을 수 없는 장면이었다. 물론 그가 물질적인 의미로 그렇게 말한 것은 아니었다. 그러나 그 자리에 있었던 모든 사람들은 인간적이고 자비로운 그녀의 마음속에 정말로 황금이 들어 있다고 생각했다.

- 상대방이 이미 수백 번 들었을 말을 되풀이 하지 않도록 노력하라. 당신 비서에게 "나는 당신 없이 아무것도 못할 것이다." 라고 하면, 그것은 유창한 아부, 즉 닳고닳은 진부한 말로 들린다. 오히려 그 또는 그녀가 당신을 위해 해준 특별한 일에 대해 감사하다고 말하는 것이 더 좋을 것이다. 한 사람이 어떤 말을 유별나게 잘 쓴다면, 그가 그것을 유창하게 말했다고 이야기하는 것도 전혀 과장이 아닐 것이다.
- 어떤 사람이 분명하게 잘못했을 때 그것을 숨기거나 그를 추켜세우지 마라. 당신이 야구팬이라면 막 스트라이크 아웃을 당한

타자에게 덕아웃에서 아무도 말을 건네지 않는 것을 목격했을 것이다. 아마 기분이 엉망일 선수에게 당신이 할 수 있는 긍정적인 말은 아무것도 없을 것이다. 어떤 말을 건네는 것은 언제나 그 선수를 화나게 할 뿐이다.

• 조금 전 당신으로부터 말치레를 들었던 사람이 잠시 후 다른 사람에게 비슷한 말치레를 하는 것을 발견하는 일이 없도록 하라.

나는 내게 프랑스어를 매우 잘한다고 칭찬했었던 어느 프랑스 여자를 지금도 생생하게 기억하고 있다. 그때 나는 스스로 프랑스어 실력이 대단하다고 생각하고 있었기 때문에 그 말을 듣고 매우 기분이 좋았었다. 이틀 후 나는 그 여자가 내 친구에게 프랑스어를 아름답게 구사한다고 말하는 것을 들었다. 그 친구는 내가 그때까지 들어본 것 중 가장 나쁜 억양을 갖고 있었으며 심지어 아는 단어도 거의 없었다. 그래서 그 여자의 칭찬을 믿었던 나 자신이 스스로 멋쩍게 여겨졌으며, 나를 바보로 만든 그 여자 때문에 매우 화가 났다.

정략적인 말치레는 기본적으로 부정직한 것임을 잊지 마라. 최악의 경우 그것은 상대방을 멍텅구리처럼 다룬다는 점에서 모욕적인 행동이다. 따라서 당신은 될 수 있는 한 그것을 사용하지 않는 것이 좋다.

과장된 말치레 : 평생 동안 말치레만 하면서 살아야 할지라도

이런 종류의 말치레만은 피해야 한다. 이것은 단지 기분전환만을 위한 것이며, 사람들을 비웃는 또 다른 형식에 지나지 않는다. 그러므로 이런 말치레를 들을 경우 당신이 비웃음 당하고 있음을 깨달아라.

과장된 말치레는 일종의 지나친 찬사로 일부러 경멸하기 위해 사용되기도 한다. 그것의 목적은 상대방으로부터 무엇인가를 이끌어내려는 것이 아니라 과장된 표현을 사용하여 그 사람을 조롱하는(그 사람이 약점 투성이고 어리석은 사람임을 들추어내는)것이다. 즉 과장의 적대적인 표현이다.

당신이 과장된 말치레를 시작할 때, 올바른 정신을 가진 사람이라면 누구도 진심으로 믿지 않을 찬사들이 쏟아진다. 그것은 명백히 칭찬을 통해 상대방을 모욕하는 일이다. 그래서 상대방은 불평을 할 어떤 확실한 근거도 찾아내지 못한다. 물론 그 사람은 당신이 과장해서 말하고 있다는 것을 안다. 하지만 당신이 품위 있는 방법을 사용하고 있기 때문에 그로서는 자신을 모독하지 말라며 당신을 비난하기가 쉽지 않다. 과장된 말치레가 만들어내는 불확실성은 전략의 일부분이다. 당신은 심지어 자신의 말치레가 명쾌하기를 바랄지도 모른다. 그러나 과장된 말치레의 목적은 즐거움이 아니라 고통이다.

〈베니스의 상인 *The Merchant of Venice*〉에서 포르셔*Portia*는 다양한 종류의 남자들을 경멸한다. 그녀는 그 남자들이 없는 곳에서 그들을 조롱하기를 즐긴다. 바사니오*Bassanio*만이 유일한 예외인데, 사실 그는 포르셔가 부유한 상속녀이기 때문에 냉소적으로 그녀의 청혼자가 되었던 사람이다. 포르셔는 자신의 결혼 승낙을 얻기 위해 남자들을 잔인하게 비웃는다.

그녀가 경멸하는 청혼자들 중 한 사람인 모로코Morocco공작은 바보가 아니다. 그는 자신이 흑인이기 때문에 포르셔가 경멸한다는 것을 알고 이렇게 말한다.

내 얼굴을 싫어하지 마세요.
이는 찬란한 태양이 가져다준 검은 옷이랍니다.
태양은 내가 함께 자랐던 이웃이랍니다.

그런 후에 모로코 공작은 포르셔를 조롱하기 위해 과장된 말치레를 한다. 그는 정신이 올바른 여자라면 누구도 믿지 않을 과장된 표현을 의도적으로 사용해 포르셔를 찬양한다.

아가씨, 내 얼굴을 보면 가장 용감한
사람들마저 겁을 먹는답니다…
나는 이것을 다른 색깔로 바꾸고 싶지 않습니다.
나의 고귀한 여왕이시여,
당신의 사랑을 훔칠 수 있다면 몰라도…

포르셔가 그에게 그만한 가치가 있는가? 이 존경받는 부유한 공작은 분명 만난 지 얼마 되지 않은 여자의 사랑을 얻기 위해 자신의 피부색까지 하얗게 바꾸고 싶지는 않았을 것이다. 그것은 명백한 거짓말로, 이는 공작이 간파될 줄 알면서도 의도적으로 하는 것이다.

과장된 말치레는 어떤 사람을 전혀 칭찬하지 않으면서도 칭찬하는 척하는 것이다. 이는 사실 "이 우스운 진술을 당신이 원한다면 칭찬의 말로 받아들여라. 그것이 내가 너에게 줄 수 있는 모든 것이다."라고 말하는 것과 같다.

과장된 말치레는 지금까지도 인기가 높다. 외판원들은 날마다 부유한 고객들에게 이를 사용한다. 그들이 이런 말치레를 사용하는 의도는 물건을 팔기 위해서라기보다 자신들의 비굴한 역할을 패러디로 전환시키기 위해서일 것이다.

기쁨의 말치레 : 이는 꼭 사용해야만 하는 말치레 형식인데, 오히려 이를 과장된 말치레만큼 충분히 사용하는 사람들은 많지 않은 것 같다.

사람들은 이런 의미의 말치레를 두려워한다. 그러나 그 두려움을 극복할 수만 있다면, 당신뿐만 아니라 상대방까지도 행복하게 될 것이다. 이런 종류의 말치레는 당신의 열정이나 다른 사람들이 가지고 있는 자질을 순수하게 즐기는 것으로부터 자연스럽게 나온다.

언뜻 보기에 셰익스피어가 말하고 있는 것의 절반 정도는 말치레인 것 같다. 그는 남자, 여자, 참새가 비행하는 방식, '소박한 망토를 입고 아침이 우리에게 다가오는 방식' 등에 대해 말치레를 한다. 그러나 우리는 그런 것들이 마치 우리 모두의 마음으로 말하는 것처럼 정확하게 진술되고 있다고 생각한다.

어떤 사람에게는 그런 말치레들이 정직하지 않은 것으로 들릴지도 모른다. 그러나 셰익스피어는 진심으로 말하고 있는 것이며, 자신의 기분에 충실하고 있다. 순전히 객관적인 기분으로 그가 말한 것을 판단하면 확실히 그는 지나치게 과장하고 있다. 그러나 그가 이런 방식으로 자신의 감정을 표출한다는 것, 즉 주관적으로 말한다는 것을 인정한다면 진실을 말하고 있음을 알 수 있을 것이다.

감정의 자연스러운 발로 속에서 가끔 두려움이 과장되게 표출되는 것처럼 우리의 즐거움과 찬탄도 고조될 수 있다.

우리의 꿈처럼 우리의 감정도 종종 '해가 되지 않는' 과장된 표현들이다. 그러나 두 가지 다 무의식적인 행복을 표현할 수 있다. 우리가 왜 이런 행복을 표현해서는 안 되는가? 어떤 사람이 아름답다고 느낄 때, 왜 그 사람이 아름답다고 말해서는 안 되는가?

다른 사람에게 말치레처럼 여겨지는 것이 우리가 말하고 있는 그 순간에는 우리의 시간을 가장 충실히 나타내는 진지한 진술일 수 있다. 특히 우정과 사랑은 말치레가 없으면 불가능할 것이다. 두 가지 다 듣는 사람만큼 말하는 사람도 기쁘게 만드는 말치레를 필요로 한다. 그런 말들까지 수정하려고 달려드는 융통성 없는 사람들은 정작 그것의 진수를 놓치고 만다. 〈겨울 이야기 The

Winter's Tale〉에서 어떤 왕이 한 시골 소녀에 관해 이렇게 말한다.

지금까지 잔디 위를 달렸던 소녀들 중 가장 아름답지만
신분이 낮은 소녀가 여기에 있다.
그녀는 아무것도 못하는 하찮은 존재 같지만
그녀 자신보다 더 고귀한 무엇인가를 연상케 한다.

과장된 표현인가? 물론 실생활에서 이렇게 말하는 사람은 지극히 과장되어 보일 것이다. 그러나 이것을 조금만 더 약하게 묘사해보라. 그때는 '과장됐다' 라는 대답이 진지하게 말한 사람에게 불친절한 태도를 보이는 꼴밖에 되지 않을 것이다. 우리가 시라는 형식에서 이를 받아들일 수 있다면, 실제생활에서는 왜 안 된다는 말인가?

어떤 의미에서 사랑의 정수는 말치레다. 사랑하는 사람은 자신의 연인을 실제보다 더 고상한 사람으로 생각한다. 사랑에 빠진 사람에게는 상대방이 가장 아름답고 가장 재능 있고 가장 매력적이며, 모든 점에서 가장 총명하다.

사랑하는 사람을 찬양하고 싶은 자연스러운 충동이 사랑과 함께 엄습해온다. 좀더 수사적인 표현을 사용하자면 이것은 사랑이 부여하는 자유 중 하나라고 할 수 있다. 말치레는 사랑하는 사람이 자연스럽게 표출하는 것이며, 사랑하는 사람에게 주어지는 일종의 선물이다.

말치레는 사랑과 매우 밀접한 관계가 있다. 사랑에 빠진 사람은 친구들이 자신의 연인에 대해 말치레를 해주길 기대한다. 친한 친구가 사귀는 새로운 연인에 대해 미지근하게 행동하거나 칭찬의 말을 하지 않는다면, 그는 실망스러운 존재로 낙인찍힌다. 진정한 친구 사이라면 상대방의 말치레를 자신의 행복으로 여길 것이다.

셰익스피어의 희곡 〈베로나의 두 신사*The Two Gentlemen of Verona*〉에서 두 신사 중 한사람인 발렌타인*Valentine*은 그의 친구 프로테우스*Proteus*에게 자신이 '신성하고' '천사같은' 여자를 사랑하고 있다고 말한다. 그러자 프로테우스는 그 여자에게 말치레를 하지 않을 것이라고 대답한다. 그 말에 발렌타인은 "그렇다면 사랑하는 사람이 칭찬받는 것을 기뻐하는 나에게 말치레를 해다오."라고 요구한다.

발렌타인은 사랑하는 여자에게 흠뻑 빠져 있었기 때문에 모든 사람들이 자신의 사랑과 그 사랑의 위대성을 인정하고 찬미할 것이라고 가정했다.

그러나 세상 사람들이 모두 사랑하는 사람을 찬양하는 것은 아니다. 어떤 사람들은 사랑 때문에 우리에게 화를 내고 질투할 것이다. 그러나 확실히 우리는 사랑에 빠져 있을 때 친한 친구들이 말치레라도 행복을 빌어주기를 기대한다.

셰익스피어의 위대성은 그가 관찰했던 모든 것들을 저마다 추켜세운 데 있다. '순수한 셰익스피어'에서 말치레는 특별한 상상력을 사용하여 그 대상을 고상하게 만드는 것을 의미한다. 그런

상상력과 말치레는 셰익스피어의 어느 작품에서나 쉽게 찾아볼
수 있다. 한 소네트에서 셰익스피어는 다음과 같이 말하고 있다.

나는 보았도다. 매우 많은 찬란한 아침들이
제왕 같은 눈으로 산마루를 즐겁게 하고
금빛 얼굴로 푸른 초원에 입맞춤하는 것을…

- 다른 사람들을 결코 추켜세우지 않는 것을 신조로 여기는 사람
  들은 아마 자신을 포함한 누구도 사랑할 수 없을 것이다. 그는
  시골뜨기거나 재미없는 사람이다. 빈틈없이 정직한 척하지만
  실제로는 상상력이 부족하거나 병적으로 인색한 사람이다.
- 당신이 어떤 사람의 모습이나 행동에 대해 추켜세우기를 두려워
  한다면, 스스로에 대해 어떤 자랑도 하지 못할 것이다.

사람들은 재능은 없지만 왠지 스스로를 좋아하게 만드는 사람
에게 자기도 모르게 끌릴 것이다. 많은 사람들의 삶의 목적인, 열
심히 일하여 공적을 쌓는 것은 다른 사람들의 존경을 이끌어내기
위한 것이다. 당신이 말치레를 억제하고 있다면 그들로부터 삶을
행복하게 만드는 많은 것을 빼앗고 있는 셈이다.

난처한 입장에 처한 사람은 자신에게 부담스럽다고 느껴지는
것(여기에는 말치레도 포함된다)을 회피한다. 그런 사람들은 자신이
이 세상에서 진실로 원하는 것을 추구하지 못할 만큼 곤경에 처해

있기 때문에, 과장된 말로 자신을 칭찬하려고 애쓰는 사람들을 얕잡아보기까지 한다. 그들은 자신의 곤혹스러움을 다른 사람들에게 전이시키고, 다른 사람들이 자신에게 어떠한 말치레도 하지 못하게 만든다.

나는 어린 시절 이웃에 살았던 친구 맥스를 요즘도 가끔 만난다. 그가 우리 마을에 오기 전에 나는 매우 거만한 친구들과 함께 지내고 있었다. 친구들과 나는 우리가 이 세상에서 가장 똑똑한 젊은이들이라고 생각했다. 그렇지만 우리 모두 소녀들을 두려워했다. 매력적인 소녀와 함께 있을 때 우리는 무관심한 척하려고 애를 썼는데, '넌 별 볼일 없다'는 듯이 여유 있는 거만함을 지키기 위함이었다. 우리는 그녀를 결코 칭찬하지 않았으며 그런 태도를 계속 유지했다.

그때 맥스 가족이 히틀러의 탄압을 가까스로 피해 우리 마을로 이사 왔다. 맥스는 이제 막 영어를 배우기 시작하고 있었다. 우리가 즐겨하는 스포츠 경기도 잘하지 못하는 그를 내 친구들 중 몇몇은 놀려대기도 했다. 그러나 그는 만날 때마다 늘 매혹적인 소녀와 함께 있었다. 그 비결이 무엇일까? 나는 궁금해서 참을 수 없을 정도였다. 맥스는 물론 잘 생겼지만 우리들도 그만큼은 미남이었다.

당시 아마추어 심리학자였던 나는 맥스를 유심히 관찰했다. 특히 내가 전에 말 걸기를 두려워했었던 검은 머리의 아름다운 소녀와 만나고 있을 때 그가 어떻게 하는지 관심 있게 지켜봤다.

"네 눈은 매우 매혹적이야. 나는 이제까지 그런 눈을 본 적이 없어."
라고 그는 그녀에게 마치 큰 감동을 받은 것처럼 뒷걸음질까지 치
면서 말했다.

사실 나도 그렇게 느꼈기 때문에 그가 농담하고 있는 것이 아님
을 알고 있었다. 그러나 나와 다른 친구들은 감히 그런 말을 할 수
없었다. 나는 그 소녀가 그의 말에 응답하는 것을 보고, 또 며칠
후 맥스가 그녀와 함께 브로드웨이를 걷고 있는 것을 보고 깜짝
놀라지 않을 수 없었다.

나는 그동안 정직한 말치레까지 피했던 것이 정당하지 못했음
을 이해하기 시작했다. 그런 말치레를 함으로써 어리석고 미숙한
사람으로 보이는 게 아니라 오히려 용기 있고 세련된 사람으로 보
일 수 있다는 것을 알았다. 일단 기쁨의 말치레에 대한 금기를 극
복하자 나의 삶에 큰 변화가 일어났다. 이제 나는 기쁨의 말치레
를 잘 사용하는 것이 얼마나 중요한지를 잘 이해하고 있다.

선물로서의 말치레

최고의 정신요법 치료사는 자신의 환자에게 흠뻑 빠져서 그 환
자의 장점들을 즐길 수 있는 사람이다. 그런 치료사가 환자들의
문제를 다룰 때 그들의 신뢰감은 더욱 커진다. 또한 그 치료사를
믿기 때문에, 그리고 자신들이 싸울 만한 가치와 자기계발을 할

만한 가치가 있는 사람이라고 느끼게 되기 때문에 자신을 변화시키려는 강한 의욕을 갖게 된다.

가장 서투른 치료사는 결코 환자들의 장점을 즐기려 하지 않으며 환자를 '문제가 있는 사람들'로 간주한다. 때문에 환자들도 곧 의욕을 잃게 되며, 결국 치료를 통해 아무것도 얻지 못한다.

어떤 사람이 당신을 진실로 감동시킬 때 억지로라도 말치레를 하고, 의도적으로 과장하고, 잠시 동안 바보가 된 것처럼 느껴보도록 해라.

물론 그런다고 해서 당신이 정말로 바보가 되는 것은 아니다. 그러면 다른 사람들이 이전에 결코 하지 않았던 호의적인 방식으로 반응할 것이다.

셰익스피어는 이런 식으로 내 삶을 낭만적으로 만들었다. 그리고 나는 삶의 목표를 낭만적이 되는 것에 두게 되었다.

다른 사람들이 얼마나 매력적인지, 그들과 함께 있으면 얼마나 즐거운지, 혹은 그들의 재능을 얼마나 찬양하고 싶은지를 말함으로써 우리는 그들에 대한 경험을 한층 더 풍부하게 할 수 있다.

이것이 실제적인 삶보다는 허황된 삶을 살아야 한다는 충고인 것일까? 셰익스피어는 그렇게 생각하지 않았다. 걱정하지 마라. 삶을 낭만적으로 만든다면, 우리가 저지르는 어떠한 실수도 많은 손실을 가져다주지 않을 것이다.

자세한 설명이 있었던 것은 아니지만, 우리들은 대부분 말치레를 잘하는 사람은 믿지 말 것을 교육받아 왔다. 첫번째와 두번째 종류의 말치레를 염두에 두고 전해진 말이라면 이는 분명 올바른 교육인 것처럼 보인다. 그러나 '기쁨의 말치레' 라고 불렸던 세번째 말치레에 관한 한, 전혀 해당 사항이 없다. 오히려 말치레를 하지 않는 사람을 믿지 말아야 한다. 당신은 더 많은 말치레를 들을 자격이 있다.

7

당신의 모든 것을 줄 수 있는 사람을 만들어라

논쟁의 대가, 마크 안토니

요부 클레오파트라를 만나 사랑에 빠지기 전 마크 안토니*Marc Antony*는 로마의 지도자 중 한 사람으로서 오랫동안 성공적인 경력을 쌓아왔었다. 이집트에서 클레오파트라를 만났을 때도 그는 로마의 세 집정관 가운데 한 사람의 자격으로 그곳에 간 것이었다. 많은 사람들이 알고 있듯이 그는 클레오파트라와 사랑에 빠짐으로써 로마에서의 지위는 물론 결국 생명까지도 잃게 되었다.

마크 안토니는 친척이며 신뢰하는 친구 사이였던 줄리어스 시저와 교류를 통해 주로 자신의 지위를 획득해 왔었다. 안토니는 시저와 더불어 성장했다. 그래서 시저가 살해되었을 때 음모자들이 자신들의 행위를 변명하기 위해 마크 안토니에게 갔던 것은 당연한 일이었다. 음모자들은 시저를 살해한 자신들을 안토니가 정당한 것으로 받아들이고 있다고 잘못 생각해 그에게 시민들 앞에서 연설할 수 있는 기회를 허락했다. 살인자들은 시저의 친구인 마크 안토니가 자신들에게 유리한 연설을 하면 국민적 영웅으로 추앙 받게 되리라고 기대했다.

음모자들은 안토니가 자신들을 찬양하기는커녕 군중들이 적대감을 갖도록 선동하리라고는 전혀 생각하지 못했다. 그 집단에서 가장 잘 알려진 브루투스Brutus가 먼저 연설을 했다. 그는 시저가 야심이 많은 사람이었기 때문에 황제가 되어 공화국을 종식시키려고 했었다는 점을 강조했다. 군중들은 그의 말을 믿었다. 사태는 안토니가 같은 말을 하기만 하면 완전히 설득될 것처럼 보였다.

그러나 음모자들은 안토니가 자신들의 편이라고 쉽게 가정하는 실수를 저질렀다. 그리고 더 나빴던 것은, 안토니가 로마 전체에 알려져 역사적인 기념이 될 만한 연설을 가슴 속에 품고 있다는 사실을 눈치 챈 사람이 아무도 없었다는 점이었다.

안토니가 등장했을 때, 군중들은 브루투스의 연설을 듣고 시저가 독재자가 되기를 원했기 때문에 음모자들이 그를 죽일 수밖에 없었다는 주장에 완전히 설득된 상태에 있었다. 군중들은 브루투스에 대항하는 연설을 하는 자는 누구든 때려죽일 분위기에 휩싸여 있었다. 안토니는 오직 브루투스의 허가에 의해 말하는 것이 허락되었으며, 브루투스는 자신이 떠나기 전에 안토니를 소개했다.

그러나 이런 제약에도 불구하고 안토니는 적대적인 군중들을 자신의 편으로 전환시켰다. 그의 연설은 매우 성공적이었다. 연설이 다 끝나기도 전에 분노로 난폭해진 군중들은 브루투스와 그의 동조자들을 그 자리에서 죽이기 위해 찾아 나섰다.

셰익스피어는 안토니에게 자신의 소리로 말하게 했다

역사는 마크 안토니의 실제 연설을 기록하지 않고 오직 그가 매우 어려운 상황에서 연설을 했으며, 수많은 사람들을 자신의 편으로 끌어들였다는 사실만을 전할 뿐이다.

셰익스피어는 〈줄리어스 시저〉를 고대 역사가의 간단한 설명에 기초해서 썼다. 그는 마크 안토니의 세기적인 연설을 백지 상태에서 만들어내야만 했다.

셰익스피어에 의해 씌어진 마크 안토니의 연설은 사람을 설득시키는 방법에 대한 해부도 그 자체였다. 실제로 행해진 연설이 아무리 목적을 달성할 만큼 훌륭했다 할지라도, 셰익스피어가 만든 연설이 더 훌륭한 것은 틀림없는 사실이다.

한때 수백만의 학생들이 배우고 암기한 마크 안토니의 연설은 사람들이 가장 좋아하는 문장 중 하나다. 그것은 논쟁하는 방법, 즉 어떤 견해를 가진 사람이나 다수의 청자들을 설득하는 방법의 훌륭한 예다.

실제로 마크 안토니는 논쟁과 연설하는 법에 관해 엄격한 훈련을 받았다. 로마는 웅변술로 유명했다. 설득의 기술을 숙달했던 것으로 유명한 고대로마 사람들에게 논쟁은 '콜레지엄*collegium*'에서 가장 중요한 과목들 중 하나였다. 이 과목에는 보통 두 학생에게 반대되는 견해를 옹호하도록 하는 과제가 주어졌다. 얼마 동안 논쟁한 후에 그들은 다시 서로 이전과는 반대되는 입장에서 논쟁해야만 했다. 두 입장 모두에서 이기게 될 때에야 비로소 대가로 인정받을 수 있었다.

설득은 생각을 발표하는 기술이다

오늘날 우리는 설득의 기술을 거의 가르치지 않는다. 그만큼 매우 특별한 종류의 직업에 종사하지 않는 한 대규모 집단을 설득하기 위한 연설을 할 필요가 없는 것이다. 그러나 그 어느 때보다도 지금 우리에게는 설득의 기술이 필요하다.

당신은 매일 주위에 있는 사람들을 어떤 목적에서든 설득하고 있을 것이다. 사회는 복잡하기 그지없고, 우리는 그 안에서 여러 가지 일에 직면하고 있다. 고객에게 어떤 계획안을 팔고, 선생님께 당신의 아이들은 다른 부류에 속한다고 납득시키고, 잘못 배달된 품목 때문에 가게주인과 다투고, 집안을 다시 손질하는 대신 휴가를 가자고 배우자를 설득할 필요가 있을 것이다.

이처럼 일반적으로 우리 사회는 그 어느 시대보다도 논쟁과 토론, 변화의 여지를 많이 가지고 있다. 약 50년 전만 해도 가장이나 상관, 또는 유명한 인물들만이 제 목소리를 낼 수 있었다. 그러나 오늘날에는 거의 모든 사람들이 저마다 생각하고 느끼는 것을 다른 사람들에게 납득시키려고 애쓴다. 우리는 매일 아이디어, 혹은 우리 자신이라도 팔아야만 한다. 임금인상이나 중책을 요구할 때마다 설득력 있는 주장을 할 필요가 있다. 대부분의 부모들은 자식에게 명령하기보다는 설득하기를 선호한다. 사랑의 관계에서조차 원하는 것을 상대편에게 제시하고 설득시키는 방법에 관한 많은 책들과 기사들이 끊임없이 제공되고 있다.

가장 사적인 논점들을 제시할 때마저도 적절한 준비를 하는 것이 중요하다. 사람들은 주장된 논리뿐만 아니라 다른 많은 요인들에 의해서도 의외로 쉽게 설득될 수 있다.

인간에 관해 무한한 이해심을 갖고 있었던 셰익스피어는 이 주요한 요인들이 무엇인지 알고 있었다. 마크 안토니의 연설을 분석함으로써 우리는 안토니에게 설득력을 주었던 일련의 원칙들을 확인할 수 있을 것이다.

그런 것들을 우리의 목적에 맞게 수정하여 일상생활에서 사용할 수 있다면, 셰익스피어의 능력을 우리의 것으로 만들 수 있을 것이다.

설득의 대가가 되는 11가지 기술

1. 준비는 많이 하되 연설은 짧게 하라.

발표는 될 수 있는 대로 짧게 하는 것이 좋다. 어떤 정해진 시간을 채워야 한다면 그렇게 하되 더 이상은 하지 마라. 길고 산만한 발표를 하는 것보다 설득력 있고 간단한 연설을 준비하는 데 더 많은 시간이 요구되지만, 그것은 그만큼 가치 있는 일이다.

로마의 위대한 연설가였던 키케로Cicero는 원로원에서 연설하면서 "연설이 너무 길어 죄송합니다. 짧게 준비할 시간이 미처 없었습니다." 라고 사과한 적이 있었다.

분명 아무리 간단한 발표라 할지라도 미리 준비를 하는 것이 이로울 것이다. 당신의 생각을 형식에 구애 받지 않고 상관이나 동료들과 토론할 경우에도 약간의 요점들을 기록하고 암기해두라.

전화로 민감한 문제를 다룰 수밖에 없다면, 할 이야기를 적어도 한 번 이상 연습해야 할 것이다. 상대방이 당신을 볼 수 없다는 점을 이용하여 메모를 해둘 수도 있을 것이다.

마크 안토니는 미리 소품들을 준비하여 가장 적절한 순간에 시저의 관을 끌어냈다. 셰익스피어의 희곡에서 안토니가 연설을 신중하게 준비했다는 말은 듣지 못했지만, 우리는 그 연설의 정밀성과 구성을 통해 그가 그렇게 했으리라는 것을 추론할 수 있다.

2. 당신의 목적을 밝힌 다음에는 그에 대해 어떤 의심도 하지 마라.

당신의 목적이 논쟁할 가치가 있는 것이라면 진술할 만한 가치 또한 있다는 뜻이다. 일단 진술할 가치가 있는 것이라면 그것을 반복해서 주장하는 것을 걱정하지 마라. 당신의 목적을 자주 다양한 방법으로 진술하는 것을 두려워하지 마라.

청중들이 당신 스스로도 분명하게 밝히지 못한 소망을 들어줄 만큼 동정적일 것이라고 기대하지 마라. 당신이 어떤 사람과 결혼하길 원하면 그 또는 그녀에게 그것이 당신의 목적이라고 말하라. 목적을 적절하게 주장하지 못하는 것은 자신부터 그에 관해 갈등을 느끼고 있다는 표시다. 당신이 갈등하고 있는데 어떻게 다른 사람이나 군중이 그것을 당신에게 해주도록 기대할 수 있겠는가?

마크 안토니의 목적은 시저가 로마 시민들을 사랑했고, 그에게는 야심이 있었던 것이 아니며, 시저를 죽인 사람들은 살인자나 다름없다는 사실을 설득시키는 것이었다. 그는 단지 몇 분밖에 안 되는 연설에서 '야심적인'이라는 말을 다섯 번, '야심'이라는 말을 두 번이나 사용했다.

3. 당신이 찾아낼 수 있는 견해의 일치점이 무엇이든 거기에서 시작하라.

다른 사람과 공유하는 신념과 욕망으로부터 설득을 시작하라. 당신과 완전히 다른 목적을 갖고 있는 집단에게 말할 때라도 몇 몇 일치점을(필요하면 억지로라도) 찾아내라. 당신과 그 집단 모두 진리의 존재를 믿으며, 둘 다 인간적이며 공동체에 관심을 갖고 있다. 이 점에서 당신이 상대방의 순수성을 알고 있다는 점을 분명히 해라.

겸손하게 굴지 말고 상대방의 견해를 이해하고 있음을 보여주어라. "나는 당신이 왜 강대리가 회사에 손상을 입히는 사람이라고 생각하는지 이해할 수 없습니다. 우리들 모두 회사의 미래를 염두에 두고 있으니까요. 그러나 강대리는 변할 수 있다고 생각합니다. 그에게 또 한번의 기회를 주어야만 하는지 말할 수 있도록 시간을 주십시오."

일단 상대방에게 당신이 그의 말을 진지하게 들었음을 느끼도록 한다면, 그들도 당신 말을 훨씬 더 경청하게 될 것이다. 일상생활에서 자신의 말이 무시당했다고 느끼는 사람일수록 사소한 일에서까지 이의를 제기한다. 만약 상관이 당신을 강대리의 옹호자가 되어 자신을 쓰러뜨리려 하는 사람이라고 느낀다면, 당신과 강대리 모두 다른 일자리를 찾아보는 것이 나을 것이다. 때문에 상관은 당신이 그의 말을 주의 깊게 들었으며 그의 견해를 납득했다고 느껴야 한다. 그리고 상관은 당신이 언제나 새로운 것을 받아들이기를 원한다.

당신이 연설을 하고 있는 동안 주위의 반응이 없더라도 굴하지 말고 계속 하라. 연설을 하는 동안 안토니는 군중들의 견해를 이해한다는 말을 계속 반복했다. "당신들이 공화국을 원하는 것만큼 저 역시 그것을 원합니다. 그리고 시저도 우리와 같은 생각을 했다는 것을 믿어주십시오."

4. 당신의 요구사항을 최소한으로 줄여라.

당신이 견해의 일치점에서 시작했다면 이제부터는 차이점을 최소한으로 유지하라. 어떤 발표에서든 단지 1~2점만을 얻을 수 있음을 깨달아라. 당신의 결혼이나 직업에서 잘못된 점이 다섯 가지가 있다면, 그것들을 한꺼번에 모두 제시하지 마라. 그렇지 않으면 상대편이 압도당하거나 스스로를 무력하게 느끼게 될 것이다. 가장 중요한 한 가지 또는 두 가지 정도를 선택하라. 당신이 원하는 변화를 제시하면서도 계속 일치점으로 되돌아가도록 하라.

5. 욕망에 호소하라. 그러나 그것을 욕망과 동일시하지 마라.

그렇지 않으면 상대방은 욕망에 불타고 있는 것을 감추기 위해 틀림없이 저항할 것이다. 은근히 호소하라. 많은 사람들에게 욕망은 가장 강력한 동기를 일으키는 감정이다. 그러나 대부분의 사람들은 그것을 인정하지 않는다.

당신의 말을 듣고 있는 사람이 어떻게 이익을 얻을 수 있는지 보여줘라. 그러나 이것을 노골적으로 말하거나 상대방이 어떤 이익을 원하고 있다는 식으로 비추지 마라. 당신이 원하는 것을 함으로써 생기는 명백한 혜택들에 대해 전달한 후, 가능하면 당신이 가진 고상하고 감정이 깃든 이유들을 제공하라. 이를 통해 그 사람은 자신의 이익을 위해 행동하면서도 스스로를 고결하다고 느낄 수 있는 기회를 갖게 될 것이다. 이것이 대다수 사람들이 이상적인 조합이라고 생각하는 것이다. 이를 테면 이런 식이다. "강대리가 떠나면 우리들의 주요고객 몇몇이 그와 함께 떠날지도 모릅니다. 우리가 정말 그런 식으로 고객들을 실망시킬 필요가 있을까요?"

안토니의 연설이 진정 위대했던 이유는 그가 로마 시민들의 감정에 호소한 데 있다. 그는 로마 시민들에게 시저가 얼마나 많은 재산과 포로를 쟁취했으며, 살아 있었다면 계속해서 얼마나 더 많이 쟁취할 수 있었을까를 상기시킴으로써 그들의 욕망에 직접 호소했다. 시저의 죽음은 그들로 하여금 재산을 잃게 만들었던 것이다.

6. 듣는 사람의 감정에 호소하되, 이성에 호소하는 것처럼 보이게 하라.

논리적으로만 보이는 주장을 하는 것은 흔히 저질러지는 실수다. 특히 총명한 사람일수록 이런 실수를 잘 범한다. 물론 당신은 가능한 한 모든 논리를 사용해야만 한다. 사람들은(당신이 그들을 위해 감정적으로 말하더라도) 논리적으로 추론하는 것을 좋아한다. 그러나 논리에도 감정이 깃들어 있다. 게다가 상대편을 진정으로 움직이게 하는 것은 감정임을 이해해야 한다. 어떤 문제가 감정으로부터 분리되어 있는 것처럼 보일지라도 이것은 진리이다.

감정이 사람들의 결정에 미치는 영향이 매우 크기 때문에 특히 우리의 법률체계는 그것을 막기 위해 노력해오고 있다. 변호사가 자신의 고객을 사랑하고 그 사람이 투옥되면 슬퍼할 만한 사람들을 법정에 불러 모은다고 해서 자신의 고객을 변론할 수 있는 것은 아니다.

이처럼 우리 모두는 감정에 의해 좌우되지만, 누구도 이 사실을 공개적으로 인정하는 것을 좋아하지는 않는다. 그러므로 당신은 가장 감정적인 주장을 할 때마저도 단지 간단한 상식을 말하고 있는 것처럼 해야 한다. 노골적으로 감정적인 말들을 사용하지 마라. "강대리에게 기회를 한 번 더 줘야 해요. 그는 정말로 회사를 사랑하고 있고, 새 아기까지 태어나는데 일자리가 없으면 어떻게 살겠습니까?" 라고 말하지 마라. 대신에 "우리는 일에 대한 강대리의 헌신을 고려해야만 된다고 생각합니다. 그는 주말에도 많은 일을 해왔습니다. 실제로 그는 우리가 이익을 내지 못하고 있었던 시기에 임금인상을 보류하는 데 동의했던 적도 있지 않습니까." 라고 말하라.

당신이 감정에 호소하기 위해 예전 일을 회상하고 있을지라도 이 말들은 회사의 이해득실을 논하고 있는 것처럼 들린다.

안토니는 시저의 죽음에 의해 얼마나 많은 손해를 보게 되었는가를 분명히 한 후 로마 시민들의 기본적인 인간성에 호소하기 시작한다. 그는 이 점잖고 고귀한 영혼을 가진 시저(사실 시저는 그들보다 훨씬 더 욕망이 많았다)의 죽음을 애통해 한다.

시저의 고결함과 로마 사람들에 대한 사랑을 진술한 후 안토니는 너무 감격해서 잠시 동안 말을 잇지 못하는 척한다. 쉰 목소리를 내면서 떠나버린 사랑하는 친구를 위해 마음껏 운다. 그는 사람들에게 마음을 가라앉힐 시간을 달라고 부탁한다.

저를 용서해 주십시오,
제 마음은 지금 저 관 속에 시저와 함께 있습니다.
마음을 추스르기까지 잠시 이야기를 멈춰야겠습니다.

사람들이 감동하여 시저를 위해 눈물을 흘리고 있는 이 순간에,
어느 한 사람이 다음과 같이 말하는 것은 너무나도 매혹적인 광경
이다.

그의 말에는 충분한 이유가 있다고 생각해.

군중 속에 있는 다른 사람들도 안토니가 훌륭한 논리로, 시저를
동정하여 그의 죽음을 다시 한 번 생각하게 할 충분한 이유를 제
기했다는 점에 동의한다. 안토니가 거의 전적으로 감정에 의해 자
신들을 감동시켰지만, 그들은 그의 논리에 의해 감동받았다고 생
각했던 것이다.

7. 당신 말을 듣고 있는 사람에게 느끼는 방법까지 말하지 마라.
사람들은 어떤 것에 대한 자신의 경험이 꼭 이런 것이 되어야만
한다고 말하는 사람에게 본능적으로 거부감을 드러낸다. "당신은
작년에 받은 임금인상에 대해 기뻐해야만 한다.", "강대리를 해고
시킨다면 당신은 기분이 아주 고약해질 것이다.", "당신이 결혼생

활을 끝장낸다면 평생 동안 후회할 것이다."

만약 상대방이 용기 있는 사람이라면 이런 말들을 무슨 일이든 네 멋대로 해보라는 도전으로 받아들여 당신에게 대들 것이다. 당신이 할 수 있는 일은 상황을 묘사하고 그것을 스스로 경험해보는 것뿐이다. 그러면 상대편이 당신의 경험에 합류할 수도 있을 것이다.

마크 안토니는 사람들이 어떻게 느껴야 한다고 말하지 않으려고 조심했다. 그는 사람들에게 자연스러운 감정을 억제하지 말도록 호소했다. 어제까지만 시저를 사랑했어야 하고 오늘부터는 사랑해서는 안 되는 것이냐며 이를 매우 의아하게 여긴 것이다.

당신들은 한때 모두 그를 사랑했고
그것은 그럴 만한 이유가 있었습니다.
지금은 왜 그를 애도하기를 꺼리십니까?

8. 푸념하지 마라.

자기연민을 내뱉지 마라. 노골적으로든 어감으로든 푸념하지 마라. 이것은 무엇보다도 당신을 실패자처럼 보이게 만든다.

당신이 불공평한 취급을 받았다고 불평하는 것은 상대방을 동정심이 없고 잔인하다고 비난하는 것이나 마찬가지다. 그로 인해 암암리에 상대방을 비열하다고 말하는 것이다. 어떤 사람도 그런 말을 듣기 좋아하지 않는다. 틀림없이 그 사람은 당신에 대한 자신의 취급을 정당화할 것이며 계속 똑같은 식으로 취급할 것이다.

어떤 경우에는 불평으로 그 사람을 움직이게 할 수 있어도, 그 사람이 당신을 자신들의 삶에서 불필요한 존재라고 생각하게 만들기 쉽다. 사람들은 잘 알려진 자기연민 중독자들을 책임지기 싫어한다. 당신이 불평만 하는 사람이라면 다른 사람보다 두 배 이상 열심히 일함으로써 그것을 보상해야만 할 것이다.

9. 당신의 주장을 단도직입적으로 말하지 마라.

질서정연하게 증거를 제시함으로써 당신 말을 듣고 있는 사람들을 이끌어라. 당신의 목적을 분명하게 말하라. 그러나 그때 그 사람이 당신의 결론을 자신의 것으로 받아들일 수 있도록 당신의 입장을 제시하라. 증거는 다른 사람들이 당신의 입장을 강요당하고 있다고 느끼지 않도록 나타내야 한다.

"우리들은 강대리를 계속 고용해야만 합니다. 그를 해고시키는 것은 잔인한 일입니다. 만약 해고시키면 회사에 무슨 일이 일어날까요?"라고 말하지 마라. 이것은 본질적으로 무조건 상대방이 당신의 의견에 동의하도록 요구하는 모습니다. 대신 증거를 제시하라. "저는 강대리를 계속 잡고 있는 것이 좋다고 생각합니다. 고객들은 다른 누구보다도 강대리를 더 좋아합니다. 그가 기꺼이 회사에 바치고 있는 개인적인 시간들을 생각해보세요. 새로 오는 사람은 누구도 그렇게 하지 않을 것입니다. 그리고 강대리가 많은 전문 지식을 갖고 있다는 점을 잊지 마십시오."

상대방이 당신과 똑같은 결론을 내리게 되면 이상적일 것이다.

그러나 스스로 결론을 내릴 때 갖게 되는 자신감을 갖도록 꼭 배려해줘야 한다.

안토니의 연설은 논쟁을 제기하고 청중들로 하여금 자신이 원하는 결론에 도달하도록 만드는 완벽에 가까운 예이다. 그 연설은 매우 성공적이어서 그가 말을 끝내기도 전에 청중들은 시저를 죽인 브루투스 일당들에 대한 분노로 난폭해졌다. 안토니는 청중들에게 당장 달려가서 암살자들을 죽이기보다 자리에 남아 말을 끝까지 들어 달라고 간청해야만 했다.

10. 웅변가처럼 보이지 마라.

너무 확실하게 말을 잘하는 사람이라는 인상을 주는 것은 당신에게 해로울 수 있다. 당신은 사람들을 감동시키고 있다고 생각할지도 모르지만, 지적 능력이 부족한 사람들은 예상 밖의 반응을 보일 것이다. 자신에게 현학적인 것처럼 느껴지는 연설에 직면했을 때 그들은 갑자기 방어적이고 회의적이 될 것이다.

그들이 당신의 생각을 완전히 이해하고 그것을 자신의 것으로 받아들이기를 원한다면 될 수 있는 대로 저자세를 유지해야만 한다. 일단 그들이 당신의 관점을 이해하게 된다면, 특히 당신은 웅변가가 아니며 자신과 같은 보통사람에 지나지 않는다고 느끼게 된다면, 기꺼이당신을 돕기까지 할 것이다.

안토니는 명료하고 감탄하지 않을 수 없는 명연설 도중에 자신이 보통 사람에 지나지 않다는 것을 보여주기 위해 잠시 멈춘다. 그는 사람들이 자신을 위대한 연설가로 간주하기를 원하지 않았다. 이와 정반대로 그는 자신을 청중들 중의 한 사람, 즉 보통사람으로 생각해주길 원했다. 덕분에 청중들은 그의 견해를 자신의 것으로, 안토니를 자신들 중의 한 사람으로 받아들이게 된다. 그는 청중들에게 확언한다.

나는 브루투스와 같은 웅변가는 아닙니다.
단지 평범한 보통사람일 뿐입니다.
…나는 재치도, 언어 구사 능력도, 가치도,
행동도, 언변도 없고, 남들의 피를 흥분시킬 만한 설득력도
없는 사람입니다. 나는 다만 솔직하게 말할 뿐입니다.

11. 청중들에게 말한 것 이상의 무엇이 존재함을 암시하라.

청중들로 하여금 당신이 아직 하지 못한 말이 많다고 느끼게 만들어라. 당신의 입장을 옹호할 모든 세세한 사항들과 이유들로 그들을 괴롭히고 싶지 않음을 은근히 부각시켜라. "우리가 강대리의 전체 기록을 조사하거나 그를 해고하는 문제로 고민할 필요가 있을까요? 저는 그것들 때문에 당신이 귀찮아지길 원하지 않습니다." 이것은 이미 설득력 있는 주장에 힘을 더해주는 강력한 결말이다. 듣는 사람들의 수고를 덜어주어라. 그리고 당신이 그들의 수고를 덜어주고 있다는 것을, 즉 많은 것 중 일부만 이야기하고 있다는 것을 그들에게 암시하라.

이렇게 하는 것은 청중들이 다른 반론에 동요되지 않도록 만드는 부수적인 효과가 있다.

셰익스피어는 반드시 정당한 대의를 위해서가 아니더라도 강력하고 설득력 있는 주장을 했던 인물들을 다양하게 만들어냈다. 많은 근대 역사가들은 시저가 정말로 폭군이 될 수 있는 기질을 갖고 있었다고 생각한다. 그래서 그들은 시저를 죽인 사람들의 편을 든다. 그러므로 안토니의 연설에 대한 우리의 반응은 그만큼 연설 자체와 그것의 설득력에 대한 찬사인 것이다.

Ham. To be, or not to be, that
is the question. Whether 'tis
nobler in the mind to suffer

ows of outrage

arms agains

3,

스스로의
삶을 살기

FILM 400NC

FILM 400NC

자신을 신뢰하고
자신의 기준에 따라 살아라

스스로를 규정할 수 있으며 감정이입적인 사람이 되었다면, 당신은 이제 자신을 신뢰할 수 있는 위치에 있다.

이 세상에는 우리의 건전함에 도전하는 것들이 매우 많다. 때문에 우리는 무엇에 관해서든 이런저런 방식으로 여러 사람들에게 (어떤 의미에서는 자신에게도) 설명을 해줘야 한다.

또한 우리 앞에는 결정해야 할 것들이 끊임없이 놓여 있다.

우리는 우리보다 더 성공적이거나 매력적인 사람들과 만나게 된다. 그런 경우, 그들로부터 도망치고 싶을 때가 많다. 아니면 도리어 그들을 멸시하거나 혹은 우리 자신을 폄하하기도 한다.

역경으로 가득 찬 세상에서 최대한 건전함을 유지하기 위해서는 스스로 반복해서 자기신뢰를 향상시켜야 한다. 그러기 위해서 먼저 우리는 최선을 다하고 있음을 스스로 인정해야 한다. 또한 다른 사람들로부터 얼마나 많은 동의를 얻는가에 좌우되어서도 안 된다. 오직 자신의 기준에 의해 판단하고 그것에 따라서 살아야 한다. 우리는 자신과 자기평가에 의존해야 한다.

다른 사람들의 기분은 시시각각 변할 것이며 당신의 기분 역시 변할 것이다. 그러나 자기수용은 불변의 것이어야 한다. 남들이 당신을 어떻게 평가하는가에 대해 괴로워하지 않고, 당신이 옳고 최선이라고 생각하는 바를 계속 추진해야 한다.

자신이 갖고 있는 모든 지식을 총동원해 결정을 내렸다면, 그 결정에 포함된 모든 위험들을 기꺼이 감수하고 언제나 그 결정을 옹호해야 한다.

자기보다 뛰어난 사람들을 연구하는 것은 바람직한 일이며, 성공한 사람들은 대부분 그렇게 한다. 단 그들은 은밀하게 한다. 어차피 사람들 앞에서 자신에 대해 말해야 한다면 되도록 좋게 말하라.

만약 셰익스피어가 오늘날 정신과 의사로 일한다면, 틀림없이 환자들이 스스로를 신뢰하게끔 만들었을 것이다. 또한 그들이 다른 사람에게서 배우기는 해도 부당하게 지배받지는 않도록 도와주었을 것이다. '분별력 있는 사람'은 남들과 자유롭게 애정을 기울여 상호 작용하는 가운데에서도 언제나 강한 중심을 유지한다. 그들의 삶은 불가피한 변동이나 다른 사람들의 기분 변화 때문에 정해진 진로를 크게 벗어나는 일이 없다.

자립은 성장의 가능성을 남겨 놓은 상태에서 당신의 개체성을 유지하는 단계다. 그것은 당신의 상황과 환경에 대한 이해를 기초로한 자기표현이다.

독립적인 사람은 두 가지 자질을 갖고 있다. 자기신뢰 및 삶을 활기차게 만드는 에너지가 바로 그것이다. 이 두 가지 자질은 대개 함께하며 실제로도 동일한 특성을 갖는다.

당신은 이미 자신이 누구인지를 알며, 다른 사람들에게 영향을 끼치는 방법에 관해 관심을 갖고 있다. 그러므로 이제 자기 자신을 신뢰해야 할 의무를 가지고 매순간마다 다른 사람들과 어떻게 지낼 것인가에 얽매이지 않고도 세상을 자유롭게 살아갈 수 있어야 한다.

무엇보다도 삶의 목표가 그저 사람들을 화나게 만들지 않는 정도가 되어서는 안 된다. 당신 자신의 삶을 살고 행복해지는 것이 우선시되어야 할 것이다.

만약 이 세번째 단계에서 제대로 발전하지 못한다면 당신은 계속해서 삶에 영향을 미치는 사람들에 의해 좌지우지되고, 그들의 기분에 따라 살고 죽을 것이다.

자립심이 부족한 사람들은 상관의 태도나 배우자의 얼굴표정을 살피며 어떤 생각을 하고 있는지 알고자 한다. 그들은 남들이 좋아하고 싫어하는 것을 미리 예상함으로써 그들과 원만하게 지내고자 한다. 그들은 상관에게 휴가를 요구하기에 가장 적당한 시간을 계산하거나 친구와 얼마간 함께 지내고 싶다고 말하기 위해 배우자의 기분을 탐색한다.

자립적인 사람은 이런 의존적인 방식으로 행동할 필요가 없다. 당신은 이미 그런 책략들이 어떠한 경우에도 도움이 되지 않는다는 것을 알고 있다. 중요한 것은 당신의 진정한 가치와 권리이며, 그것을 반드시 옹호해야만 한다. 당신이 많은 시간외 근무를 했기 때문에 여분의 휴가를 가질 자격이 있다고 생각하면 당당하게 요구하라. 마치 그것이 정당하지 못한 요구인 것처럼 눈치 보려고 애쓰지 마라.

행동하기 전에 다른 사람들의 기분이나 살피다보면, 오랫동안 자신이 원하는 것을 할 수 없고, 또한 자신이 대우받을 만한 가치가 없는 사람이라고 생각하게 될 것이다. 당신은 계속해서 스스로를 삶의 언저리에 숨어 다른 사람들이 결정하는 것이나 관찰하는 사람으로 간주하게 될 것이다. 언제나 다른 사람들의 기분을 옳게 판단할 수 있는 사람은 없다. 당신의 힘과 상상력을 이런 일을 하는 데 낭비하는 것은 부끄러운 일이다.

자립적인 사람은 스스로 신뢰하는 모습을 남들에게 보여주는 것이 중요하다는 것을 알고 있다. 이런 사람은 스스로를 칭찬하며, 농담으로라도 결코 자신을 경시하지 않는다. 그들은 중요한 결정을 번복하는 일이 좀처럼 없다.

삶을 열심히 살아갈 수 있는 에너지를 갖는 것이 자립적인 사람의 두번째 요소다. 이런 사람은 보다 나은 방법으로 살아가기 위해 기꺼이 모험을 하고, 실수를 하고, 그 실수에 대한 대가를 치른다. 그들은 결단력이 있으며, 삶은 살아갈수록 더 좋아진다는 것을 체험을 통해 알고 있다. 그런 사람에게는 남들의 우유부단이 끔찍한 무력함으로 보인다.

자립적인 사람들은 심리적으로나 감정적으로 안주하기보다는 전망이 매우 불투명한 경우에도 새로운 일들에 기꺼이 도전한다. 숙달된 경지에 이르기 위해 처음에는 서투르게나마 일을 시작하려는 것이다. 그런 사람에게 완전주의는 비겁하고 지나치게 이상적인 것처럼 보인다. 도리어 시행착오가 더 확실한 스승이다.

이렇게 높은 심리적 에너지 수준이야말로 자립적인 사람을 강하게 보이게 하고 또 성적으로도 매력 있게 보이도록 만든다. 그리고 실제로 그 사람을 그렇게 만든다. 그들은 두려움을 모르는 것처럼 보이며, 다른 사람들은 이들이 실제로 성공하기도 전부터 성공한 사람으로 간주한다. 또한 그런 사람은 에너지 중 일부분을 기꺼이 다른 사람들로부터 배우는 데 사용한다. 그들은 조금이라도 질투심을 느끼게 하거나 자신의 결점을 비춰주는 거울 역할을 하는 사람들에게서 기꺼이 배움을 얻으려 한다.

자립적인 사람은 누군가가 더 잘하는 것을 볼 때 자기 자신이나 상대방을 미워하는, 그런 어리석음을 갖고 있지 않다. 대신 상대방이 갖고 있는 것을 찾아내고 그가 그것을 어떻게 얻었는지를 알아내기 위해 노력한다.

사람들은 자립적인 사람이 강한 중심을 가지고 있다는 것을 인정함과 동시에 그를 남다른 융통성을 지닌 발전적인 존재로 간주한다. 그들이 자기 자신을 신뢰하고 있음을 알기 때문에 더 신뢰한다. 자립적인 사람에게는 권위와 우정, 그리고 사랑이 함께 한다.

셰익스피어 작품의 가장 매혹적인 등장인물 중에는 유독 자립적인 사람들이 많다. 그래서 왕이나 지배자, 장군, 그리고 별로 중요하지 않은 사람들까지도 무대에 에너지와 카리스마를 가져온다. 특히 햄릿과 맥베스의 경우, 우리는 그들이 자립심을 획득해 가는 과정을 지켜 보게 된다. 햄릿과 맥베스는 모두 연극의 앞부분에서 자신의 우유부단함 때문에 고통을 당한다. 특히 햄릿의 경우에는 극이 거의 끝나갈 때까지 그런 상황이 계속된다. 그러나 우리는 그들이 마침내 스스로의 삶을 지배하는 것을 보면서 같이 흥분하게 된다.

이런 흥분을 자아내는 분위기가 결국 자립적인 사람의 표식이다. 그들은 우주의 중심에 위치하고 있다.

자립심이 발달하지 못한 사람들은 마치 '다른 사람들이 자유롭게 결정하면 나는 기다렸다 그것을 따른다'는 방식으로 산다. 그러나 자립적인 사람은 자신을 중심적 인물로 간주하고 그 믿음에 따라 행동한다. 그리고 이런 사고방식은 자기 충족적인 예언이 되는 것이다.

8

결심하라, 그리고 행동하라

햄릿의 딜레마

햄릿은 아마도 근대문학에서 가장 잘 알려진 등장인물일 것이다. 그에 관한 수십만 페이지의 글이 이 지구상에 있는 거의 모든 언어로 씌어졌다고 해도 과언이 아니다. 그는 복잡한 인간상 때문에 중요한 문화적 인물이 되었다. 우리들이 무대에서 햄릿을 보거나 그에 관해서 토론하는 일에 결코 싫증을 내지 않듯이, 심리학자들도 햄릿이라는 인간을 만들어낸 힘을 분석하기를 결코 마다하지 않는다.

많은 남자배우들과 심지어 여자배우들까지도 다른 어떤 역보다도 햄릿을 해보고 싶어 한다. 햄릿 역할을 하는 배우는 그 유명한 독백들을 막힘없이 내뱉을 기회를 갖게 되는 것이다. 그 배우는 연극이 상연되고 있는 저녁이나 오후 동안 세계에서 가장 분명한 어조로 말하는 사람이며, 지금까지 살았던 가장 위대한 심리학자 중 한 사람이 된다.

이 연극은 매우 잘 알려져 있기 때문에 햄릿이 말하고 있는 동안 청중들이 함께 중얼거리는 것을 좀처럼 막기 어렵다. 햄릿 역으로 유명한 올리비에조차도 가장 하기 힘든 배역이 햄릿이라고 말했다. 그는 "청중들이 큰소리로 읊조리거나 아니면 기침을 한다"고 말했다.

햄릿이 말한 수십 개의 어구들은 이미 영어에서 관용적인 표현으로 자리 잡고 있다. '덴마크에서 뭔가 폭폭 썩고 있다', '쥐새끼 한 마리도 움직이지 않는', '극악무도한 살인자', '비겁한 수법', '환락의 길' 등. 또한 무대나 실제 삶에서 과장된 행동을 하는 사람을 우리는 '햄*Ham*' 이라고 부르기도 한다.

〈햄릿〉은 사람들이 주로 주인공을 보기 위해 선택하는 유일한 연극이다. 1960년대 뉴욕의 리처드 버튼*Richard Burton* 극단처럼 다른 배우들은 무대 뒤편에서 자신들의 역할을 연기함으로써 마치 일인극을 본 것과 같은 기분이 들 때도 있었다.

실제로 존재했었던 어떤 덴마크 사람보다도 극 중 덴마크 왕자인 햄릿에 대해 더 많은 연구가 행해졌다. 연기의 관습이 변함에 따라 햄릿 역이 무대에서 상이하게 연기되기 때문에, 햄릿은 시대마다 약간씩 다르게 보여 진다.

햄릿은 좋아할 수 있는 주인공인가?

햄릿은 근본적으로 의기소침한 상태에 있는 불쌍한 인간이다. 그는 우유부단하고 친구도 없다. 우리도 한 번쯤 그렇게 되어본 적은 있지만 누구도 오랫동안 그런 상태이기를 원하지는 않는 인물이다.

그럼에도 우리는 햄릿에게 매혹된다. 이는 부분적으로 그에게서 우리 자신을 (가장 좋은 순간의 모습은 아니지만) 보게 되기 때문이다.

햄릿은 결심하고 행동할 수 없는 사람의 전형이다. 그는 우울한 나르시시스트다. 그는 사람들에 관한, 여자들에 관한, 자신의 나라에 관한, 세계에 관한 절망을 표출한다. 그러나 이런 모든 낙담과 냉소적인 인생관은 그가 자신의 삶에 단호하지 못한 데서 비롯된 것이다.

그는 세상이 자신과의 약속을 어겼다고 한탄한다. 그러나 실제로는 자신과의 약속을 어긴 것이며, 햄릿 자신도 이를 잘 알고 있었다.

고귀하지만 '우울한' 덴마크인

우리는 심각한 절망 속에서 자기연민과 자기증오에 빠져 있는 햄릿을 만난다. 전임 왕이었던 그의 아버지는 살해당했고, 그의 어머니는 남편을 땅에 묻은 지 한 달도 되기 전에 시동생인 클라우디우스*Claudius*와 결혼을 해서 함께 덴마크를 통치하고 있다.

햄릿의 말은 아이러니와 풍자로 가득 차 있다. '시커먼' 옷을 입고, 왕자로서의 특권을 향유하지도 못하고 그러기도 원치 않는 햄릿은 누구도 미처 경험한 바 없는 엄청난 절망을 표출한다. 우리는 그의 절망을 함께 느끼고, 그가 말하는 것을 더 잘 이해하기 위해 극장의 의자에 앉아 앞으로 몸을 내민다. 관찰과 표현에 관한 그의 천재성을 제대로 이해하지 않고서는 누구도 세상이 어떻게 잘못되어 가는지 설득력 있게 불평할 수 없다. 관찰하고 표현하는 것은 햄릿에게 남아 있는 유일한 즐거움인 것처럼 보인다. 그런 일에 매우 능란한 햄릿은 우리의 고통을 말로 표현해냄으로써 큰 은혜를 베푼다.

그때 햄릿 아버지의 유령이 나타난다. 햄릿은 친구 호레이쇼*Horatio*와 함께 유령을 보는데, 그 유령은 햄릿에게 복수하라고 말한다.

한편 비참한 상황에 처한데다, 아버지가 죽은 뒤 곧바로 클라우디우스와 결혼한 어머니의 배반 때문에 평소보다 더 여자를 미워하게 된 햄릿은 한때 사랑했던 여인인 오필리어*Ophelia*를 학대하기 시작한다. 그는 그녀를 조롱하고 마룻바닥에 내팽개친다. 이는 햄릿 자신이 깊은 절망 속에 빠져 있기 때문에 청중들이 전통적으로 공감했던 행동들이다.

햄릿은 전부터 클라우디우스가 자신의 아버지를 살해했다고 의심했었다. 게다가 유령이 그를 찾아와 그동안의 일을 자세히 말해 주면서 자신의 '극악무도한 살인자'에게 복수할 것을 간청한다. 청중들은 살인이 일어났다는 사실과, 햄릿이 자신의 시대와 지위가 요구하는 의무감으로 복수를 해야만 된다는 사실을 전혀 의심하지 않는다. 이 시점에서 자기 중오심에 불타고 있는 햄릿은 우유부단함에 빠진다. 그는 왕인 클라우디우스를 쉽사리 죽일 수 없으며, 또는 죽이지 않을 것이다. 그는 재치 있는 저주의 말을 내뱉으며 자신이 왕을 죽이는 것이 왜 나쁜 일인가에 대한 이유를 찾아 궁전 주위를 서성거린다.

셰익스피어의 심리학적 천재성을 육체화한 인물인 햄릿은 그가 행동을 말로 대체시키고 있음을 인정한다. 그는 또 다시 여성들을 비방하면서 자신을 '매춘부'에 비유하고, 오필리어나 실제 살인자보다 자신의 어머니 같은 여자들에게 더 많은 비난을 퍼붓는것으로 만족한다.

햄릿은 클라우디우스에게 불리한 증거들이 계속 나타남에 따라 점점 더 자신을 중오한다. 도덕관념이 형편없는 셰익스피어의 다른 인물들처럼 그는 매일 악몽을 꾼다. 또한 클라우디우스가 통과하지 못하는 테스트까지 실시해보지만 그 결과 증거만 늘어날 뿐이다. 자신의 우유부단함으로 괴로워하면서도 햄릿은 아직도 행동으로 옮기기 전에 더 많은 확신을 가져야 한다고 말한다.

이런 우유부단한 행동 때문에 그는 스스로를 더 비참하게 느끼고 더 무능하다고 생각하며, 의기소침해 한다. 그는 자신의 자기

중오심을 세상으로 돌린다. 자신이 능력부족인데다 직무태만을 하고 있다는 사실을 누구보다도 잘 알고 있기 때문에 그 책임을 세상 탓으로 돌리려는 것이다.

햄릿의 결정

물론 행동하지 않는 것, 즉 운명에 맡기고 모험해보지 않는 것도 엄밀한 의미에서는 그 자체가 하나의 결정이다. 햄릿은 자신이 꼭 해야만 하는 일을 미루는 대신 다른 사람에게 잔인한 짓을 한다. 그는 자신의 진짜 적을 제외한 모든 사람들에게 상처를 입힌다. 오필리어를 미치게 하고 그녀를 자살하게 만들며 자신의 어머니를 괴롭혀 거의 미치게 만든다. 만약 유령이 다시 나타나 그녀에게 화내지 말아달라고 간청하지 않았다면 상황은 더욱 악화 되었을 것이다. 햄릿은 실수로 왕의 고문관인 폴로니어스를 죽인다. 그리고 가장 친한 친구인 호레이쇼를 포함하여 그를 아끼는 모든 사람들을 괴롭힌다.

햄릿은 자기 자신에게만 몰두하고 있기 때문에 다른 사람들에게 진정한 관심을 갖지 않는다. 관객들은 그가 매혹적인 주인공임을 알지만 우리는 그의 친구가 아니다.

결국 자신을 죽이려는 왕의 음모를 밝혀낸 햄릿은 그것을 역으로 이용함으로써 복수를 한다. 여기서 등장하는 사람들은 거의 모두 죽는다. 마침내 단호하게 행동한 햄릿은 죽기 전에 잠시 동안만 그 단호함의 기쁨을 즐겼을 뿐이다.

〈햄릿〉은 문학사에서 우유부단함과 그것이 만들어낸 결과를 말하는 가장 훌륭한 연구서다. 우유부단은 자기증오와 자기열중을 만들어낸다. 햄릿이 세상을 저주할 때, 그가 정말로 미워한 것은 결국 자기 자신이었다.

당신도 햄릿 증후군을 갖고 있는가?

직업을 선택하는 것에서 무엇을 먹을 것인가에 이르기까지 일상생활의 모든 문제를 결정하는 것이 어렵거나 불가능하다고 생각된다면, 당신은 지금 많은 고통을 당하고 있는 것이다. 다른 사람들에게는 사소한 일들이 당신에게는 끔찍할 정도로 어렵게 느껴진다.

당신은 학교에 되돌아가고 싶지만 무엇을 공부해야 할지 모른다. 그래서 학교에 가지 않는다. 결혼하고 싶지만 이성을 억지로 만나고 싶지는 않다. 이혼하고 싶지만 지금은 결코 좋은 때가 아닌 것처럼 보인다.

당신은 자신을 마치 고대 그리스 신들에 의해 고안된 고문의 희생자인 것처럼 생각하면서 갈팡질팡하고 있다. 실제로는 아무것도 하지 않으면서, 무엇을 할 수 있을까를 생각하는 데에 당신의 에너지와 귀중한 시간을 낭비하고 있다.

- 당신은 미래를 과거에 의해 판단하기 때문에 무력감을 느낀다.
- 자신의 마음을 수시로 바꾸기만 하고 직접 행동으로 옮기지 못한 사람은 인생의 패배자가 된다. 이런 사람들은 우연히 접하게 된 직업을 선택하고, 공격적으로 자신을 선택한 사람과 결혼하고, 평생 동안 그 결과로 인해 한탄하며 지낸다. 모든 행동이 수많은 동요의 결과인 것이다.
- 우유부단한 사람은 힘, 성적 매력, 자존심을 잃어버린다. 상대방은 일종의 모터보트다. 그 사람은 자신이 원하는 곳이면, 어디든지 원하는 시기에 갈 수 있다. 반면 우유부단한 사람은 언제나 돛단배다. 그는 바람이 부는 대로 움직일 뿐이다.
- 일단 결심한 일을 취소시킨 경험이 있는 사람은, 자기 자신이나 남들에게 말하는 것을 결코 믿지 않는다. 그는 저녁 8시에 무슨 결심을 하든 내일이 오기 전에 수천 번의 동요와 재고가 있을 것임을 안다. 그런 사람은 어떤 일을 명료하게 하는 능력을 상실한다. 그는 자신의 의견을 말할 용기와 명확하게 생각하는 힘을 잃어버린다.
- 결심하지 못하는 사람은 잘못된 결심으로부터 무언가를 배울 수 있는 황금 같은 기회를 놓치고 만다.
- 햄릿 증후군에 시달리는 사람은 언제나 의기소침해 있다. 그들은 흔히 나이와 세월의 덧없음에 대해 고민한다. 그러면서 다른

사람들은 단지 천부적인 재능을 가지고 있거나 운이 좋은 것이라고 생각한다. 자신의 우유부단함과 다른 사람들이 자신을 위한 결심을 하도록 만들고 싶다는 욕구 때문에 그들은 인생의 낙오자가 될 수밖에 없다. 또한 자기 자신을 위해 일할 수 있을 만큼 충분한 재능과 시간을 가지고 있을 때조차도 남들을 위해 일한다. 때문에 자신보다 더 낮은 판단력을 가졌음에도 불구하고 더 결단력 있는 사람들에 의해 언제 오고 가야 하는지 명령을 받고 행동한다.

지금 햄릿 증후군을 갖고 있는 사람과 살고 있다면?

한 남자가 상담을 하기 위해 나를 찾아왔다. 나로서는 결코 잊을 수 없는 사람이었다. 그는 함께 사는 여자에게 분노하고 있었는데, 그 이유는 "그녀는 내가 일하게 가만 두질 않는다"는 것이었다. 그는 작가 지망생이었는데, 어떻게 글을 전개할 것인지 정하지 못하는 우유부단으로 고통받고 있었다. 그는 자신이 다음에 말하고자 하는 것이 무엇인지 전혀 알지 못했기 때문에 도저히 글을 쓸 수 없었다. 그런데도 자신에게 문제가 있음을 인정하는 대신 옆방에서 떠드는 그 여자를 저주했다.

그는 지난 25년 동안 세 명의 여성과 함께 살면서 줄곧 이런 식으로 행동해 왔다. 그러나 사실은 그가 우유부단했기 때문에 그 여자들의 인생을 비참하게 만들었다는 사실이 상담을 통해 드러났다.

만약 당신이 햄릿 증후군에 시달리는 사람과 결혼이나 다른 형태로 감정적인 관계를 맺고 있다면, 그 사람의 빗나간 분노의 대상이 되기 쉽다.

더욱이 당신이 그 사람을 사랑한다면 그의 절망을 지켜보고, 잠재력을 발휘하지 못하는 것을 목격하는 것 자체가 끔찍한 일일 것이다. 그러나 더욱더 나쁜 것은, 그런 사람들이 언제나 비난만을 일삼는다는 사실이다. 자신의 우유부단함과 무기력 때문에 생긴 위신추락이 명백함에도 불구하고 그들은 자신의 잠재력을 발휘하지 못하게 방해했다는 이유로 다른 사람들을 비난한다.

나는 가끔 그 작가 지망생과 함께 살았던 여자들을 생각한다. 그녀들은 그가 위대한 사람이며, 자신이 그의 발전에 장애물이 되고 있다고 잘못 생각했을지도 모른다. "만약 내가 없었다면…." 하고 말이다.

이런 식으로 자학하지 마라. 햄릿이 오필리어를 어떻게 다루었는지 기억하라. 관객들은 그녀를 무시하려는 경향이 있다. 그러나 당신 자신을 무시하지 마라. 다른 사람이 결심을 할 수 없고, 그 결과 삶에서 기만당했다고 느낄지라도 그것은 결코 당신 잘못이 아니다.

결단력 있는 사람이 매력적이다

언론매체는 성적 매력을 발달시키는 방법에 관한 조언들로 가득 차 있다. 물론 그 중에는 타당한 것들도 많지만, 전통적인 모델이 아닌 바람직한 모델도 있다.

그들은 공통적으로 결단력 있는 사람들이다. 성적 매력은 많은 부분이 에너지의 문제다. 젊고 강력하다는 의식, 인생에서 승자이고 원하는 것은 무엇이든 얻을 수 있다는 의식, 이 모든 것들이 결단력 있게 결심하는 사람들의 특성이다.

남성이든 여성이든 간에 이들은 인생의 도박사들이며 자기 자신을 신뢰하고 있다. 이들은 우리에게 자신이 원하는 것을 획득하고 있다는 느낌을 주는데, 이 자체가 바로 매력이다. 결단력이 있다는 것은 성공을 암시한다. 이는 "하나가 잘되면 만사가 잘 된다"는 속담과 같다.

잘 알려진 성(性) 과학자인 앨프레드 킨제이*Alfred Kinsey*가 자신의 연구조사에 기초해 발표한 보고서에 따르면, 모든 사람들에게는 그 사람이 남들에게 어떻게 보이든 또는 성적으로 무엇을 원하든 관계없이 완벽하게 어울리는 누군가가 있다.

나는 그 주장이 맞다는 것을 내 사무실에서 반복해서 확인했다. 누가 봐도 못생긴 여자가 그녀의 그 추한 얼굴을 사랑하는 품위 있는 신사와 결혼해 행복하게 살고 있었다. 그러다가 어느 날 한 가지 예외를 발견했다. 부유하고 잘 생긴 남자가 여자 친구와 함께 상담실에 왔는데, 상담을 하는 동안 그녀로부터 얻은 대답들은 단지 그가 우유부단한 사람임을 밝혀냈을 뿐이었다. 한 번은 그녀가 그에게 자기와의 섹스를 즐기고 있는지 물었다. 그녀는 그렇지 않다고 느꼈기 때문이다. 그는 어깨를 으쓱했다. 자신의 생각을 솔직하게 말할 수 없었던 것이다. 나는 그에게 그녀가 그의 곁을 떠나겠다고 위협했을 때 기분이 어땠느냐고 물었다. 그는 그것마저도 잘 알지 못했다. 그는 이미 그녀에게 자신이 좋아하는 타입은 아니지만 그냥 자기 옆에 있어줬으면 좋겠다고 말했었다. 상담이 끝나갈 때 그녀는 킨제이가 그녀 자신을 다시 돌아볼 수 있게 도와준 데 감사했으며, 그와의 관계를 청산했다.

하지만 나는 그때 킨제이가 틀렸다는 것을 깨달았다. 모든 사람이 아니라 거의 모든 사람들에게는 서로 어울리는 누군가가 있을 것이다.

우유부단은 그 어떤 사람에게도 환영받지 못할 정체성이다.

우리들의 환상이 무엇이든 상대방은 그것을 만족시키기 위해 어떤 입장을 취해야만 한다. 그러나 우유부단한 사람에게는 그것마저도 불가능하다. 그들은 반응조차 하지 않기 때문에 당신은 그 사람에 대한 환상마저도 가질 수 없다.

당신이 결심해야만 하는 이유

물론 아무 결심도 하지 않는 것보다는 얼마간의 결심을 하는 편이 더 좋다. 결심함으로써 생기는 이익들이 많기 때문에 당신이 저지르는 약간의 실수들은 상쇄되고도 남는다.

• 결심을 하게 되면 세상이 당신에게 적대적이라는 느낌을 버리게 될 것이다. 아무리 사소한 결심일지라도 희망을 준다. 행동을 시작하자마자 당신은 책임감을 느끼게 된다. 삶에서 당연한 것처럼 보였던 절망이 갑자기 당연한 것이 아닌 부가적인 것으로 보인다. 그리고 불필요한 것으로도 보인다. 이제 당신은 다른 사람이 될 수 있다. 나는 상담을 했던 마약중독자를 아직도 기억하고 있는데, 그는 마약을 끊은 뒤에도 무력감을 느끼면서 자신의 미래에 관해 우유부단한 모습을 버리지 못했다. 그는 언제나 작가가 되기를 원했지만 어떻게 시작해야 할지 몰랐다. 나는 그를 설득해서 하루에 다섯 개씩 새로운 어휘들을 외우는 것부터 시작하게 만들었다. 그러자 단지 며칠 만에 그는 완전히 다른 사고방식을 갖게 되었다. 어떤 습관을 버린 사람은 단지 며칠을 성공적으로 보냈을 뿐인데도, 그새 자신의 사고방식이 크게 바뀌었음을 인식할 수 있다. 과거는 당신에 대한 통제력을 잃어버리며 당신은 더 이상 현재의 당신을 숙명적, 혹은 언제나 그런 모습으로 있어야 하는 존재로 생각하지 않게 될 것이다.

- 인생은 실천을 통해 개선된다. 결심한 일이 잘 풀리면 분명히 이익이 있을 것이다. 그러나 설령 잘못된다 할지라도 당신은 적어도 무언가를 배운다. 가장 나쁜 것은 해낼 수도 있는 어떤 일을 게을리 했다는 것이다. 당신은 아무것도 달성하지 못했고 아무것도 배우지 못했다. 오직 행동만이 당신의 수행을 세련되게 만들 수 있다.
- 우유부단은 당신이 아무것도 배울 수 없는 유일한 길이다.
- 당신은 결심함으로써 실수가 그렇게 나쁜 것만은 아님을 배우게 된다. 매사에 성공적인 사람들도 실제로는 많은 실수를 하고 있다. 당신이 일 년에 오직 큰 결심 하나만 한다면 한 번의 실수가 치명적인 것으로 여겨질 것이다. 그러나 많은 결심을 한다면 대부분의 실수들은 쉽게 뛰어넘을 수 있는 벽에 불과할 것이다.
- 결심하는 것은 사랑의 필요조건이다.

사랑의 모험은 함께 있을 때 안정감을 느끼는 것이 아닌, 사랑하는 사람을 선택하는 것으로 시작된다. 그러나 일단 그 사람을 선택했다면 우리는 위험을 무릅쓰고라도 우리의 심금을 울리도록 허락해야만 한다. 그런데 그것은 꿈과 환상 속에서만 가능했던 일이었다. 사랑하는 것과 누구를 사랑한다고 밝히는 것은 우리 자신을 조롱과 거절에 노출시키는 위험에 직면하게 만드는 일이다.

우유부단한 사람은 기다린다. 완벽주의와 위험감수에 대한 거부가 그 사람의 고문관이 된다. 망설임이 조건들을 결정한다. 기다리면 더 나은 거래와 자신을 더 감동시키는 사람이 나타날 것이라고 생각한다. 상대방의 몸무게가 줄면, 상대방이 돈을 많이 벌면, 혹은 자기가 원하는 특별한 방식으로 행동하면 아마 그 사람을 사랑할 수 있을 것이라고 중얼거린다. 그리고 지금은 때가 아니라고 생각한다.

그러나 오랜 세월 동안 자주 인용되는 셰익스피어의 노래 가운데 몇 구절들이 지금이 바로 그때라고 말하고 있다.

사랑이 무엇인가? 그것은 미래의 일이 아니다.
현재의 즐거움은 현재의 웃음을 갖는다.
무엇이 올 것인가는 아직 확실하지 않다.
망설임에는 아무것도 없다.

결심을 가로막는 세 가지 적

완전주의 완전주의는 보통 "완전한 것도 아닌데 무엇 때문에 날 귀찮게 하는 거지?" 혹은 "귀찮게 신경 쓸 필요가 뭐 있어? 다른 사람들이 더 잘하고 있는데."와 같은 형식을 취한다.

결심을 방해하는 가장 큰 적은 완전주의다. 당신은 마음속에 이상을 가지고 있다. 기왕에 학교에 가도록 운명지어졌다면 일류대학에 갔었을 것이고, 그것도 젊었을 때 그렇게 했을 것이라고 당신은 생각한다. 그런 이유로 지금 당신은 지역공동체 대학의 몇몇 비즈니스 과목들을 수강함으로써 경영진으로 진급하는 데 유리해질 수 있는 기회조차 무작정 미루고 있다.

완전주의자들은 다른 사람들을 역할 모델과 이상으로 바라보는 경향이 있다. 그러나 이런 행위는 정작 자신의 삶을 발전시켜야 하는 시간이 왔을 때 그들을 분열시키고 만다.

실패에 대한 두려움 실패에 대한 두려움은 무력증을 만들어 낸다. 아마도 당신은 틀리는 것, 바보처럼 보이는 것, 혹은 히스테리컬하게 보이는 것 등을 두려워할 것이다.

당신은 사람들이 "첫번째 남자친구와 결혼하다니 참 어리석군요."라고 말할까봐 두려워한다. 혹은 맨 처음 제안 받은 일자리를 흥분해서 경솔하게 받아들였다고 다른 사람들이 말할까봐 두려워한다. 그러나 선택이 최선책이었는지 아니면 경솔한 것이었는지, 혹은 정말로 당신의 솔직한 욕망이었는지를 판단할 수 있는 유일한 사람은 바로 당신이다.

실수하는 것을 피하기 위해 아무것도 하지 않는 고전적인 함정에 빠지지 마라. 많은 사람들은 무의식적으로 그 자리에 머무른다. 만약 일에 뛰어들어 손을 더럽히는 것을 피하면, 당신은 아무런 비난도 받지 않을 것이다. 그러나 출세한 사람들 모두가 용기 있게 새로운 것들을 시도함으로써 계속 비난받았다는 사실을 놓치게 된다. 결단성이 없는 것, 즉 실수를 끔찍이 두려워하는 것은 실패로 나아가는 확실한 지름길이다.

무한한 선택의 욕구 어린 시절 미래에 대한 우리들의 환상들은 매우 화려했다. 모든 가능성이 열려 있었고 아무것도 결정되어 있지 않았다. 당신은 영화배우도 과학자도 탐험가도 될 수 있었다. 또 부유한 사람이나 이국적인 사람, 또는 아름다운 사람과도 결혼할 수 있었다. 그러나 나이가 들어감에 따라 당신은 선택을 해야 하며, 이 많은 선택들이 나머지 대안들을 제거하는 것임을 알게 된다.

좋아하는 사람과 데이트 하는 것의 문제점은 일단 그 사람과 교제하게 되면 다른 사람들을 멀리해야 한다는 점이다. 물론 이 점은 결혼을 하는 것으로 더욱 확고히 지켜져야 한다. 모든 결정은 그에 따르는 대안들을 제거하는 것이다. 이 사실로 매우 많은 고민을 했기 때문에 결심해야 할 때 무력해지는 사람들도 있다.

무한한 선택의 욕구는 결심의 강력한 방해물이다. 만약 당신이 이런 문제를 가지고 있다면 마치 얻는 것보다 잃는 것들이 더 많은 것처럼 느껴질 것이고, 결정들에 의해 포위되어 있다는 공포감마저 느끼게 될 것이다. 또한 가장 낭만적인 결심마저도 다른 것들에 대한 당신의 잠재력을 포기해야 하는 요구처럼 보일 것이다.

'죽느냐 사느냐' - 결심을 도와줄 방법 찾기

1. 아무것도 하지 않겠다는 결심 자체가 결심임을 이해하라.

2. 취소할 수 없는 결정은 없다는 것을 인식하라.

물론 건강을 크게 해칠 수 있는 위험을 감수해야 하는 결정도 있다. 그러나 그런 위험한 모험들을 제외하고 삶은 많은 사람들이 인식하고 있는 것보다 훨씬 더 관대하다. 당신은 직업을 바꿀 수 있다. 이사를 할 수도 있다. 필요하다면 연인을 바꿀 수도 있다. 그러나 당신이 우유부단한 사람인 경우에는 이런 사실을 쉽게 잊는다. 또한 아무리 작은 결정이라도 어떤 식으로든 영향을 남길 것으로 생각하기 쉽다.

3. 비난하지 마라.

자신의 삶이 행복하지 않다고 해서 햄릿처럼 남의 흠을 들춰내면 낼수록 당신은 더욱 더 자신이 무력하게 느껴질 것이다.

셰익스피어는 결단력 있는 행동을 위해서는 환경 때문에 다른 사람들을 비난하는 일이 없어야 한다고 말한다. 20세기 이후 우유부단한 사람들이 부모를 비난하는 일은 비일비재하며, 이는 근대 심리학에 의해 크게 중대되었다. "내가 다른 어머니를 가졌었더라면…", "아버지께서 직장일로 그렇게 오랫동안 집을 비우지 않으셨더라면 나도 대담해질 수 있었을 텐데."

우리의 부모나 우리가 갖거나 갖지 못했던 수많은 기회들이 인생행로를 결정한 것은 확실한 사실이다. 만약 실수한 것 때문에 축 처져 있거나 치욕감을 느끼고 집에서 삼류 취급을 받고 있다면 지금 결심한 것을 행동으로 옮기기 더욱 어려울 것이다.

다른 어른을 비난하는 것은 당신의 어린 시절을 비난하는 것보다 훨씬 더 사기를 저하시킨다. 그것은 자신을 유아로 전환시키는 것과 마찬가지다. 함께 살았던 여자들이 글을 쓰지 못하게 방해했다고 비난하는 사람은 미래를 통제할 수 없는 무기력함을 스스로 드러내고 있는 것이나 다름없다.

4. 도전할 만한 일과 현재 자신의 위치에 대한 불만을 갖지 못하는 것만큼 한심한 일은 없음을 기억하라.

5. 각자는 단지 한 개체에 불과하다. 사회계층은 언제나 존재한다. 누구나 거기 어딘가에 정착한다.

당신이 하고 있는 모든 일은 얼마간의 타협이 반드시 필요할 것이다. 다른 사람에 의해 그런 상황이 더 나빠질 수도 있지만, 더 잘함으로써 좋은 결과를 가질 가능성도 배제할 수 없다. 언제나 개선의 여지가 있다. 당신의 우상들도 틀림없이 누군가를 존경하고 있으며, 많은 면에서 부족함을 느끼고 있을 것이다. 그러나 그것 때문에 그들이 앞으로 나아가지 못하는 것은 아니다.

당신은 사회계층의 사다리를 올라감에 따라 많은 도전에 부딪히게 될 것이다. 그 도전들을 피하고 싶다면 그냥 밑바닥에 머물러 있으면 된다. 그러나 잘못된 결심이 당신의 불완전성을 들춰낼 것이라고 걱정하지 마라. 누구나 당신이 어떤 식으로든 불완전하다는 사실을 알고 있다. 그리고 숨기면 숨길수록 오히려 더 많은 방해를 받게 될 것이다.

6. 서툴게라도 하라.

직업이나 식당, 혹은 아침에 입을 옷을 선택하는 문제조차도 쉽지 않아 고통 받는 우유부단한 사람들을 위한 좋은 표어는 "서툴게라도 하라."이다. 실수에 대한 완벽한 방어망을 준비하는 것보다는 합리적으로 심사숙고한 후에 어떤 입장을 취하는 것, 즉 행동하는 것이 더 중요하기 때문이다.

내가 아는 할리우드 시나리오 작가들은 창작모임에서 이 충고를 사용했다. 예를 들면 영화를 어떻게 끝내는 것이 좋을지에 관한 생각들이 잘 떠오르지 않을 때 그들은 "이 영화의 가장 나쁜 엔딩은 … 일 것이다."라는 식으로 아이디어를 시작했다. 그렇게 나온 처음 세 개의 아이디어들은 실제로 나빴다. 그러나 이런 전제로 시작한 네번째 아이디어는 훌륭했다. "서툴게라도 하라"는 제안 덕분에 그들은 자신들이 원하는 결말에 이를 수 있었다.

7. 작은 결심을 먼저 하라. 그러면 후에 큰 결심을 하기가 더 쉬워질 것이다.

결단력 있는 삶은 풍요롭고 보람이 있다

결단력 있는 삶은 풍요롭다. 물론 그것이 우유부단한 삶보다 더 많은 오류를 갖고 있는 것은 사실이다. 그러나 우유부단 그 자체보다 더 큰 오류는 없다.

잘못할 수 있는 가능성의 바탕에는 일종의 자기수용이 존재한다. 인생이라는 경기에서 자기 자신을 용서하는 것을 배우는 일도 매우 중요하다. 셰익스피어가 상기시키고 있듯이 우리들 중 가장 성공적인 사람들도 '실수를 통해 만들어진다.'

당신이 최선을 다했음에도 실패한 것은 태만에 견주면 사소한 패배다. 가장 큰 실패는 당신이 갈망하는 일에 전력을 다하지 않은 것이다. 어떤 사람도 당신의 태만을 정확히 알지는 못하겠지만 당신은 스스로 자신이 태만했음을 알 것이다.

결단력이 없으면 어떤 충만함이나 사랑, 환희, 그리고 마음의 평정도 없다. 결단력 있는 사람의 표어는 매우 간단한다.

"지금 이외의 시간은 없다."

9

다른 사람들의 기분에 따라 살지 마라

변덕스러운 폭군, 리처드 3세

셰익스피어가 살았던 튜더 왕조 시대에 왕이나 여왕의 반대 입장에 서는 것은 결코 잘하는 일이 아니었다. 왕의 주위에 있어도 왕의 총애를 받는 사람들이 날마다 바뀌었다. 어떤 불충은 당사자에게는 죽음, 그 가족들에게는 불명예를 의미했다. 왕의 개인적인 변덕을 받아주지 않는 것과 더불어 왕에게 약간만 등을 돌려도 집과 재산을 몰수당하는 죄를 짓게 될 수 있었다.

범죄에 대한 형벌은 그 범죄의 심각성이나 중요에 의해서가 아니라 지배자가 그 범죄를 어떻게 느끼고 있는가에 따라 결정되었다.

왕이나 여왕에게 할 말이나 특히 부탁할 일이 있다면 그들의 기분이 좋을 때 하는 것이 좋았다. 따라서 왕과 여왕의 측근들이 그들에 대한 정보나 의견을 교환했던 것은 전혀 놀라운 일이 아니다.

헨리 8세 내각은 많은 사람들로부터 존경받고 있었다. 그러나 왕의 어린 신부였던 캐서린 하워드*Catherine Howard*가 처녀가 아닌 것을 숨겼다는 소식을 접했을 때는, 그 사실을 누가 왕에게 말할 것인가 (혹은 과연 그에게 그 소식을 전해야만 하는가)를 결정하기 전에 오랫동안 심사숙고해야만 했다.

그들은 마침내 자신들이 그 정보를 숨기고 있다는 사실이 밝혀지면 더 심각한 곤경에 처하게 될 것이라고 결정하고 보고를 할 가장 고결한 사람, 즉 궁정의 이해관계를 초월한 사람을 선발했다.

캔터베리 대주교인 토머스 크래머*Thomas Cranmer*가 왕에게 그 소식을 전할 사람으로 선택됐다. 크래머는 당시 왕으로부터 많은 총애를 받고 있었는데, 어떻게 전할까를 고민하던 그는 마침내 예배 직후 메모를 통해 이 소식을 왕에게 전했다. 그는 교회에 열중해 있는 왕이 자기를 공격해 자신의 삶을 엉망진창으로 만드는 일은 없을 것이라고 믿고 있었다.

이 조심스러운 계획의 결과 단지 네 명(캐서린 하워드, 그녀의 두 옛날 연인, 그녀의 시녀)만이 참수되었다. 그러나 크래머 역시 후일 튜더 왕조의 지배자였던 메리 여왕에게 불충을 저지른 죄로 화형에 처해졌다.

오늘날에도 얼마나 많은 일들이, 실제로 사람들을 죽이는 일이 아니더라도 이와 비슷한 방식으로 일어나고 있는가?

'왕이 입술을 깨물고 있다' 증후군

오늘날 수백만 명의 사람들이 다른 사람의 기분에 따라 죽고 산다. 대부분의 사람들에게 그 상대는 상관이거나 소송의뢰인, 주요고객, 선생님, 은행가 등이고 간혹 연인이나 배우자의 심리상태에 의해 좌우되는 사람도 있다. 셰익스피어가 다른 사람의 '찡그린 얼굴'을 '폭풍우'라고 여러 번 불렀던 것처럼 자기 자신의 안정감이 타인에 의해 결정된다.

그것이 정당한 것이든 아니든 간에 다른 사람들의 심리 상태에 종속되는 것은 몹시 고통스러운 일이다. 가장 성공적인 사람들마저도 가끔 그것에 희생되는 경우가 있다. 이런 일은 딱한 입장에 있을 때, 상대방의 사랑을 갈망할 때, 혹은 상대방이 직업안정이나 자금조달에 최종적인 결정권을 갖고 있을 때, 자주 발생한다.

자신에게 중요한 어떤 사람이 변덕스럽거나 잔인한 경우에 이런 종속은 쉽게 정당화된다. 그러나 대부분의 경우 그것은 자신의 가치를 의심하는 것을 가리킨다.

최근 한 사람이 절망한 나머지 나를 찾아왔을 때, 나는 그가 상대방의 기분을 매우 유심히 살피고 거기에 맞춰 눈치를 보고 있음을 알아냈다.

"내가 들어갔을 때 상관은 화가 나 있는 듯했는데, 그가 금방 안좋은 소식의 전화를 받았다는 것을 알았다. 그래서 보고하기에 좋은 시간이 아니라고 생각해서 그냥 내려왔다."

"내 상관은 회의장을 나오는 동안 무언가에 몰두해 있는 것처럼 보였으며 내 인사도 받지 않았다. 그녀가 나를 교체할 생각임을 다른 임원들에게 말하고 있을지도 모른다는 끔찍한 생각이 들었다."

"아내는 내가 직장에서 돌아왔을 때 언제나 나를 멀리한다. 그녀가 나에게 싫증이 난 것 같다."

사람들의 표정이나 행동에 나타나는 보통 때와는 다른 특징들 때문에 괴로워하는 이들은 가끔 나를 자신들의 추측 게임에 끌어들이려고 노력한다. 그들은 전문인으로서의 내 자격증에 전적으로 의존하려는 것이다.

"어떤 사람이…할 때, 그것은 무엇을 의미합니까?"

그러면 나는 그들을 위해 셰익스피어의 희곡 〈리처드 3세 Richard III〉에 나오는 한 구절을 인용한다. 셰익스피어에게 리처드 3세는 영국의 지배자 중 가장 잔인한 왕이었다. 그는 자신의 변덕스러운 기분에 따라 신하들을 살리거나 죽이는 폭군으로 그려져 있다. 리처드의 가신들은 이야기를 꺼내기 전에 그의 표정을 하나도 빼놓지 않고 눈여겨봐야 했다.

셰익스피어는 그런 상황을 한 가신의 대사를 통해 전달한다.

왕이 화나 있네
보게나, 그가 입술을 깨물고 있네.

남의 눈치를 살피는 내담자들에게 내가 이 구절을 인용하자 그들은 어쩔 수 없이 실소를 지었다. 나는 내담자들이 이 구절을 통해 자신이 다른 사람의 눈치를 보고 있다는 사실을 깨닫고, 자신과 다른 사람과의 성공적인 관계를 위해 그런 행동을 그만두기를 권한다.

이런 내담자를 대할 때 기억해야 할 가장 중요한 사항은, 그들이 자신의 지위를 하찮게 생각하는 일에 결코 맞장구쳐서는 안 되는 것이다. 그 또는 그녀가 자신에 관한 모든 객관적 자료를 수집해달라고 부탁할 때 이에 동의해서는 안 된다. 물론 그 자료는 그들이 관계에서 어떤 위치에 있는지를 가장 잘 알려줄 것이다. 그러나 먼저 이런 행동이 얼마나 자기 파괴적인가를 이해하도록 도와주어야 할 것이다.

개체성 소멸을 알아채라

당신이 지나칠 정도로 조심스러워하는 상태는 아래와 같은 징후들에 의해 판단하고 특징지을 수 있다.

• 당신은 강박감에 사로잡혀 다른 사람의 기분을 살피고, 얼굴표정, 호의나 냉대를 나타내는 작은 제스처를 놓치지 않기 위해 안간힘을 쓰면서 그를 눈여겨본다. 때문에 당신의 상상력은 활동을 멈추고, 그 사람 목소리의 높낮이가 불안정하고 그가 당신

을 칭찬하지 않거나 어떤 식으로든 제외시켰다는 이유만으로도 절망 속에 빠질 것이다.

- 그런 사람과의 관계에서 당신은 학대를 참아내거나 심지어 정당한 요구까지 억제하는 방식으로 자존심을 누그러뜨린다.
- 당신은 자신의 솔직함과 곤궁함이 그 사람으로 하여금 혐오감을 불러일으킬지도 모른다는 사실을 두려워한다.
- 당신은 모든 종류의 모순된 행위들을 받아들이고 있다.
- 당신은 말하기에 가장 좋은 순간을 찾고 있는 자신을 발견한다.
- 어떻게 하면 상대의 마음에 들 것인가를 너무 많이 의식하기 때문에 당신은 결코 자연스럽지 못하다.

실제로 당신은 그 사람과 어려운 관계에 빠져 있을 수도 있다. 혹은 이런 조바심이 당신과 권력자의 관계에서 발달된 습관에 불과할 수도 있다. 어떤 경우든 간에 이것은 악몽이다. 당신은 자신이 매우 큰 위험에 처해 있음을 느낄 것이다.

더군다나 누군가가 '승자'가 되도록 도와준 경우에 이런 징후들이 나타나면 가장 많은 상처를 입을 것이다. 그 대상이 당신과 결혼한 사람, 당신의 상관, 혹은 당신의 자식일 수도 있다. 이제 당신은 그들의 몸짓을 통해 자신의 위치나 신분을 정의하고 있다. 그 사람을 눈에 띄게 도와주지 못했더라도 당신의 사랑과 헌신이 그 사람을 품위 있게 만들었고, 당신의 마음속에서 자신보다 더 높은 위치를 차지하게 됐다. 과거에 많은 헌신을 했기 때문에 이제 당신은 스스로를 완전하다고 느끼기 위해서 무엇보다도 그 사람의 미소나 칭찬을 필요로 하는 것이다.

나쁜 영향

다른 사람을 왕처럼 접대하면서, 자신은 그가 원한다면 없어져도 될 충성스러운 신하 정도로 취급하는 것은 결코 옳은 일이 아니다.

- 이런 식으로 생각하면 당신의 사기는 완전히 저하될 것이며, 결국 당신이 중요하게 생각하는 것은 아무것도 없게 될 것이다. 당신의 행동은 다른 사람의 소망을 비추는 거울에 지나지 않게 될 것이다.
- 이런 식으로 계속 나가면 최악의 경우 당신은 편집광적으로 변할 것이며, 결국 정체성을 잃어버리고 말 것이다.

내담자 중 일급 전쟁영웅인 사람이 있었는데, 그는 미국 재벌 중 한 사람의 고문관으로 고용된 적이 있었다. 그가 맡은 일은 경영자 입장에서 태만한 사람들과 부정직한 고용인들을 찾아내는 분쟁해결사였으며, 임무를 성실히 수행해 가장 많은 봉급을 받게 되었다. 그러자 그는 점점 자신을 '주인'과 동일시하게 되었다. 그는 고용과 해고에 관한 자문을 하다가 주인의 개인비서까지 맡게 되었다. 지위가 올라감에 따라 자신을 주인의 소망과 매우 밀접하게 동일시한 그는 어느새 주인의 옷을 살 만큼의 권한을 갖게 되었다.

그는 자신의 지위와 돈, 사회생활이 주인에게 많이 좌우되고 있음을 알았기 때문에 자신의 정체성을 완전히 포기하고 말았다. 백화점에서 어떤 넥타이를 보는 경우 "나는 이 넥타이가 좋아."라고 말하기보다 즉각적으로 "그는 이 넥타이를 좋아할 거야."라고 말할 정도였다. 자신의 개체성이 증발된 것이다. 그래서 결국 그는 본래 자신의 모습을 찾기 위해 그 일을 그만두어야만 했다.

- 다른 사람의 소망에 너무 치우치면 당신은 상상력과 독립심을 잃게 될 것이다.
- 어쩌면 당신은 무엇을 달성하더라도 상대방이 사라지면 결국 아무것도 얻지 못할 것이라는 의식을 발전시키고 있는지도 모른다.

상대의 눈치 보기로 고통 받는 사람이 알아야 하는 것은, 눈치 보기를 통해서는 더 이상 좋은 관계를 만들어낼 수 없다는 사실이다. 언제나 기대와는 정반대 현상이 일어날 것이다. 당신은 융통성이 없다는 인상을 주게 될 것이며, 상대방은 얼마 후 당신 눈치만 보고 있다는 것을 간파하게 될 것이다.

- 당신은 중심 있는 사람처럼 보이지 않게 될 것이다.
- 당신은 관리자로서 신뢰할 수 없는 사람처럼 보이기 시작할 것

이다. 상대방이 당신이 하고 있는 일을 믿지 못하면, 그들은 당신에 대한 존경심을 버리고 당신을 지우나 탐내는 사람으로 보고 경멸할 것이다. 물론 눈치 보는 데 사용되는 많은 에너지는 업무를 처리하고 창조적인 일에 훨씬 더 능률적으로 사용될 수 있을 것이다.

증후군에서 벗어나기

만약 당신이 자신을 앞에서 얘기한 리처드 3세의 눈치를 보는 신하로, 즉 '왕이 입술을 깨물고 있다' 증후군으로 시달리고 있다면 자신도 모르는 사이에 편집증 환자가 되어 마음의 평화와 관계를 엉망으로 만들기 전에 조치를 취하는 것이 중요하다.

다음 지침들을 따를 때 주의할 사항이 하나 있다. 다른 지침들과 달리 당신은 이것을 문자 그대로 따르기 위해 노력해야 할 것이다. 나쁜 습관을 가지고 있다면 지금 당장 그것을 버려야 한다. 마약중독처럼 실제로 작은 탐닉들이 당신을 중독시키고 있을 것이다. 그러나 이 규칙들을 정확하게 따른다면 당신은 스스로를 자유롭게 만들 수 있을 것이다.

1. 최악의 상황을 생각하지 마라.

최악의 상황을 가정하는 시나리오에 대항해서 싸워라. "상관이 정말로 내 아이디어에 넌더리를 내고 나를 쫓아내면, 은행에서 빌린 돈을 어떻게 갚을 것인가?", "애들 옷은 어떻게 사줄까?" 등 갑자기 실직을 당해 거리에서 헤매고 있는 자신을 다른 사람들이 동정하는 것을 머릿속에 그려본 적이 없는가?

나를 찾아온 한 남자는 직장에서 남들과 잘 어울리지 못했다. 그는 자신이 곧 해고될 것이라고 확신했기 때문에 금요일에 책상 정리를 했지만 다음주에 다시 회사로 돌아와야만 했다. 또한 상관이 자신에게 편견을 갖고 있다는 환상에 시달리고 있었기 때문에 업무에서도 무력함을 보이고 있었다. 그러나 그의 상관은 그와 함께 앉아 마감시간을 맞추기 위한 더 좋은 방법을 이야기하는 관대한 사람이었다.

방심한 순간에 당신에게 몰려오는 생각들을 피할 수는 없다. 그러나 일단 그것의 정체를 알게 되면 당신은 언제든 생각을 중지시킬 수 있다. 그런 생각들에 대항하여 싸우면 싸울수록 그 생각들로부터 자유로워질 것이다.

2. 모든 눈치 보기를 그만 두어라.

그 게임은 꽤 괜찮은 편이고, 당신도 상당히 훌륭하다는 전제 아래 게임을 시작하라. 이를 통해 당신은 자신감을 가질 것이며, 동시에 상대방에게 당신이 독립적이고 가치 있는 사람이라는 메시지를 전달하게 될 것이다. 그 결과 당신은 자신과 상대방에게 더 매력적인 사람이 될 것이다.

3. 상대방에게 어떻게 보일 것인가에 관해 생각하지 마라.

상대방이 기분 좋을 때 당신의 말을 전하고 싶은가? 그렇게 하기 위해 억지로 시간을 맞추려 노력하지 마라. 당신이 무엇을 말할 것인지에 관해 사전에 검열하지 마라. 말투에 신경 쓰지 마라. 이를 조금씩 실천하면 당신은 매우 자유로워질 것이다.

내담자 중 직업이 수습 간호사였던 사람은 새벽 4시부터 일을 시작해 매우 오랜 시간 동안 일을 했다. 그러던 어느 날 그녀는 오전 10시에 간호사실에 앉아 신문을 읽으며 짧은 휴식을 누리고 있었는데 그때 그녀의 감독관이 간호사실에 들어왔다. 순간 그녀는 읽고 있던 신문을 책상 밑에 떨어뜨려 숨기고 싶은 충동을 느꼈다. 그러나 그녀는 자신이 잘못하고 있는 것이 아니라는 사실을 깨달았다. 지금은 그녀의 시간이었다. 감독관은 미소를 지으며 그녀와 짧은 대화를 나누었다. 그 감독관은 간호사의 쉴 수 있는 권리를 인정했다.

그 작은 마주침이 그녀에게는 일종의 전환점이었다. 그 일이 있은 후로 일터에서 전보다 더 행복하게 지낼 수 있었고 자신의 진가를 인정받고 있음을 느꼈다. 자신은 필요 없는 존재일 뿐이라고 생각했던 편집증적인 생각도 사라졌다. 만약 그녀가 그때 신문을 숨겼더라면 감독관이 자신을 싫어하는 폭군이라고 생각했던 당시의 걱정이 더 증폭돼 언제나 두려움 속에서 일했을 것이다.

4. 당신 일이 얼마나 잘 되고 있는가를 다른 사람들과 함께 점검하지 마라. 다른 사람의 일이 잘 되고 있는지에 대해서도 마찬가지다.

이런 행동은 걱정을 배가시킬 뿐만 아니라 당신이 위험에 처해 있고 두려워한다는 것을 모든 사람들에게 광고하는 것이나 다름없다.

만약 사람들이 당신의 상태가 아슬아슬하다는 것을 알지 못하고 있다면 이런 식으로 암시하는 것도 괜찮을 것이다. 그러나 사람들이 말하는 정보는 종종 잘못된 것일 수도 있다. 왜냐하면 그들은 당신을 잘못 인도할 속셈을 갖고 있거나 그들도 당신처럼 일에 대해 걱정하고 있기 때문이다.

5. 당신 눈치를 보는 사람이나 주위에 있는 다른 사람들에게 어떤 종류의 재확신도 요구하지 마라.

당신이 정말로 걱정하고 있다면, 상관의 비서가 당신에게 잘하고 있다고 말할 때 그 말조차 믿지 않을 것이다. 심지어 '비서도 나와 가까이 하지 말라는 지시를 받았다'고 생각할 것이다. 그리고 이제 당신은 곧 해고될 것이라는 두려움에 떨게 될 것이다.

6. 중요한 사람들의 말을 재해석하거나, 작은 단서라도 찾기 위해 그들과 가졌던 대화를 되새기려고 애쓰지 마라.

당신은 어떤 식으로든 일종의 망상에 시달리고 있기 때문에 자신의 상태를 제대로 판단할 수 없다. 대화를 재음미하는 경우, 일어날 수 있는 모든 사태들을 상상함으로써 당신의 편집증은 극도로 증가될 것이다.

7. 상대가 좋다는 이유로 그가 학대하는 것을 참지 마라.

관계를 계속 유지하기 위해 자존심을 없애는 것은 결코 효과적이지 못하다. 하지만 당신의 연인이 진실로 통명스럽거나 오만하다고 생각될 때는 위축되지 마라. 그에게 이 사실을 확인시켜라.

사랑이나 존경으로 보답하지 않는 사람에게 과도한 권력을 부여하지 않도록 주의하라. 그 사람은 아마 당신에게 감사하다는 말을 미룰 것이며, 그 행위를 당연한 것으로 여길 것이다. 그 사람에 대한 당신의 입장을 나타내는 표식을 찾으려고 노력하지 마라. 그 사람이 당신과의 관계에서 얼마나 게으른가를 보여주는 증후를 유심히 관찰하라.

그러면 당신은 아마 이전보다 더 행복해지고, 더 건강해 보이고, 더 편하게 살아갈 수 있을 것이다. 당신이 정말 사랑과 존경을 받지 못하고 있는 것으로 판명된다면, 그렇지 않은 척하는 것은 아무런 소용이 없다. 그런 경우에는 계속 매달리면서 자신을 증오하기보다는 빨리 헤어지는 편이 훨씬 더 좋을 것이다.

8. 당신에게 호의적인 친구와 함께 있을 때처럼 행동하라.

함께 있을 때 당신을 매우 자유롭게 느끼도록 만드는 사람, 즉 자유롭게 표출할 수 있게 만드는 사람을 생각해봐라. 그런 사람과 함께 있을 때 어떻게 행동했는지 숙고해봐라.

당신 연인이나 혹은 삶에 꼭 필요하다고 생각하는 친구와 함께 있을 때, 똑같은 방식으로 행동하고 똑같은 자유를 가지고 있는지 스스로에게 물어보아라. 당신이 신뢰하는 친구에게 사태를 어떤 식으로 설명하는지 곰곰이 생각해보고 친구에게 그렇게 하지 않는 것처럼 어떤 '왕'도 경계하지 마라.

눈치 보기를 그만두고 거기에 소요되는 에너지를 다른 목적, 예를 들자면 필요한 자질을 갖춘 사람으로 스스로를 만들어내는 것에 사용하라.

9. 지금까지 권유한 변화들을 이루어냈을 때 당신이 어떻게 느끼고 있는지를 정확하게 관찰하라.

예를 들어 눈치 보기를 당장 그만두면 당신은 틀림없이 심한 걱정에 시달리게 될 것이다. 이 때 당신의 느낌을 관찰함으로써 '왕'에 대한 걱정의 근저에 어떤 심오한 두려움이 있는지를 알아낼 수 있을 것이다. 무작위적인 두려움의 감정들이 끊임없이 당신을 괴롭힐 것이다. 이런 감정들을 조사해보면 그것들이 당신을 근원적인 두려움으로 이끌고 있음을 발견할 것이다.

당신은 전혀 의심하지 않았던 어떤 것이 잘못돼 있고 또 문제의 뿌리임을 깨닫게 될 것이다.

예를 들면 상관을 불쾌하게 만들지 않았을까 걱정하는 경우, 사실은 일이 잘못돼 배우자를 실망시킬까봐 두려워하고 있는 것이다. 배우자는 당신이 직장에서 큰 직책을 맡거나 원하지도 않는 지위를 유지하도록 심하게 압력을 가하는 경우가 많다. 혹은 상관이 당신을 고용했던 일을 후회하고 있다며 혼자서 걱정하고 있을지도 모른다. 당신은 이력서를 과장해서 작성했거나 거기에 기입했던 것만큼 많은 교육을 받지 않았을지도 모른다. 그러나 속였다는 두려움과 그것 때문에 생긴 편집증은 허위작성을 했다는 사실이 발각되는 것보다 더 많은 해악을 끼칠 수 있다.

두려워하는 것이 무엇이든 간에 당신은 이미 모험을 감행했다. 그러니 계속해서 자신을 신뢰하라. 상관의 눈치 보는 일을 그만두고 당신의 일에 최선을 다하라. 결과가 어떻게 되든 상관하지 마라.

10

호레이쇼의 나쁜 습관

우리가 대부분 그렇듯이 셰익스피어의 자기평가도 시시각각으로 변했다. 그의 소네트에서 볼 수 있는 것처럼 그는 가끔 자기 자신을 위대한 작가로 간주했으며, 자신의 작품이 영원한 고전으로 남을 것이라고 믿었다.

대리석 조각이나 군주의 금박을 입힌 기념물도
이 강력한 시보다 더 오래 살아남지 못할 것이다.

반대로 어떤 때에는 자신이 전적으로 무능하고 상상력도 부족하다고 한탄한다.

왜 나의 시는 이렇게도 새로운 힘이 빈약한가?
변이나 신속한 변화가 부족한가?

시인이 아닌 우리들도 자기평가에서 이와 비슷한 갑작스런 동요를 경험한다. 균형적인 사람들조차도 자신이 얼마나 총명하고, 능력 있고, 부유한가를 생각할 때 이 같은 변화를 체험한다.

자신의 이미지 창출

진가인정과 가치하락이 자동차와 주택의 세계만큼이나 개인 세계에서도 분명히 발생한다.

자신을 규정하는 방식은 다른 사람들이 당신을 어떻게 생각해야 되는가를 알려주는 단서로 작용한다. 당신 자신의 영고성쇠를 어떻게 조절해서 말할 것인가는 다른 사람들이 당신을 어떻게 이해할 것인가를 결정하는 데 중요한 역할을 할 것이다.

많은 사람들이 성취를 위해 일하거나 자신을 확실하게 나타내줄 물건을 획득하는 데 많은 시간들을 투자하고 있다. 몇몇 사람들은 그들의 정체성을 성공('지배인'이라는 직책, 자신의 지능지수 및 박사학위, 혹은 견실한 가정)에서 찾는다. 자신의 가치를 재산이나 신분을 나타내는 어떤 물건(보석, 비싼 의복, 자동차, 큰 저택 등)에서 찾는 사람들도 있다. 이와 같은 상징물의 선택을 통해 그들은 자신들이 선호하는 세계(자신이 성적으로 매력 있고, 몇 대에 걸쳐 부자이고, 화려하고, 젊고, 혹은 '성공한' 사람이라는 것을)에 천명하고 자 한다.

많은 사람들에게 이미지는 전부를 뜻한다. 그리고 거의 모든 사람들이 이미지를 상당히 중요하게 생각한다.

자신을 폄하하는 것은 매력적이지 않다

자부심이 직업이나 재정상태에 따라 오르내리는 사람들은 자신의 버팀목을 보호하기 위해 특별한 안정장치를 필요로 한다. 회사에 나가는 것이 다른 사람들에게 좋게 보이기 때문에 자신을 비참하게 대우하는 회사에 계속 머물러 있는 사람들이 가끔 있다. 재산의 가치하락을 막기 위해 값비싼 예방책을 강구하는 사람들도 있다. 안정된 가정을 갖고 있다는 이미지를 세상 사람들에게 보여주기 위해 불행한 결혼생활을 계속해나가는 사람들도 있다.

이렇게 살아가는 많은 사람들은 남들 앞에서 자신을 약간 폄하하는 것이 상대방의 경계심을 풀거나 애교 있게 부끄러운 체하는 데 좋다고 생각한다. 그렇게 하는 것이 자신을 여리고 겸손하게 보이도록 만든다고 생각하기 때문에 그런 행동을 하는 것이다. 또한 자신의 적들이 가지고 있는 특기를 가로채려는 무의식적인 노력으로 그렇게 하는 사람도 있다.

지금 입고 있는 날씬한 드레스에 비해 자신의 몸무게가 2kg 정도 더 나간다고 생각하는 한 여자가 "오늘은 몸이 무척 늘어난 느낌이 든다."라고 말한다. 하지만 사실 그녀는 듣는 사람의 마음속에 자신이 말하는 것과 반대되는 이미지가 떠오르기를 바라고 있다. 전혀 진실이 아닌 상태를 말함으로써 그녀는 실제의 자기 모습보다 더 작은 자신의 이미지를 만들어내고자 애쓰는 것이다.

분명 그녀는 자신의 말을 듣는 사람들이 자기를 칭찬하거나 전혀 뚱뚱하지 않다고 확신시켜주기를 바라고 있다. 혹은 다른 사람들이 가질 수 있는 부정적인 생각들을 애매모호하게 누그러뜨리는 것만으로도 충분하다고 느낄지 모른다.

그러나 겉보기로는 정교해 보이는 교녀의 책략에는 큰 문제가 있다.

첫째, 사람들은 자신을 폄하하는 사람에게 피할 수 없는 부담감을 느낀다. 거기에는 듣는 사람이 폄하하는 사람의 기운을 되찾아주고, 안심시켜 주고, 그 사람의 자기공격에 대해 정중하게 반대해야 한다는 암묵적인 요구가 존재하기 때문이다.

둘째, 아무리 그 사람이 처음에 당신에게 호의를 가지고 있었더라도 당신이 자신에 대해 부정적으로 이야기하면 그로 인해 많은 생각을 하게 만든다. 꾸준한 부정적인 암시 공세에도 불구하고 언제나 당신 편을 드는 사람은 거의 없다. 특히 그 부정적인 암시들이 당신 입에서 나올 때는 더욱 그렇다.

남들로부터 좋은 평가를 받고 싶으면 당신 스스로가(자랑하는 방식이 아니라 암묵적으로 긍정적인 자기평가를 유지함으로써)자신을 좋게 평가해야만 한다.

그 목적은 안정되고, 당신 나름대로 편하고, 현재의 당신 자신에 만족하고 있는 것처럼 보이는 것이다.

어느 정도까지는 겸손이 매력적이고 다른 사람들도 그것을 인정한다. 그러나 자랑처럼 겸손도 지나칠 수가 있다. 너무 냉정한 것도 나쁘지만, 스스로를 불필요하게 비난함으로써 누군가가 당신에게 관심을 가져주길 바라는 것도 바람직하지 못함을 명심하라.

"저는 잘 못하는데요."라고 말하는 사람 다루기

다른 사람들이 당신 앞에서 자신을 폄하할 때, 그들을 다루는 법을 이해하는 것도 중요하다.

우리는 다른 사람들이 우리 앞에서 자신을 비난할 때 불쾌함을 느낀다. 그러나 평소 당신이 관계를 맺고 싶었던 상관이나 어떤 사람이 자신을 폄하하면, 당신은 그 사람과 비밀을 털어놓을 수 있는 막역한 사이가 된 것이라고 믿고 싶어진다.

그러나 다시 한 번 말하지만, 당신이 믿고 싶어 하는 것의 반대가 진실이다. 여기에는 실제로 난해한 심리학적 법칙이 작용하고 있다.

어떤 사람에게 당신 앞에서 폄하하는 것을 허락함으로써 당신은 그 사람의 잠재적인 적이 되어가고 있다.

당신은 그 사람이 가장 의기소침해 있는 순간을 목격한 사람이 돼버렸다. 때문에 그 사람의 마음속에서 당신은 언제나 그 순간과 연결된다. 그는 기분이 좋을 때 당신에게서 벗어나 자신을 더 매력적인 존재로 봐줄 다른 사람에게로 달려가고 싶을 것이다. 사람들은 자신을 더 호의적으로 대우해주는 곳에 있고 싶어 한다.

당신 앞에서 여러 번 자기 자신을 비난했던 사람은 또 다른 이유로 당신을 싫어할 것이다. 생각하기에 따라 그에게는 당신이 그의 부정적인 측면을 이끌어내는 것처럼 보일 수도 있다. 당신이 직접 말했던 어떤 것에 의해서가 아닐지라도, 당신이 보여주는 어떤 대조(당신의 어떤 행동이나 당신이 존재한다는 사실 자체)에 의해 그는 자신을 폄하한다. 어떤 여자는 당신이 더 좋은 직업을 가지고 있다는 이유로 가난을 느끼며, 당신이 젊음을 너무 강조하기 때문에 자신이 늙었다고 생각한다. 아니면 당신이 더 건강하거나 혹은 더 젊은 배우자를 갖고 있기 때문일지도 모른다. 그러므로 다른 사람들이 당신 앞에서 자신을 폄하하지 못하게 하라. 가능하면 사람들이 스스로를 비난하지 못하게 하라.

자기비하는 나쁜 습관이다

나와 상담을 하는 몇몇 사람은 스스로를 멸시하는 습관을 가지고 있는데, 대부분 첫 대면에서 즉시 그것을 간파할 수 있다. 그들은 "제가 잘못한 것 같은데…." 혹은 "저는 별로 재치 있는 사람은 아니지만 그것은 저에게…처럼 보입니다." 등의 말로 시작한다.

그들은 대개 다른 사람으로부터 지적당할 때까지 자신이 그렇게 말하고 있다는 것을 알지 못한다. 그 습관은 매우 뿌리 깊은 것이다. 그래서 나는 언제나 그에 대해 환기시킨다. 그리고 가끔 "언제쯤 당신 스스로를 폄하하지 않고 말할 수 있는지 눈여겨 보겠다"고 말한다. 하지만 그들은 대부분 내가 기대하는 것처럼 할 수 없다. 그들은 자신도 모르는 사이에 그런 자기공격에 빠지며 나는 그것을 끊임없이 환기시키는 것이다.

그 사람이 그런 습관을 가지고 있음을 알게 만든 다음, 나는 가끔 '맞장구치기'라고 불리는 기술을 사용한다.

내담자가 "제가 어리석다는 것을 압니다. 그러나 저는 …라고 생각합니다."라고 말하면, 나는 "당신이 무슨 생각을 하든 상관없습니다. 그래, 당신은 바보라고요."라고 말한다. 우리들은 함께 웃지만 나는 이미 내 의견을 전달한 셈이다.

다른 바람직하지 못한 습관을 제거하려고 애쓸 때, 당신 안에 있는 다른 존재가 뛰쳐나와 그와 반대되는 목적으로 행동함으로써 당신을 패배시키려고 할 것이다. 나는 이것을 내담자들에게 설명해준다.

가끔 나는 "또 다른 사람(예를 들면 한 친구가)이 방안에 우리와 함께 있고, 당신이 말하는 것을 그대로 흉내 내고 있다고 가정해봅시다. '당신은 바보다. 아마 당신 잘못일 것이다.' 라고 그가 당신이 말한 그대로 하는 거지요."라고 얘기한다.

또는 한 여성이 "나는 나이든 여자다. 내가 무슨 생각을 하든 그것들은 별로 중요하지 않다."라고 말하면, 나는 "다른 사람이 당신에 관해 그런 식으로 말했다고 가정해봅시다."라고 말한다.

아무리 자신을 폄하하는 사람이라도 모두 자신에 관해 자기와 똑같은 방식으로 말하는 사람은 몹시 싫어한다.

"당신에 관해 그렇게 말했던 사람은 무서운 적이었을 겁니다." 라고 나는 말한다. 그 말에 그들은 항상 동의한다.

〈햄릿〉에 있는 한 아름다운 구절을 공부한 후 나는 이것을 더욱더 확실하게 깨달을 수 있었다.

적들이 당신에게 하는 말을 스스로 내뱉지 마라

학자이고 교양 있는 젊은이인 햄릿의 가장 친한 친구 호레이쇼는 자신을 폄하하는 나쁜 습관을 가지고 있었다. 그는 자신을 타고난 게으름뱅이, 즉 자신의 책임을 완수하지 못하는 사람이라고 부른다.

이는 절대 옳지 않은 주장이다. 그는 햄릿의 착하고 충성스런 친구이며 결코 책임감이 없는 사람도 아니다. 그래서 햄릿은 호레이쇼의 자기비하를 재빨리 변호한다. 햄릿은 다른 사람이 그에 대해 그렇게 말했다면 결코 용서하지 않았을 것이라고 호레이쇼에게 말한다. 햄릿은 누구도 자기 앞에서 호레이쇼를 비방하지 못하게 했다.

사정이 이러했기 때문에 햄릿은 실제로 호레이쇼에게 "내가 네 자기비방을 믿게 하지 마라"는 식으로 말한다.

네 원수가 그렇게 말해도 나는 믿지 않아.
네가 너를 비방하는 말을 해서 억지로 믿게
하려고 해도 내 귀는 결코 믿지 않을 거야.
너는 절대 게으름뱅이가 아니야.

햄릿은 실제로 호레이쇼가 자신으로 하여금 그런 말을 듣게 강요하는 것 자체가 부당한 일임을 넌지시 비추고 있다.

자신을 비하하는 것은 상대방의 가치도 깎아내리는 것이다

많은 사람들이 관계 초기에 마치 미덕처럼 자신을 낮추는 버릇을 가지고 있다. 그들은 상대를 약간 속이고 있다고 느끼며 발각될까 두려워한다. 그래서 스스로를 깎아내린다. 이것은 상대방을 미리부터 무장 해제시키기 위해 노력하는 한 예다.

사람들은 "나는 지금보다 더 많은 돈을 벌어야만 합니다."라고 말하면서 자신의 소득을 실제보다 축소시킨다.

여성들은 "나는 키가 너무 큰 것이 싫어. 그것이 나를 쑥스럽게 만들어"라는 식으로 자신의 외모를 비난한다. 혹은 자신에 대해 과거시제로 말한다. "나는 옛날에 훌륭한 춤꾼이었지만 몇 년 동안 한 번도 춤추지 않았어."

이런 사람들은 상대방의 마음에 자신이 멍청이거나 한물간 사람이라는 것을 주입시키고 있다.

연인 관계에서 자기 자신을 폄하할 때 당신은 자신뿐만 아니라 상대방의 가치도 같이 절하시키고 있음을 인식해야 한다. 사람들은 자신이 선택한 배우자로 인해 다른 사람들이 자기를 동정이 아니라 부러워하기를 어느 정도 기대한다. 자신의 연인이 "당신은 더 좋은 선택을 할 수 있었을 텐데…. 나를 원하는 사람은 아무도 없을 거예요."라고 말하는 것을 듣고 싶은 사람은 아무도 없을 것이다.

당신의 부모들이나 가까운 사람들이 자신을 폄하할 때 당신까지 무력함을 느낄 것이다. 게다가 어떻게든 그들을 도와야 하지만 아무런 도움이 되지 못하고 있는 처지가 원망스러울 것이다.

몇 가지 행동원리들

1. 어떤 작업이든 제대로 평가 받지 못할 수 있다.

당신의 작업 솜씨가 아무리 훌륭하더라도 자긍심을 통해 그 솜씨가 더욱더 향상될 여지는 언제나 있다. 반면에 자신의 능력과 자기를 폄하하면 최상의 솜씨마저도 가치를 떨어뜨리는 위험을 감수해야 한다.

명백하게 성공적인 일, 예를 들면 어떤 사람이 요리한 매우 맛있는 식사마저도 요리사가 자신을 폄하하면 훼손되고 만다.

나는 최근 한 친구 집에서 저녁을 먹었다. 그는 요리하는 것을 좋아했기 때문에 매우 훌륭한 식사를 준비했는데, 자신의 음식 솜씨가 형편없다는 식으로 '겸손하게' 말함으로써 그 저녁모임에 흠집을 냈다. 그는 계속해서 아내가 집에 있었더라면 훨씬 더 맛있는 음식을 준비했을 것이라고 말했다. 그 겸손 때문에 맛있게 먹었던 친구들이 약간 바보처럼 느껴질 정도였다.

당신 자신을 폄하하는 것은 결코 매력적인 일이 아님을 명심해라. 다른 사람들은 당신의 기운을 북돋아주어야 한다는 필요성 때문에 부담을 느낄 것이다. 최악의 경우, 당신은 사람들에게 당신을 공격할 수 있는 새로운 수단을 제공할 수도 있다.

2. 칭찬의 말도 품위 있게 받아들이는 연습을 하라.

다음 경우를 생각해보자. 멋지게 보인다는 말을 들었을 때 "정말 고마워요."라고 말하는 한 여자가 있다. 그녀는 자신에 대한 긍정적인 견해를 전달하고 있다. 칭찬했던 사람은 그런 말하기를 잘했다고 생각하며 그녀를 더욱더 매력적인 여자로 간주할 것이다. 우리는 결론의 정당성을 인정해주는 사람을 좋아한다.

똑같은 칭찬을 들은 두번째 여자는 약간 푸념조로 "그렇게 생각해요? 요즘 열심히 다이어트를 하고 있어요. 5kg을 더 뺄 수 있었으면 좋겠는데 말이죠."라고 말한다. 이것은 그 여자가 상대방에게 사실 자신은 근본적으로 매력적이지 못하다고 말하는 것이나 다름없다. 칭찬했던 사람도 그 말의 의미를 알아듣고 그녀는 매력적이지 못하다고 생각하기 쉽다. 그는 자신의 판단이 서툴러서 그녀를 칭찬했다고 여기며, 다시는 그렇게 하지 않도록 조심한다.

또 다른 경우에 직장에서 일을 무척 잘했다는 말을 들은 한 남자가 "고맙습니다. 제 부서에 있는 사람들의 많은 도움을 받은 덕분입니다."라고 말한다고 가정해보자. 그는 자신이 일을 잘했다는 것에 동의하면서 자신의 성취와 동료를 자랑스럽게 생각한다는 점을 덧붙이고 있다. 그는 다른 사람들이 말하기 전에 잘 해냈다는 것을 스스로 알고 있었다. 그가 실제로 그 일을 했는지, 아니면 부하들이 하는 일을 감독만 했는지는 그를 칭찬한 사람에게 중요하지 않다. 그는 진실을 알고 있다.

우리는 이 사람에게 더 많은 성취를 기대한다. 그는 자기평가를 통해 다른 사람들에게 자신을 평가하는 법을 가르치고 있다.

3. 다른 사람들이 자신을 폄하하지 못하게 하라.

남의 말에 이의를 제기할 때는 될 수 있는 대로 가볍게 하라. 당신이 그들의 적이 아님을 확실히 하라.

예를 들면 "우리는 늙었어. 이 소파는 우리들이 죽은 뒤에도 쓸 만할 테고…. 그런데도 새 소파를 꼭 사야만 하겠니?"라고 말하는 부모들이 있다.

의기소침할 때 자신을 노인이라고 부르면서 비하하는 부모들이 많은데, 이는 우리들이 다루기 무척 어려운 문제다. 그들 중 몇몇 사람들에게는 이것이 성격의 중요한 특성이다. "이제 나한테는 마흔 살 때의 모습을 도대체 찾아볼 수가 없구나. 그러니 결혼식에 내가 참석하기를 진심으로 원하는 사람은 아무도 없을 거야."

우리와 가까운 사람이 이런 식으로 말할 때 우리는 그들에게 말치레를 함으로써, 그런 식으로 말하지 않도록 해야 한다는 압박감을 느낀다. 그러나 아직도 총명하고 건강해 보인다고 말하는 방식만으로는 결코 그들을 오랫동안 기운 나게 만들 수 없을 것이다.

어떤 사람이 스스로를 폄하함으로써 당신의 사기를 저하시킨다면 직접적인 접근법을 사용해야 한다. 어떤 방식으로든 그 사람에게 그런 식으로 말하지 말라고 요구해야 한다. 그렇게 말하는 것은 오직 그에 대한 부정적인 이미지를 쓸데없이 마음속에 새길 뿐이라고 말할 수 있어야 한다.

당신은 또한 그들에게 그런 식으로 말하는 것을 더 이상 듣기 싫다고 덧붙일 수 있다. 혹은 그런 식으로 말하는 것은 당신에게 공정한 일이 아니라고 말할 수도 있다. "나는 숫자에는 자신이 있지만 사람들과의 관계에서는 매우매우 서투르다."라고 말하는 동료나 상사를 어떻게 다뤄야만 할까?

사업에서 자신을 폄하하는 사람은 자기 자신의 가장 나쁜 적이다. 그들은 자신에게 해로운 선전을 하고 있다. 다른 사람들이 스스로를 비하할 때의 절반 정도밖에 안되는 적의로 그들을 비난할지라도, 그들은 화를 내며 대들 것이다.

어떤 기업이 서투른 확장 끝에 "우리들은 무너지고 있다"는 것을 고객들에게 알리는 경우가 있는데, 그런 뒤 사업이 예전처럼 돌아가기를 기대하는 것은 명백히 큰 실수이다. 그러나 사업을 하는 많은 사람들은 스스로 그런 일을 말함으로써 자신의 재산 가치를 떨어뜨리고 있다.

당신은 햄릿의 접근법을 사용해 상대방의 자기공격에 동의하는 일 없이 그 사람이 자기 자신에 대해 더 좋게 생각하도록 도와줘야 한다. 그렇게 한다면 사람들은 진심으로 고맙게 생각할 것이다. 그것은 상대방의 기분을 고양시키고 동시에 당신의 관계를 개선시키는 매우 좋은 방법이다. "이봐, 그만둬. 나는 자네가 자신을 폄하하는 것이 싫어."라고 말하라.

상대방이 상관이거나 존경하는 사람일지라도 이렇게 할 수 있다. 그에 대해 기분 나빠하거나 반대하는 사람은 거의 없을 것이다. 대부분의 사람들은 당신의 용기와 성실성 때문에 당신을 더 좋아할 것이다.

물론, 이렇게 한다고 해서 상대방이 반드시 자신을 비하하지 않게 되리라고는 보장할 수 없다. 그러나 이런 일을 반복하면 대부분의 사람들은 당신의 뜻을 이해할 것이다. 그들이 자기비하의 행동을 멈추지는 않더라도, 당신은 자신의 기량을 충분히 발휘함으로써 농락당하고 있다는 느낌을 덜게 될 것이다.

　당신 자신의 가장 나쁜 적이 되지 않도록 명심하라. 결코 농담으로라도 적들을 기쁘게 하고 친구들에게 상처를 주는 방식으로 자신에 대해 말하지 마라.

11

포틴브라스의 용기

캐럴Carole은 자신이 생각하기에 도저히 납득할 수 없는 문제를 가지고 나를 찾아왔다. 그녀는 오랜만에 고향인 오하이오에서 가족들과 함께 일주일을 보내고 막 돌아왔다. 어렸을 때 그녀는 형제자매들과 좋은 관계를 유지했으며, 고향에는 많은 친구들이 있었다. 올해에도 그녀는 푸짐한 선물을 가지고 고향을 방문했으며 새로 태어난 조카들을 보고 싶어 했다.

그러나 오하이오에 있는 대부분의 가족들과 친구들은 그녀를 매우 냉정하게 대했다. 캐럴은 이런 반응에 당황했다. 그녀는 지난 3년 동안 고향에 오지 못했었지만, 모든 사람들과 계속 연락을 주고받고 있었다. 생일과 휴일에도 그들에게 푸짐한 선물을 보냈었다.

나는 그 사람들 중 누가 그녀를 냉대했고 냉대하지 않았는지 물었다. 우리는 명단을 작성해 함께 훑어보면서 그녀를 반갑게 맞이했던 사람들과 그렇지 않았던 사람들의 차이를 알아낼 수 있었다.

우리가 찾아낸 것은 인생을 성공적으로 살았기 때문에 행복하다고 생각하는 사람들은 여전히 다정한 반면, 그 이외의 사람들은 캐럴을 냉대했다는 점이다.

캐럴의 가족은 서로 애정이 깊었지만 사실 장래성이 없는 집안이었다. 그녀의 부모는 자식들에게 고등교육을 시킬 만큼 부유하지 못했다. 오직 캐럴과 한 여동생만이 대학교육을 받았다. 그들은 열심히 일해서 자신의 힘으로 간신히 야간대학을 졸업했다.

캐럴은 뉴욕으로 이사해 십여 년 만에 상당한 규모의 사업체를 일궈냈다. 경쟁이 심한 시장에서 상위집단에 속하게 되었으며, 그녀의 형제자매들이 부자라고 생각할 만큼 많은 돈을 벌었다. 그러나 그녀는 결코 자신의 성공을 자랑하지 않았으며 가족을 돕고자 했고, 그렇게 할 수 있는 돈을 가지고 있었다.

당시 그녀는 은퇴한 부모님을 부양하고 있었지만 그녀의 두 오빠와 두 여동생은 부모님께 거의 도움을 주지 못했다. 오히려 그들은 모든 것들에 불만을 토로했다. 쉬운 일만 골라 했으며, 자기발전을 위한 어떤 희생도 감수하지 않았다. 그들은 학교에 다니지 않았으며, 부담되는 일은 시작조차 하지 않았다.

오직 한 여동생만이 활동적이었다. 여동생은 그때 사랑하는 가정과 자신이 즐기는 교사직을 갖고 있었다. 그 여동생만이 특별한 자질을 갖고 있는 나머지 형제자매들로부터 떨어져 있었다.

캐럴은 그런 형제자매들이, 심지어 지금 자신에게 의존하고 있는 아버지조차도 자신을 멀리하려고 애쓰며 빈정거린다는 것을 알았다. 그들은 다른 가족의 생일과 세례 및 그들의 삶에 관해 이야기했지만 그녀에게는 아무것도 묻지 않았다. 오직 그녀의 어머니와 자신의 삶을 열심히 살아가고 있는 여동생만이 그녀가 온 것을 진정으로 환영했다.

다른 식구들은 캐럴과 그 여동생이 나누었던 활기찬 대화에 분노하는 것처럼 보였다. 그들은 기회가 있을 때마다 캐럴을 함부로 비난했다. 한 오빠는 어머니가 캐럴의 차림새에 찬사를 보낼 때 "엄마, 그건 돈만 있으면 누구나 살 수 있는 것이에요."라고 역겨운 농담을 했다.

캐럴은 그들이 그녀가 떠나기를 원하고 있음을 감지했으며, 그래서 무척 마음이 상했다.

처음에 나는 캐럴의 형제자매들과 몇몇 옛 친구들이 그녀의 출세를 질투하고 있다고 단순하게 생각했었다. 그러나 셰익스피어는 나보다 훨씬 설득력 있는 정교한 설명을 제공했으며, 그 설명이 캐럴에게 유용하게 적용됐다.

셰익스피어의 설명은 이렇다. 캐럴의 성공과 그녀의 개인적인 에너지 때문에 그들은 자신의 삶이 무력하거나 비활동적이어서는 안 된다는 점을 깨달을 수밖에 없었던 것이다. 그들도 캐럴과 다른 여동생처럼 고학으로 대학을 마칠 수 있었다. 혹은 도전적인 직업을 선택하여 훌륭한 존재가 되기 위해 노력할 수도 있었다. 그러나 그들은 그렇게 하지 않았다. 다만 삶이 그들에게 기회를 준 적이 없다는 것만 주장하기 위해 안간힘을 쓰는 것이었다.

캐럴의 성공은 그들에게 자신이 충분히 할 수 있었지만 하지 않았던 수많은 일을 상기시켰다. 그녀의 성실함과 그녀가 성취한 성공을 통해 캐럴은 누구나 장애를 극복하여 자신의 삶을 만들 수 있음을 보여주고 있었다.

단지 그들 앞에 있는 것만으로도 그녀는 그들이 게으르고 성취욕구가 낮다는 점을 그들에게 알려주고 있었다. 이것이 그녀의 출현을 그들이 일종의 인격적인 모독으로 받아들인 한 이유다. 그녀의 출현은, 그들에게 자신의 삶에 대한 책임이 있으며 아직 많은 것을 할 수 있다고 말해주고 있었던 것이다.

전령, 포틴브라스 등장

셰익스피어는 〈햄릿〉에서 '알림(informing)'과 '전령(informant)'이라는 개념을 도입한다.

이 희곡에서 햄릿은 결심을 하지 못한 채 많은 고통을 당한다. 그의 아버지는 살해당했고 당시의 도덕률에 의하면 아들인 햄릿은 반드시 아버지의 복수를 해야 했다. 그러나 그는 계속 결정을 미룬다. 복수심을 분발시키지 못하며, 연극이 다 끝날 때까지도 불확실성 속에서 정처 없이 어슬렁거린다.

햄릿은 자신에게 만족하지 못하는 사람들이 흔히 그렇듯 많은 시간을 헛되이 보낸다. 스스로를 비난하는 대신 삶이 자기 자신이 정한 기준에 얼마나 못 미치는지 그 이유를 찾으려고 애쓴다. 햄릿처럼 그들은 세상이 실망스럽고 부정직한 곳이라고 비난한다. 그들은 자신이 할 수 있는 일은 아무것도 없음을 확신시킬 합리화의 수단들을 찾으려고 애쓴다.

그러나 그때, 모든 책임회피자에게 보란 듯이 바로 자신들의 존재에 의해 무엇인가 더 많은 일들이 행해질 수도 있음을 증명하는 사람들이 등장한다.

햄릿의 경우 그 전령은 비슷한 또래의 젊은이인 포틴브라스 *Fortinbras*인데, 그는 이웃나라 노르웨이의 왕위상속자이며 왕의 조카였다.

포틴브라스는 햄릿처럼 동요하지 않았다. 그는 이미 용감한 장군임을 스스로 증명했으며 대의(大義)를 위해 여러 번 군대를 소집해서 싸웠다. 그런데 그런 대의 중에는 명예훼손처럼 사소한 문제들도 있었다.

햄릿이 쇠약해져 개인적이긴 하지만 매우 절박했던 대의를 위해 힘을 모을 수 없게 되자, 포틴브라스는 더욱 뚜렷하게 햄릿과 대조를 이루게 된다. 그는 군대를 이끌고 덴마크를 통과하며 자신이 노르웨이 재산이라고 여기는 작은 땅을 위해 목숨을 건 싸움을 한다.

포틴브라스를 보고 햄릿은 자신의 어리석음을 깨닫고 충격을 받는다. 햄릿이 직접 말하고 있듯이, 용기와 힘을 가진 포틴브라스가 그를 '책망하며' 우유부단한 습관을 가진 그 자신을 다시 돌아보게 만들고 있는 것이다. 물론 포틴브라스는 자신이 햄릿에게 그러한 존재인 것을 전혀 알지 못했다. 하지만 그의 존재 자체가 햄릿을 비난하는 것이었다. 포틴브라스와 함께 온 다른 사람들도 햄릿을 이런 식으로 비난했으며, 그가 얼마나 우유부단한 사람인가를 깨닫게 해줬다. 햄릿은 중얼거린다.

모든 것들이 나를 책망하고 나의 둔한 복수심을 자극하는구나!
만약 그의 주요 행위와 삶을 가장 잘 이용한 일이
먹고 자는 일에 그친다면, 인간은 과연 무엇인가?

자신을 포틴브라스와 비교한 다음 햄릿은 이렇게 결론을 내린다.

자, 이제부터는 오직 피비린내 나는 복수의 생각뿐이다.
그 외에는 모든 것이 무익할 뿐이다.

당신이 아직 결심하지 못한 문제를 갖고 있다면(예를 들면 단정치 못한 자신이 싫거나 햄릿처럼 꼭 해야 되는 일을 미루거나, 혹은 어떤 일이든 스스로에게 변명만 늘어놓는다면) 전령을 만나기 쉽다.

전령은 지금 당신과 비슷한 상황에서 시작했거나, 더 어려운 상황에 있었지만 지금 당신을 지배하고 있는 문제를 어떻게든 극복한 사람이다. 그 사람은 아마 당신의 상황에 대해서는 아무것도 모를 것이다. 그러나 그의 출현과 성취에 의해 당신은 스스로의 약점을 또렷이 직시하게 될 것이다. 전령은 더 높은 정신세계에 살면서, 당신이 스스로의 위신을 떨어뜨리고 있다고 말하는 것이다.

캐럴의 형제자매들처럼 당신은 가난하게 출발했지만 열심히 일해서 출세한 사람, 혹은 당신보다 더 많은 시간을 갖고 있지 않음에도 불구하고 세 배나 많은 일을 해내는 사람을 볼 수도 있는 것이다.

전령을 어떻게 알아볼 것인가?

누군가와 함께 있을 때 가끔 갖게 되는 막연한 불안감을 통해 그 사람이 당신을 은근히 책망하고 있다는 사실을 알아차리게 되는 경우가 있을 것이다. 당신은 그 사람을 싫어하지만 이유는 제대로 알지 못하고 있다. 그러나 조금만 깊이 생각해보면 옆에 있는 그 사람은 당신이 이루기를 원했던 무엇인가를 성취한 사람임을 알아차릴 수 있을 것이다.

결론적으로, 당신은 자기 위신이 추락했다는 메시지에 의해 고통을 받고 있는 것이다. 무의식적으로 모든 사람은 심리학적인 전령을 당신의 태만을 꾸중하는, 반갑지 않은 사자로 간주한다. 그 사람 때문에 당신의 잘못을 합리화시킬 수 없어서 본능적으로 싫어하거나 두려워하게 되는 것이다.

아마도 그 전령은 당신에게 해를 입히고 싶지 않을 것이다. 더군다나 그는 당신의 삶에서 자신이 어떤 역할을 하고 있는지조차 알지 못할 것이다. 자신도 모르게 그녀의 형제자매들을 책망했었던 캐럴은 그들이 자신의 삶을 불쾌하게 느끼기를 바라지 않았다. 그녀는 그들과 가까이 지내고 싶었을 뿐 그들의 삶이 성공했다거나 실패했다는 판단은 결코 내리지 않았다.

의식적이든 무의식적이든 사람들을 책망할 때, 우리들은 뚜렷한 이유 없이 그들의 눈 밖에 나게 되는 것이다.

당신은 누구의 전령인가?

전령의 본질을 이해했다면, 당신은 어떤 사람들의 감정을 해치는 일을 전혀 하지 않아도 그들이 당신을 싫어할 수 있다는 것을 이해할 것이다.

나와 상담했던 도너는 경제적으로 성공한 남자와 22년 동안 불행한 결혼생활을 한 후 이혼했다. 처음 그녀는 이혼한 후, 남편으로부터 매우 적은 재정적인 도움을 받으며 살았지만 52세의 나이에 일자리를 얻고 두 자식을 돌볼 수 있음을 증명해냈다. 남편이 없는 도너의 새 가정은 행복했고 번창했다. 그러자 그녀처럼 불행한 결혼생활을 하고 있던 두 오랜 친구들이 갑자기 아무런 이유도 없이 화를 내기 시작했다.

그 이유가 과연 무엇이겠는가? 두 친구는 결혼생활을 계속 유지해야만 하는 이유를 나름대로 합리화시키고 있었다. 한 친구는 그녀에게 결코 말을 걸지 않는 남자와, 또 다른 친구는 계속 바람을 피우는 남자와 살고 있었는데도 그들에겐 비참한 삶을 감당하는 것이 유일하게 선택할 수 있는 생활이었다. 그들은 그렇게 하는 것이 자식들에 대한 의무라는 식으로 자기 자신과 서로를 위안하고 있었다.

그러나 도너의 용기와 성공이 그들을 책망했다. 그 때문에 자신들의 합리화가 흔들리게 되었으며, 선택을 재고해야만 했던 것이다.

당신 또한 자신도 모르는 사이에 다른 사람들의 삶을 비난할 수 있으며 상대방도 당신에게 왜 화가 나는지 이해하지 못할 것이다. 그것은 자신이 실패했다는 사실을 매우 강하게 부인해왔기 때문이기도 하다.

그러나 그 또는 그녀의 무의식은 자신이 실패했다는 것을 알며, 당신이 정반대의 선택을 대표하는 사람임을 안다. 셰익스피어의 말을 인용하면 당신은 '자연을 거울에 비추고' 있는 것이다.

당신의 무엇이 그들을 화나게 하는가?

불합리하게 멸시받거나 무시당하고 있다고 느낄 때마다 상대방의 기분을 상하게 할 일을 하지는 않았는가를 자문해보라. 그리고 언제나 이 질문을 먼저 해야 한다는 것을 명심하라.

당신은 종종 단호하게 아니라고 대답할 것이다. 그러나 유감스럽지만 그 사람과 만나기 전에 이미 당신은 그를 당황하게 만들었을지도 모른다.

그러므로 "상대방에게 골칫거리가 될 수 있는 것을 내가 성취했거나 갖고 있는가?"를 스스로에게 물어보아라. 대답은 매우 간단할 수 있다. 당신의 어휘실력이 몰라보게 향상됐거나, 상대방이 외면당했다고 느끼는 주제에 관해 폭넓게 토론할 수 있는 능력을 갖고 있을 것이다. 또는 당신에게 화를 내는 사람들보다 더 자유로운 삶의 방식을 갖고 있을 수도 있다. 아니면 당신이 남들보다 더 솔직하게 자신의 즐거움을 드러내거나, 두려움 없이 어떤 결정을 내렸을 수도 있다. 또한 경제적으로 더 여유로울지도 모른다. 만약 그렇다면 자신이 어떤 상황에 얽매여 있다고 느끼는 사람들은 당신에게 화를 낸다.

또한 당신에게만 유별나게 쉽게 이루어진다고 생각되는 어떤 성취 때문에 화를 낸다. 그들은 당신이 그것을 성취하기 위해 쏟은 수년 동안의 노력과 희생에 관해서는 전혀 생각하지 않는다. 단지 당신에게만 행운이 함께 한다고 생각한다.

이런 일들이 발생할 때마다 당신이 전령임을 확인하는 것이 중요하다. 이것이 당신의 영향 때문임을 깨닫지 못하면 아무런 이유 없이 고통스러운 자기분석을 해야만 할 것이다. 실제로 당신은 그 사람에게(존재한다는 사실을 제외하고는) 해를 끼치는 어떤 일도 하지 않았을 것이다. 당신은 단지 그 또는 그녀를 당황케 하는 어떤 진실을 대표할 뿐이다.

전령 다루기

1. 어떤 사람이 당신을 매우 불쾌하게 만들고 있다는 것은 알지만 그 이유를 모른다면, 그는 어떤 식으로든 당신을 책망하고 있는 것이다.

그 사람이 당신이나 다른 사람에게 어떤 해를 끼치고 있다고 거침없이 말할 수 없다면 그럴 가능성은 더더욱 높다.

2. 전령을 비난하고 싶은 충동과 싸워라.

그 사람이 당신에 관한 고통스럽지만 진솔한 정보를 알려준다는 것을 발견할 때까지 그 사람을 비난하지 않으려면 많은 용기가 필요할 것이다. 그러나 일단 정보를 얻게 되면 그것을 유용하게 사용할 수 있다.

3. 전령이 주는 불편함을 참아내는 사람은 중요한 것을 발견할 수 있는 위치에 서게 된다.

모든 전령들은 햄릿과 포틴브라스의 경우처럼 뜻하지 않은 행운이다. 이들은 일단 당신이 이해를 하게 되면 삶을 크게 향상시킬 수 있는 정보를 가져다준다. 당신의 전령이 자신의 삶을 향상시켰던 것처럼 당신도 자신의 삶을 개선시킬 수 있는 시간이 아직 많다.

4 '나에게 필요한 자유와 성취를 이 사람이 갖고 있는가?' 라고 자문하라.

당신은 작은 것에서 큰 것에 이르기까지 다양한 차이를 그에게서 발견하게 될 것이다. 예를 들면 그 사람은 당신이 훨씬 더 잘할 수 있는 어떤 일에 대해 자기가 정통하다고 말할 수 있을 만큼 자신감에 넘쳐 있을 것이다. 반면 당신은 너무 마음이 약해서 자신의 전문지식마저 언급하지 못한다.

당신이 갖지 못한 사회적 용기를 그 사람이 갖고 있는 데 대해 화가 날 것이다. 혹은 그 사람은 당신이 부러워하는 생활양식을 갖고 있을 것이다.

5. 당신이 선택한 인생행로에서 발생하는 일들이 싫더라도 책임을 져라.

이 때 당신의 목적이 자신을 비난하거나 괴롭히는 일이 아님을 이해하라. 오직 당신 자신이 미래의 삶을 지배할 수 있게 되는 것만이 목적이다. 지식은 희망을 불러일으킬 때만 가치가 있다. 당신은 삶을 개선시킬 수 있고 지금까지 놓쳤던 것들을 얻을 수 있다. 당신의 목적은 전령을 가치 있는 지식의 원천으로 사용하는 것이다.

당신을 당황하게 만들었기 때문에 제압하고 싶었을지도 모를 바로 그 사람이 당신의 삶을 향상시키는 안내자가 될 수도 있다. 그러나 그를 당신에게 이롭게 만들 수 있느냐의 여부는 전적으로 당신에게 달려 있다.

6. 무슨 이유인지 잘 모르겠지만 당신이 다른 사람들을 당황하게 만들고 있는 경우, 그들의 삶에서 전령일 가능성이 매우 높다.

당신은 아마 그들이 갖지 못한 어떤 자유와 재량권을 갖고 있을 것이다. 혹은 그들이 항상 원했지만 그것을 위해 노력하지 않았던 무엇인가를 달성했을 것이다.

당신은 그들의 포틴브라스다. 그들이 사업이나 일상생활에서 중요한 사람들이라면, 당신을 좋아할 확률은 거의 없기 때문에 겸손한 태도를 취해야만 한다.

또한 당신이 그 또는 그녀와 가까워지기를 바란다면, 조만간 당신과 그 사람 사이의 긴장에 관해 터놓고 이야기해야만 할 것이다. 그 사람의 분노가 계속되면 당신은 어려움에 처할 것이다. 그러나 상대방이 스스로 분노를 극복한다면 당신은 그 사람이 항상 원했던 것을 얻도록 도와줄 수 있다.

최악의 경우에는 당신이 무슨 말을 하더라도 그 틈새를 완전히 메우기는 힘들다. 그 사람이 자신의 증오심을 극복하지 못하는 것이다. 만약 이런 일이 좋아하는 사람과의 사이에서 발생한다면 당신은 틀림없이 충격을 받고 오랫동안 스스로를 비관하게 될 것이다. 물론 어떤 수준까지는 계속 다정하게 지낼 수 있다. 그러나 그 사람이 당신을 받아들이지 못함으로써 그와의 관계는 한계가 있을 것이다.

7. 비즈니스에선 일단 자기 자신을 억제하라. 그러나 자신에게 가치 있는 특성들을 희생시키지는 말아라.

당신이 사업 친구나 상사와의 관계에서 불가피하게 전령 역할을 해야 된다면, 살아남기 위해서라도 당신의 그런 모습을 겉으로 드러내지 않도록 노력해야 한다. 그러나 당신이 이런 일을 하고 있음을 언제나 잊지 말고, 굳이 그럴 필요가 없다고 판단될 때는 감정을 억제하지 마라.

다른 사람들을 당황하게 만들지 않기 위해 자신의 감정을 억제하는 것은 매우 흔한 버릇이다. 그러나 스스로에게는 이런 일을 하지 마라. 어떤 사람들이 동의하지 않거나 그것 때문에 당황한다고 해서 당신에게 가치 있는 특성을 결코 희생시키지 않도록 조심하라. 당신은 자신의 행동을 스스로의 윤리기준에 따르도록 해야 한다.

4,

관계에서
자아
보존하기

m. Can l go for ... e?
Turn back, dull ... out
te climbs the wall, and leaps down within it.

로미오 찾기 · 이아고의 유독성
데스데모나의 환상

자신을 비참하게
만드는 관계를 청산하라

우리는 어느 순간, 사람들과의 관계에서 불균형을 느낄 때가 있다. 스스로를 분명히 규정하며, 남의 감정을 충분히 배려하고, 분별 있게 행동하는 사람들도 어느 날 문득 어떤 특별한 관계가 자신을 완전히 고갈시키고 상대방에게 유리한 쪽으로 기울고 있음을 깨닫게 되는 경우가 있는 것이다. 이는 상대방을 기쁘게 하려다 결국 '자아'를 상실하게 됨으로써 빚어지는 일이다.

이런 불균형은 관계가 처음 시작되는 때부터 존재할 수 있다. 애초부터 그 관계를 선택한 이유가 그릇된 것일 때는 특히 더 그렇다. 당신은 처음에 단순히 연인이나 친구가 겉으로 좋아 보이거나, 그런 애인을 손에 넣은 것 때문에 다른 사람들이 자신을 존경하거나 부러워할 것이라고 생각했을 수도 있다. 또 실제로 그들이 그런 반응을 보일 수도 있다. 그러나 그것은 관계가 깨지면 아무런 도움도 되지 못한다.

자신이 선택한 사람이 해가 된다는 것을 처음부터 인식하는 사람은 거의 없다. 게다가 당신이 선택한 사람은 대부분 매우 오랫동안 알고 지낸 사이이기 때문에 누가 누구를 선택했는가의 문제는 오래 전에 무의미해졌을 수도 있다. 지금 당신은 상습적인 불평가, 시기심 많은 친구, 혹은 자기도취자의 역할을 떠맡고 있는 자신을 발견하게 된다.

당신의 삶에서 유해한 사람이 연인이라면, 그 또는 그녀는 항상 잘못한 것만을 찾아낼 것이다. 그러면 당신은 그 사람의 사랑을 획득하기 위해, 상대를 실망시킬까봐 끊임없이 '변화'를 모색하고 있는 자신을 발견할 것이다.

관계불균형은 다양한 모습으로 다가온다. 당신이 그것을 그냥 넘겨버리거나 조율하지 않으면 관계는 더 악화되기 쉽다. 아무리 완벽한 사람이더라도 다른 사람과의 관계에서 어느 정도 자아의식을 잃는 것은 막을 수 없다. 사실 매우 감정이입적인 사람이 자아의식을 잃어버릴 가능성은 특히 높다.

그러나 감정이입적인 사람이 된다는 이유로 잘 속는 사람이 되어서는 안 된다. 관계에서 자신의 기준을 정하는 것은 윤리적이며 도덕적인 기준을 정하는 것만큼 중요하다.

자립적인 사람으로서 당신은 다정하면서도 한편으로는 확고한 관계조율을 해야 할 필요가 있다. 관계에서 당신의 자아의식을 보존하는 것은 다른 사람을 이용하지 않음을 의미한다. 그것은 또한 당신 자신이 어떤 식으로든 들볶이는 것을 허락하지 않는다는 것을 의미한다.

어떤 관계에서든 애정은 서로 주고받는 것이어야 한다. 다시 말해 자립이란, 될 수 있는 한 자유롭게 사람들과 함께하는 것을 뜻하는 것이다.

일생 동안 갖게 될 사람들과의 관계에서 자아의식을 보존하려면 당신은 적극적으로 많은 관계들을 고쳐나가야 한다. 그들과의 경험이 성취감을 고취시키고 자기향상적이기 때문에 더 가까이 끌어당기고 싶은 사람들이 있는 것처럼, 반대로 좀 멀리하고자 하는 사람들도 있게 마련이다.

삶에서 중요하지 않은 사람들을 포함한 모든 친구들과 지인들이 스타디움에 모여 있다고 가정해보자. 당신에게 가장 소중한 사람들은 맨 앞줄에 앉아 당신의 삶을 눈여겨보며, 관여하기도 할 것이다. 반면에 조금 떨어진 자리, 즉 스타디움의 가장 자리에 앉아 있는 사람들도 있다.

이처럼 당신은 '여러 층의 친구들' 을 가지고 있다. 때문에 일생 동안 친구들의 자리를 조금씩 이동시켜야 하며, 어떤 친구들은 당신 삶의 스타디움에서 아예 배제시키는 것이 필요하기도 할 것이다.

당신은 관계에서 자아의식을 보존하기 위해 이런 일을 꼭 해야만 한다. 가까운 사람을 삶 밖으로 내쫓아야만 하는 경우, 때때로 당신의 마음은 아프기 짝이 없을 것이다. 그러나 인간관계의 균형을 위해서 그것은 꼭 필요하다.

　관계에서 이런 식으로 균형을 유지하는 데 성공하기 위해서는 다음과 같은 두 단계가 요구된다. 첫번째 단계는 처음부터 균형 있게 '시작'하는 것이다. 이것은 그들과 함께 시간과 감정을 소비해야 할 사람이 바로 당신이기 때문에, 당신만이 친구와 연인을 선택할 권리와 의무를 가지고 있음을 의미한다.

　두번째 단계는 균형을 '유지'하는 것이다. 자신의 삶에 계속 남아 있을 사람들과 쌓아갈 친밀감의 결정이 당신의 권리임을 지속적으로 인식하고 있는 한, 관계에서 자유로울 수 있다.

　친구들과 연인을 선택할 때 그들이 당신의 삶에서 필수품이 아니고 사치품, 즉 부가물 임을 깨닫는 것이 중요하다. 그들은 당신에게 이미 형성되어 있는 인품을 한 단계 높이는 존재여야 한다. 어떤 식으로든 당신으로부터 무언가를 빼앗아가서는 안 된다. 그들 때문에 가난이 아닌, 풍요를 느껴야 하는 것이 이상적이다.

　당신 스스로 선택한 이런 사람들은 함께 있을 때 매우 자연스러운 분위기를 만들어낸다. 당신은 그들로부터 무엇인가를 배워 자신을 고쳐나갈 수 있지만, 결코 인정을 받기 위해 근본적인 정체성을 변화시켜서는 안 된다. 당신은 이미 다른 사람들의 무의식과 친근하게 지내는 법을 배웠으니 그들이 당신과 친근하게 지내기를 기대할 권리를 가지게 됐다.

사람들의 있는 그대로의 모습을 즐기는 법을 배웠다면, 다른 사람들이 당신을 동등한 방식으로 존경해줄 것을 요구할 권리를 갖게 된다.

자립적인 당신의 주요 관심은 다른 사람들의 좋은 의견을 얻는 것이 아니고 자신의 중심을 지키는 것이어야 한다. 당신은 자신의 이해관계와 필요, 욕구 등에 기초해서 친구들과 연인을 선택해야 한다. 다른 사람들을 행복하게 하거나, 당신을 좋게 생각하도록 만들기 위해 친구와 연인을 선택해서는 안 된다.

친구들과 연인은 남들에게 자랑할 소유물이 아니다. 그들이 당신을 행복하게 해주지만 다른 사람들의 기대에 미치지 못한다고 해서 그들을 부끄럽게 생각해서는 안 된다. 자신에게 평생 동안 헌신해줄 것을 요구할 권리를 가진 사람은 아무도 없다.

당신은 또한 어떤 사람과 얼마나 가깝게 지내야 하는지를 결정할 권리를 갖고 있다. 관계에서 자신의 자아의식을 보호할 수 있는 사람은 결코 다른 사람을 위해 자신을 엉망으로 만들지 않는다. 누구도 다른 사람에게 책략을 사용할 권리를 갖고 있지 않다는 점을 분명히 알고 있는 것이다. 예를 들면 당신을 강제로 변화시키기 위해 사랑을 유보시킬 권리를 가진 사람은 없다. 또한 어떤 사람도 당신에게 항상 나쁜 소식을 전하거나, 계속해서 불평하거나, 당신을 무시하며 부정적인 영향을 미치는 존재로 계속 남아 있을 권리는 없다.

삶에 부정적인 영향을 미치는 사람의 횡포를 참아내는 것은 결코 의무가 아니다. 때문에 어떤 사람이, 즉 연인이나 친구가 당신을 끊임없이 비참하게 만들 때는 그 원인을 확인하는 것이 중요하다.

예를 든다면, 언제나 비극에 대해 말하는 사람은 당신에게 공포감을 유발시킬 것이고 자랑만 하는 사람은 당신의 가치를 의심하게 만들 것이다. 당신이 더 나아진 모습을 가질 때 더 좋아할 것이라고 조건을 내거는 연인은 끊임없는 불안을 유발시킬 것이다. 당신은 이러한 불안을 확인해서 그것을 사랑의 설렘과 구별할 줄 알아야 한다.

만약 당신이 관계에서 균형을 유지할 수 있는 사람이라면, 아마무엇인가 잘못돼 가고 있는 초기에 고통 없이 사람들과 대적하는 방법을 배웠을 것이다.

마음의 상처를 확인하자마자 곧바로 그에 대해 친구에게 말하는 것이 마음속에 분노를 쌓아두는 것보다 더 낫다는 것을 우리는 이미 알고 있다. 우리는 우리를 학대하는 친구나 연인과 맞서는데 필요한 용기를 갖고 있다. 당신은 마냥 사색에 빠지거나 두려워하는 사람이 아니다. 스스로 결정하는 에너지를 갖고 있다.

관계를 효과적으로 만들기 위해서는 삶과 싸우려는 의지와 다른 사람들에 대한 믿음이 두루 필요하다. 당신 자신을 신뢰하고 자신의 생득적 가치를 믿는 것이 필요한 것이다.

다른 극작가들처럼 셰익스피어도 관계의 불균형을 희곡의 주제로 즐겨 사용했다. 그것은 내용 전개에 꼭 필요한 갈등에 매우 알맞은 주제였다. 그의 비극들에서 이런 불균형은 큰 불행을 초래하지만 몇몇 희곡들에서 그 불균형은 바로잡히고, 관객들은 관계를 통제할 수 없게 그냥 내버려두면 어떻게 되는지를 배우게 된다.

〈말괄량이 길들이기 The Taming of the Shrew〉와 〈끝이 좋으면 다 좋아 All's Well That Ends Well〉같은 희곡들에서 그 불균형은 완벽하게 고쳐지지 않는 대신 제도화된다.

여성차별주의적인 작품 〈말괄량이 길들이기〉에서 여주인공 카타리나는 스스로 자신의 기백을 꺾는다. 그녀는 페트루키오와 결혼한 후 그의 난폭함에 굴복해 결국 그가 자신을 길들이고 지배하는 것을 허락한다.

〈끝이 좋으면 다 좋아〉에서 여주인공 헬레나는 한 남자와 결혼하기 위해 가능한 모든 일을 시도해본다. 작품의 끝에서 그 남자는 그녀의 청혼을 받아들이고 그녀를 사랑한다고 말하지만, 우리는 그녀가 비싼 대가를 지불하고 그를 얻게 되었다는 생각을 떨쳐버릴 수 없다.

이제 셰익스피어의 몇몇 등장인물들을 살펴볼 것인데, 이 중에는 가장 많은 학대를 받은 사람과 가장 많은 학대를 가한 사람이 있을 것이다. 이를 통해 당신은 인간관계가 어떻게 엉망진창으로 왜곡될 수 있으며, 그것을 정상으로 되돌리기 위해서는 무엇을 해야 하는가를 이해하게 될 것이다.

12

남들의 눈이 아니라 당신의 마음으로 사랑을 선택하라

로미오 찾기

내 친구의 누이동생은 대학에 다닐 때 깊은 사랑에 빠졌었다. 그
녀와 그녀의 남자친구는 한때 결혼까지 생각했지만 시간이 지나면
서 그녀는 자신이 활동하는 그룹의 친구들이 자신의 남자친구에
대해 좋은 인상을 갖지 않고 있다는 것을 의식하기 시작했다. 남자
친구는 부유하지 않고 게다가 장래성 있는 사람이 아니었다. 사실
그녀도 남들이 부러워할 만한 남자를 원했기 때문에 결국 남자친
구는 그녀의 요구를 충족시킬 수 없었고 어쩔 수 없이 헤어져야만
했다.

그녀는 얼마 동안 고통스러웠지만 자신은 아직 젊고 선택할 수
있는 남자들이 많다고 스스로를 위로했다. 그녀의 가정은 사회적
으로 좋은 연줄을 갖고 있었다. 연중 계속되는 휴일 축제에서 그

녀는 괜찮은 남자들을 많이 만날 수 있었다.

졸업 직후 그녀는 흔히 말하는 장래가 촉망되는 사람, 살찌는 것 외에는 걱정할 거리가 없는 법과대학원생을 사귀기 시작했다. 그는 모든 사람들(부모와 친구들)의 요구조건에 잘 들어맞았으며 두 사람 모두 서로에게 마음이 끌리고 있었다. 그녀는 여성이 보석을 고를 때 그 보석을 얼마나 좋아하는가에 의해서가 아니라 겉모양을 보고 고르듯이 자신의 짝을 선택했다. 이 사내는 값이 나가 보였다. 그러나 그녀는 결국 둘 사이에 아무것도(모든 여자들이 동경하는 눈에 보이지 않는 불가사의한 신비감 같은 것) 존재하지 않음을 알았다. 그들은 지루함을 이겨내지 못하고 헤어졌다.

다음에는 유순하면서도 매우 멋지게 생긴 난봉꾼이 등장했다. 내 친구의 누이동생은 아직 20대 후반이었지만 이 남자는 그가 컨트리클럽에서 나이든 부유한 미망인에게 접근했던 식으로 그녀를 점찍었다. 내 친구들 중 한 사람은 그녀의 부모님이 주최한 파티에서 그가 손님들의 코트 상표를 살피는 모습을 목격하기도 했다. 그는 이런 식으로 파티에 참석한 사람들의 수준을 평가하고 있었던 것이다. 그러나 그녀는 주위 사람들이 그 남자 때문에 자신을 부러워한다고 생각했다. 그녀는 그 관계를 남들의 눈을 통해, 또는 적어도 그녀가 남들의 눈이라고 생각하는 것을 통해 바라보고 있었다. 하지만 얼마 지나지 않아 난봉꾼은 아무런 예고도 없이 그녀를 내팽개쳐버렸다. 아마 그는 그녀의 재력을 조사한 후 그녀가 자신의 목표에 이르지 못한다고 판단했을 것이다.

그녀는 다른 남자들과 데이트를 했다. 어떤 남자가 자신을 사랑하더라도 자신의 사회적 신분에 맞지 않는다면, 그의 장래성이나 겉모습이 남들이 감탄할 만한 것이 아니면 그녀는 자신의 감정에 브레이크를 걸었다.

서른다섯 살이 되자 그녀는 체념을 한 상태에서 당시 성공적으로 경력을 쌓아가고 있던 그 법과대학원생과 다시 사귀기 시작했다. 내가 마지막으로 그녀의 오빠를 만났을 때, 그는 그녀의 결혼 날짜가 정해졌다고 말했다. 그녀는 자신이 받은 큰 다이아몬드를 자랑하면서도 그 결혼에 관해 생각할 때마다 가슴 아프게 운다고 전했다. 그녀는 자신이 약혼자를 사랑하지 않음을 알고 있었다. 심지어 그를 좋아하지도 않았다. 그러나 그 결혼은 겉보기에 그럴 듯했다.

그녀는 지금 결혼을 했기 때문에 더 이상 로미오를 찾는 꿈을 꾸지는 않겠지만 나는 이렇게 생각한다.

그녀는 너무 지나치게 남의 눈을 통해 세상을 보려는 실수를 범했다.

많은 사람들 중 단 한 사람

셰익스피어는 항상 이 실수를, 사랑을 깨뜨리는 극단적인 것으로 간주했다. 그는 다른 사람들을 기쁘게 하기 위해 결혼해야 한다는 압력을 느끼는 많은 등장인물들, 특히 여성들을 그려냈다. 국외자들에게 그 결혼은 완벽한 결합인 것처럼 보이지만, 그녀가 그 남자와 진심으로 결혼하기를 원하는 것은 아니다.

그러나 내 친구의 누이동생과 달리 셰익스피어의 여자주인공들은 총명하게도 자신들이 진심으로 원하는 것이 무엇인지를 알며, 남들에게 좋게 보이기 위해 마음에 없는 사람을 선택하는 일에 대해서는 완강하게 저항했다. 그들은 삶과 중요한 일에서 결코 자신들의 중심을 포기하지 않았다.

〈한 여름밤의 꿈 *A Midsummer Night's Dream*〉에서 여주인공인 헤르미아*Hermia*는 이렇게 말한다.

아! 끔찍해라. 남의 눈으로 애인을 선택하다니!

그리고 〈뜻대로 하세요 *As You Like It*〉에서 한 젊은이가 절망적으로 말한다.

하지만 남의 눈을 통해 행복을 본다는 것이
얼마나 가슴 아픈 일이겠소!

로미오를 찾는 일은 병참술보다는 당신의 판단력을 날카롭게 하는 일과 더 관계가 깊다. 그러면 틀림없이 로미오를 만날 것이다. 대부분의 여성들은 실제로 일생에 한 번 이상 자신의 로미오를 만난다. 그러나 그들이 아직도 로미오를 찾는 이유는 로미오가 나타 났을 때 그를 제때 알아보지 못했기 때문이다.

대부분의 여성들은 친구를 통해, 취미를 통해, 직장에서, 혹은 다양한 우연일치에 의해 많은 남자들을 만난다. 로미오를 찾는 데 가장 중요한 것은 당신이 만날 수 있는 많은 남자들 가운데에서 그를 골라내는(그가 어떤 사람인가를 알아내고 당신의 그 지식을 신뢰 하는) 기술이다.

이것이 어떤 식으로든 당신이 '정착' 해야 함을 의미하는 것은 아니다. 만약 당신이 어떤 특별한 기준을 가지고 있다면, 반드시 그것을 확인하라. 필요하다면 적어놓아라. 이것은 관계를 다루는 대부분의 책들이 당신에게 요구하는 사항이다.

로미오를 만났다. 무엇을 할 것인가?

나는 상담을 하면서 한 가지 흥미로운 현상을 발견할 수 있었 다. 많은 여성 내담자들은 결혼해서 수년간 행복하게 살고 있는 중년부부들을 유심히 관찰하고 있다고 말했다. 그리고 믿을 수 없 을 정도로 서로 잘 어울리는 부부들을 보고 놀라면서 "내가 젊었 을 때 저런 남자 정도는 거들떠보지도 않았었는데."라고 말하는 것이다. 그 남자들은 대개 자수성가한 사람들이었다.

그들이 이제 와서 그렇게 말하는 이유는 "나는 그가 저렇게 대단한 존재가 되리라고는 꿈도 꾸지 못했다."에서 "젊었을 때의 그는 내가 좋아하는 유형이 아니었지만 지금은 매우 매력적으로 보인다." 에 이르기까지 다양하다. 혹은 "그는 여전히 내가 좋아하는 유형이 아니다. 그러나 이제 더 이상 내가 어떤 유형을 좋아하는지 모르겠다. 나는 이 남자에게서 매우 매력적인 무엇인가를 발견한다." 라고 말하는 여성도 있다.

마치 그들이 부러워하는 부인들은 젊었을 때 자신에게 알맞는 남자를 선택하도록 도와주는 자동유도장치를 가지고 있었던 것처럼 보인다. 그러나 그녀들의 비법은 함께하기에는 도저히 불가능할 것 같은 다음의 두 가지 목표를 결합하는 방법을 일찍 배운 것뿐이었다.

- 정착하지 않기
- 남들이 생각하고 있는 것을 기초로 결정하기보다 자기 자신의 판단을 신뢰하기

사랑은 '불가사의한 느낌' 그 자체다

내 친구의 누이동생 이야기를 지금까지 알려진 셰익스피어 작품 중 가장 위대한 사람 이야기인 〈로미오와 줄리엣 *Romeo and Juliet*〉에 대조시켜 보자.

14세기 이탈리아 베로나Verona에는 실제로 로미오와 줄리엣이라는 이름을 가진 두 남녀가 살고 있었다. 그들 각자의 집안인 몬타규Montaques 가문과 캐플릿Capulets 가문은 서로에게 큰 적의를 품고 있었다. 이 때문에 그들이 광장에서 만나면 끊임없는 야유와 싸움이 발생했다. 이 뿌리 깊은 원한은 이따금 죽음을 초래하기도 했다. 상대 가문의 구성원과 친구가 되는 것도 금기사항이었다. 그래서 로미오와 몬타규 가문의 친구들이 캐플릿 가문이 주최한 가장무도회에 숨어 들어가는 것은 매우 위험한 일이었다. 변장이 발각되면 그들은 큰 어려움에 처할 것이 분명했다.

캐플릿 집안의 줄리엣은 그때 열네 살이었으며 이미 패리스Paris백작과 약혼한 상태였다. 그녀는 이 잘생기고 조건 좋은 젊은이와 결혼하라는 압력을 받고 있지만 자동유도장치는 패리스 백작이 그녀에게 어울리는 사람이 아니라고 말하고 있었다. 그녀는 그를 사랑하지 않았으며, 그가 그녀를 사랑하는지도 확실하지 않았다. 그러나 이것이 그 당시 결혼의 양상이었다.

로미오가 무도회에서 줄리엣에게 말을 걸었을 때 그들은 가면을 쓰고 있었기 때문에 서로를 제대로 볼 수 없었다. 그러나 두 사람 모두 첫눈에 사랑에 빠지고 말았다.

그 후 가까운 사람들의 어떤 압력도 그녀의 마음을 바꾸거나 미혹시킬 수 없었다. 줄리엣은 비록 어렸지만 자신이 무엇을 원하는지 명확하게 알고 있었다. 물론 그녀의 부모 입장에서 보면 몬타규 가문 출신인 로미오는 최악의 선택이었다. 반면 패리스 백작과 결혼하면 줄리엣은 편안하게 살 수 있을 것이다. 당시 부모가 원하는 사람과 결혼해야 하는 줄리엣 같은 신분의 여성들은 존경과 많은 지참금을 받았으며, 아무런 어려움 없이 상류계급의 생활을 했다. 그러나 다른 사람의 어떤 걱정도 줄리엣의 진실한 마음을 빼앗을 수는 없었다.

셰익스피어는 감히 사랑을 설명하려고 하지 않는다. 그러나 그는 사랑의 복잡하고 불가해한 특성을 의심하지 않았다. 사랑을 느낄 때는, 우리가 그것에 따라 행동하기로 결심했든 안 했든 간에 적어도 그것을 부인해서는 안 된다고 생각한 것이다. 그는 끊임없이 사랑이 눈 속에 있는 것인지 아니면 마음속에 있는 것인지에 관해 질문했다. 그는 사랑이 감각을 초월할 수 있다고 믿었다. 다른 곳에서 셰익스피어의 한 여인은 다음과 같이 말한다.

눈은 없고 귀만 가졌다 해도 제 귀는
눈에 보이지 않는 그 내적 미를 사랑할 것입니다.
혹은 귀머거리라 할지라도 당신의 외부기관들이
제 기관들은 느끼게 만들 것입니다.
눈과 귀가 없어 보고 듣지 못한다 할지라도…
당신을 향한 사랑은 언제나 변함없으리.

로미오와 줄리엣은 즉시 사랑에 빠진다. 그것은 두 사람 모두에게 저항할 수도 만질 수도 없는 불가해한 경험이었다. 그리고 그것이 사랑의 진정한 속성이다.

셰익스피어는 "사랑하는 사람은 누구나 첫눈에 사랑에 빠지는 것이 아닌가?"라고 적었다.

줄리엣은 로미오에 대한 자신의 감정을 즉시 깨달았다. 그가 자신과 어울리지 않는 가문 출신이라는 사실은 전혀 방해가 되지 않았다.

로미오가 결투에서 사람을 죽여 추방령을 받았을 때 두 사람은 함께 도망갈 방법을 모색했다. 그러나 그들이 감당하기에는 두 거대한 가문, 즉 몬타규 가와 캐플릿 가의 힘이 너무도 크고 벅찬 것이었다. 불운과 두 가문의 잔인성이 겹쳐져 로미오와 줄리엣은 무너지고 만다.

줄리엣과 그녀의 연인 로미오의 이야기만큼
불행한 이야기가 이 세상에 어디 있겠소?

줄리엣은 그녀가 아는 모든 사람들의 눈에 어울리지 않는 사람을 선택할 만큼 제정신이 아니었던 것일까? 그것은 당신이 결정할 문제다.

당신은 줄리엣이 아니다

연극의 무대가 되고 있는 시대와 그로부터 한두 세기가 지난 세익스피어 시대에는 결혼과 관련해 사회의 규범을 따르지 않으면 잔인한 처벌을 받거나 추방당하는 경우가 종종 있었다. 여성들이 부모의 소망에 복종하지 않을 때, 그들은 남은 생애 동안 수녀원에서 감금상태로 지내야 했다. 그러나 줄리엣은 어떤 식으로든 자신의 마음을 따랐다.

물론 오늘날에는 부모나 친구들이 어떤 특별한 사람을 연인이나 배우자로 선택하도록 강요할 수 없다. 상속권을 박탈당할 위험을 피하기 위해 당신이 기꺼이 복종하는 경우를 제외하곤 누구도 무조건 강요할 수 없다. 더군다나 자식들과 오랫동안 의절하려는 부모도 거의 없다. 당신의 선택에 반대하는 부모나 친구도 당신만 행복하다면 결국 그것을 받아들일 것이다.

그러므로 오늘날 우리들이 겪는 구속은 자신이 만들어내는 것이지만 수백만 명의 젊은 남녀들이 스스로를 구속하는 기준은 몬타규 가나 캐플릿 가에 의한 것 못지않게 매우 혹독하다. 다른 사람들로부터 자신의 연인을 인정받기 위해 연인에 대해 스스로 만들어놓은 요구사항들이 그 예다.

당신은 서로 사랑할 수 있는 사랑하는 남편을 원하는가, 아니면 다른 사람들이 부러워할 만한 남편을 원하는가? 로미오를 위해 모든 것을 포기했던 줄리엣과 다른 사람들의 의견에 따라 일생의 반려자를 선택하는 근대의 줄리엣 중 누가 더 망상에 사로잡혀 있다고 생각하는가?

당신의 로미오 찾기가 남들의 의견에 좌지우지 될 때, 당신은 자신의 삶을 망가뜨리게 된다.

기준은 당신 자신의 것이어야만 한다

나는 나이(남자들의 나이는 여자들과 같거나 5살쯤 많은 사이에 위치해야 한다) 때문에, 배가 나왔기 때문에, 주말마다 자전거를 타거나 골프를 치지 않기 때문에, 건강 다이어트에 관심이 없거나 친구들의 남편만큼 많은 돈을 벌지 못하기 때문에 남자와 헤어진 여성들을 많이 알고 있다.

문제는 그런 기준 자체가 아니라 그 기준이 당신 자신의 기준이냐다. 당신이 잘 살고 있다는 이유로 로미오 또한 잘 살아야 한다고 생각하는가? 단지 당신이 가정의 경제를 책임지고 있다는 사실을 친구들이 알게 될까봐 난처해하고 있는가? 다이어트에 열중하고 있기 때문에 햄버거를 좋아하는 남자를 거부하는가? 아니면 친구들이 당신의 남자친구를 단정치 못하거나 낮은 계층의 사람으로 볼까봐 두려운가?

가장 사소한 것일지라도 자신만의 요구사항들이 진정으로 당신 자신의 것임을 확실히 하라.

당신의 배우자가 자식이 있어야겠다고 요구하는 경우를 가정해보자. 이때 당신도 진실로 자식을 원한다면 아무런 문제가 없다. 그러나 자식을 갖지 않을 경우 다른 친구들에게 뒤떨어지는 느낌이 들 것 같다는 이유로 당신이 자식을 원한다면, 배우자의 마음을 바꾸게 하는 편이 좋을 것이다.

당신이 충실해야만 하는 기준은 진정으로 당신 자신의 것이어야 한다. 그 사람이 일부일처제를 준수하거나 훌륭한 의사전달자여야 한다는 것은 당신에게 중요하다. 그것은 매순간 당신의 삶에 영향을 미칠 기준이기 때문이다.

당신이 받아들일 필요가 있는 유일한 기준도 당신의 행복에 직접적으로 영향을 끼치는 것들이다.

선호성은 어디에서 비롯되는가? 마음 or 두뇌?

나는 30대 변호사였던 내담자를 기억한다. 그의 첫번째 아내는 그가 다니는 법률회사에서 성공한 동업자들의 부인들과 비슷해보였다. 그녀는 사교적이고 활기차며, 날씬하고 멋진 여자였다. 그는 그런 그녀를 꼼짝 못하게 했다. 끊임없이 그녀의 식습관을 감시하면서 다른 동업자들의 부인들만큼 날씬한 몸매를 유지해야 한다고 주장했다. 그녀 또한 조용한 교외에서 '고급스러운 삶'을 살아가는 일이 즐거웠기 때문에 그의 뜻에 기꺼이 순응했다.

그러나 결혼 6년 후 그는 다른 여자와 연애를 하기 시작했다. 그녀는 그의 회사가 있는 뉴욕에서 살고 있었다. 그가 법률회사에서 승진할 수 있었던 것은 첫번째 부인의 사교적인 매력과 호감 덕분이 컸지만, 그는 그녀와 이혼하고 뉴욕의 여자와 재혼했다. 그리고 4년 후 마찬가지로 새로운 아내를 교외로 데려왔으며, 그녀의 행동, 특히 식습관을 규제하면서 자신의 방식을 주입시키기 시작했다. 하지만 유감스럽게도 그녀는 첫번째 부인과는 달리 살이 찌는 타입이었다. 그래서 그는 그녀의 작은 실수도 몹시 비난하며, 다른 사람들이 부인을 둔 자신을 높이 보도록 그녀에게 엄격한 식이요법을 강요했다.

그러던 어느 날 그는 뉴욕 행 기차 안에서 굉장히 뚱뚱한 여자와 친해지게 되었다. 그래서 그가 상담을 하러 나를 만나러 왔을 때, 몹시 어려움에 처해 있었다. 그가 고백하길, 지금 만나는 뚱뚱한 여자와의 섹스보다 더 멋진 섹스는 이제껏 해본 적이 없다는 것이었다.

그는 눈물을 글썽이면서 자신의 성적 취향은 언제나 뚱뚱한 여성이었으며, 이 여자가 그에게는 첫번째 경험이었다고 말했다. 그는 계속해서 그녀의 꿈을 꾸었다. 그는 자신의 날씬한 두 부인과 언제나 성적으로 문제가 있었으며, 첫 부인과 마찬가지로 이번 부인에게도 성적 욕망을 느끼지 못하고 있다고 고백했다. 두 부인을 제외하고도 날씬한 여자들과 관계를 가졌지만 별로 재미를 느끼지 못했다고 했다.

지금까지 그는 오직 남들에게 얼마나 매력 있게 보이는가를 기준으로 여성을 선택했다. 그는 남들의 보는 눈을 위해 자신의 사랑을 가꾸었다. 하지만 이제 와서 그는 부인이 아무리 뚱뚱했더라도 자신이 회사에서 진급하는 데는 아무런 지장이 없었을 것이라고 말했다. 그는 남들이 자신을 멋진 여성을 쉽게 유혹할 수 있는 능력을 가진 남자로 부러워하게 만드는 일에만 열중하고 있었다. 그는 진심으로 원하는 것을 추구할 용기가 부족했기 때문에 스스로는 매력을 느끼지 못하는 여성들을 쫓아다니면서 살아왔던 것이다. 나는 그를 도와줄 수 없었다. 결국 그는 자신이 고백한 것 때문에 굴욕감을 느꼈는지 다시 나타나지 않았다. 그는 자신의 취향이 대부분의 사람들이 선호하는 것이 아니기 때문에 자기 자신을 혐오했다. 그러나 그는 자신이 경험한 유일한 성적 행복을 포기할 수 없었을 것이다. 아마도 그는 자신이 진정으로 원하는 것을 떳떳하게 받아들일 용기가 부족하기 때문에 남들의 눈을 속이면서 그 여자와의 연애를 계속했을 것이다.

남들이 어떻게 생각할 것인가에 대한 두려움 극복하기

나는 사람들이 자신의 진정한 욕구를 확인하거나, 혹은 배우자 선택 때문에 남들을 실망시키거나 남들로부터 멸시 당할지도 모를 두려움을 극복하고 싶어 할 때 그들을 도와줄 수 있다.

사랑하지 않는 사람과 함께 있을 때 세상 사람들의 모든 동의는 당신을 더 외롭게 만들 뿐임을 명심하라. 남들이 부러워하기 때문에 당신은 자신의 소위 '성공적인' 관계를 더욱 냉소적으로 바라보게 될 것이다. 반면에 당신과 잘 어울리는 사람과 함께 있다면 가장 냉혹한 공격마저도 당신의 행복을 앗아갈 수 없을 것이다.

오직 당신만이 자신이 얼마나 행복한지를 안다. 비판가들은 무력해서 당신을 해롭게 하지 못한다.

모든 연인이 반드시 대답해야 하는 것들

당신의 진정한 내적 기준, 즉 진정으로 당신의 것인 기준에 충실해라. 당신이 사랑에 빠졌다고 느낀다면 무엇보다도 먼저 다음의 두 가지 질문을 스스로에게 해봐라.

• 곁에 있는 사람은 당신이 스스로를 어떻게 느끼도록 만드는가? 머뭇거리지 말고 즉시 대답해야만 한다. 그 사람은 당신을 훌륭하고 매력적이며, 지적이고 친절한 사람이라고 느끼게 만들거나 반대로 무엇인가 중요한 것을 잃어버렸다고 느끼게 만들 것이다. 확실히 관계의 초기에는 그 사람이 당신을 어느 정도 이상적으로 여기는 것이 바람직하다. 하지만 당신이 그 사람의 줄리엣이라고 느끼지 못하고 그저 자신이 그와 어울릴 정도로 충

분히 젊은지, 충분히 아름다운지, 충분한 교육을 받았는지, 충분히 건강한지, 옷은 잘 입었는지 등을 염려한다면 시작을 잘못하고 있는 것이다.

그런 불안감은 진정한 사랑을 받지 못하고 있거나 그 사람에게 자신이 어울리지 않는다고 느끼고 있음을 나타낸다. 조심해라. 천천히 나아가라. 로미오는 그의 친구들에게 줄리엣이 너무 크거나 작지만 않으면 완벽할 것이라고 말하지 않았다.

• 이 사람은 나와 함께 발전할 수 있는가?

지금 당장은 아니더라도, 두번째 필요조건은 그 사람이 변하고 성장할 여지가 있다면 가까운 미래에 충족될 것이다. 햄버거가 당신에게 피해를 준다면 그는 서서히 그것을 멀리할 것이다. 그는 더 나은 직장을 갖기 위해 노력할 것이다. 당신이 그의 취미를 따르듯 그도 다양한 방식으로 당신의 관심사항들을 좋아할 것이다.

당신은 오랫동안 그와 함께할 것이며, 적어도 그럴 계획이다. 그렇다면 당신 자신도 배우고 변하고 성장할 것이다. 당신의 다른 사람, 자기 자신, 그리고 세계에 관한 많은 것들을 발견할 것이다. 관심사도 서서히 바뀔 것이다. 어떤 관계가 오랫동안 지속되기 위해서는 두 사람 모두 변하고 새로운 전망을 즐길 수 있는 능력을 가져야 한다.

새로운 관계서약은 '사랑하고, 존경하고, 함께 변하자'가 되어야 한다. 한 사람은 사고방식을 변화시키고자 하는데(예를 들면 학교에 다시 다니려 하거나 직업이나 취미를 바꾸려고 하는데) 다른 한 사람이 이런 변화를 받아들이고, 스스로를 발전시키려 하지 않을 때 결국 관계가 끊어지는 것을 나는 많이 봐왔다.

그렇다면 어떤 사람에게 발전할 능력이 있다는 것을 어떻게 알 수 있는가?

그것은 최근 몇 년 동안 얼마나 성장했는가에 의해, 즉 그가 새로운 아이디어, 새로운 취미, 자신의 잘못을 인정하는 행위, 새로운 사람을 만나 그와 관계를 맺는 일 등에 얼마나 개방적인가에 의해 부분적으로나마 알 수 있다. 또한 그가 당신의 말을 끝까지 잘 듣고 있는가, 당신의 새로운 아이디어와 당신의 감정을 얼마나 잘 받아들이고 있는가에 의해 알 수 있다.

계속해서 대화를 유지하고, 방어적인 행동을 하는 대신 자신의 진정한 감정을 표출할 수 있다면, 그 사람은 언제라도 발전할 수 있다.

무엇보다도 사랑이라는 특효약이 있다는 것을 명심하라

문제가 있는 부부가 내 사무실을 찾아왔을 때, 내가 처음 확인하는 것은 이 특효약의 존재 여부다. 나는 각자에게 묻는다. "그를 사랑합니까?", "그녀를 사랑합니까?" 두 사람 모두에게서 "예."라는 대답을 즉각 들으면 나는 일이 잘되어 갈 것을 확신한다. 지금은 그들 사이가 나쁘지만, 나는 얼마든지 두 부부를 도울 수 있다. 그러나 가끔 긍정적이지 못한 대답을 들을 때가 있다. 예를 들면 남자가 "글쎄, 사랑이 뭔지 정말 알 수 없군요."라고 말하든지, 여자가 "그가 …하기만 하면 그를 사랑할 텐데."라고 말하는 것이다. 그러면 나는 어려움이 많을 것으로 예상한다. 사랑이 없으면 아무리 하찮은 장애물도 큰 장벽이 된다. 진정한 사랑은 자신만이 느낄 수 있는 경험이다. 줄리엣 자신보다 그녀의 사랑을 더 잘 판단할 수 있는 사람이 누가 있겠는가?

단지 남들이 그를 알아보지 못한다고 해서 로미오를 놓치지 마라. 로미오를 찾아내는 일은 남들이 생각하는 것보다 훨씬 더 쉽다. 그를 알아보고, 당신의 눈을 통해 그를 보고, 당신의 판단을 신뢰하는 용기를 갖는 것, 그것이 가장 중요하다.

13

당신의 삶을 파괴하는 '이아고'를 찾아내라

이아고의 유독성

셰익스피어 작품의 가장 흥미로운 등장인물 중 하나는 〈오셀로〉의 제2주인공 이아고다.

이아고는 비록 주인공은 아니지만 셰익스피어의 등장인물 중 누구 못지않게 많이 연구되고 전문가들로부터 관심을 받아 분석되기도 했다. 그는 악한이었지만 리처드 3세나 셰익스피어의 다른 악역과 달리 행동의 동기가 명백하지 않았다. 이아고는 〈오셀로〉라는 비극에 없어서는 안 되는 인물이며 극을 전개시켜 나가는 인물이다. 그러나 배우나 관객 누구도 그가 그렇게 행동하는 이유를 결코 알지 못한다.

지난 수세기 동안 학자들은 이아고가 왜 남의 삶을 파괴하는 일에 그렇게 헌신적이었는지를 밝히기 위해 노력해 왔다.

파괴자, 이아고

연극이 시작되면 이아고는 이미 무대에 나와 있다. 그는 주요 등장인물 중 가장 먼저 말한다. 우리는 그가 오셀로의 신뢰하는 친구이며 기수임을 안다. 오셀로는 곧 사이프러스에 주둔해 있는 군대의 지휘관으로 임명된다. 청중들은 이아고와 오셀로가 오랫동안 함께 있었음을 알게 된다. 그들은 서로에 대해 많이 알고 있으며, 분명히 똑같은 경력을 가지고 있다. 오셀로는 이아고에게 의존하고, 그를 소중히 여기며, 종종 그를 "정직한 이아고"라고 부를 정도로 신뢰한다.

그러나 이아고는 오셀로의 우정과 신뢰에 보답하는 척하지만 실은 다른 목적을 가지고 있다. 처음부터 그는 셰익스피어의 매우 흥미로운 악한들이 했던 것처럼(그들은 관객을 막역한 친구로 생각하고 비밀을 털어 놓는다) 행동한다. 그리고 자신의 불온한 계획들을 처음부터 자세히 우리에게 알려준다.

어떤 의미에서 이것은 이아고의 관대한 배려다. 그는 청중들이 자신의 사악한 마음이 움직이는 과정을 관심 있게 지켜보도록 허락한다. 그리고 오셀로를 파괴하기로 결심했다고 우리들에게 말한다. 그는 자신이 선량한 사람들의 삶을 망칠 때마다 우리들이 그와 함께 이를 축하할 것이라고 굳게 믿고 있다.

우리가 이아고를 만났을 때 그는 이미 '1인 파괴대'로 활동하고 있었다. 오셀로는 젊은 신부 데스데모나와 성급한 비밀 결혼식을 했다. 오셀로가 데스데모나보다 너무 나이가 많은데다 무어인이어서 그녀의 아버지는 그 결합을 반대했다. 여기서 남을 통해 좋지 않은 일을 시키기 좋아하는 이아고는 제삼자를 보내 데스데모나의 아버지를 깨워서 그 연인들을 밀고하게 만든다. 이런 노력에도 불구하고 오셀로와 데스데모나는 서로 사랑을 확인한다. 여기서도 방해자인 이아고의 역할은 끝내 발각되지 않는다.

이런 형식은 그 연극이 끝날 때까지 반복된다. 이아고는 사람들을 파괴하기 위해 배후에서 활동하며 자신의 의도를 조심스럽게 숨긴다. 그의 가장 큰 목표는 오셀로에게 데스데모나가 부정(不貞)을 저지르고 있다고 확신시킴으로써 그의 삶을 망가뜨리는 것이다. 그는 증거를 조작하고, 오묘하고 뻔한 다양한 거짓말을 하고, 풍자를 하고, 미리 준비한 우연의 일치 등을 통해 오셀로의 판단을 그르치게 만든다.

그의 매우 터무니없는 행위마저도 결코 발각되지 않는다. 데스데모나가 죽고 비통함에 미친 오셀로가 막 자살하려는 연극의 끝부분에 가서야 비로소 이아고가 모든 악의 원인임이 밝혀진다. 자신도 모르는 사이에 그 음모에 이용당했던 이아고의 아내가 데스데모나를 함정에 빠뜨렸다는 결정적인 증거를 제시한 것이다.

연극은 오셀로와 데스데모나가 죽는 것으로 끝나지만 관객들은 여전히 이아고가 이런 결말을 원했던 정확한 이유를 이해하지 못한다.

무엇이 이아고를 배신하게 했는가?

이아고의 배신행위를 어떻게 설명해야 할까? 이에 대해 이아고는 다양한 이유들을 말한다. 그는 오셀로가 잘생긴데다 젊은 마이클 카시오*Michael Cassio*를 먼저 진급시켰기 때문에 미워한다고 말한다. 오셀로가 자신의 아내와 동침했다는 말도 하지만, 다른 곳에서는 이 사실을 믿지 않는다고 넌지시 내비친다. 또 그는 자신이 갖지 못한 것을 카시오가 갖고 있기 때문에 미워한다고 말한다.

그가 살아 있는 동안 나를 처량하게
만들 수 있는 일상적인 아름다움

이아고는 또한 다양한 사람들을 자신의 잔인한 음모에 가담시킨 이상 그들을 모두 죽여야 한다고 말한다. 그렇지 않으면 그 음모들이 발각될 수 있기 때문이다. 그러나 그 이유들은 서로 모순적이다. 또한 이아고 자신도 어느 것이 진짜 이유인지 확신하지 못하고 있는 듯하다. 그는 자기 자신과 우리들을 즐겁게 하기 위해 그런 이유들을 만들어내고 있는 것처럼 보이기까지 한다.

다양한 학자들은 이런 이유들 중 하나를 받아들였으며, 그들 또한 자신들이 나름대로 생각하는 이유들을 내놓았다. 18세기 말은 이아고 문제가 가장 활발하게 논의되었던 시기였다. 그때 시인이었던 사무엘 콜리지*Samuel Coleridge*는 이아고가 아무런 이유도 갖고 있지 않았다는 깜짝 놀랄 만한 주장을 했다. 그는 이아고의 억측들과 그 연극 전체를 '동기 없는 악의 추구'라고 묘사했다.

과거에 이 구절은 종종 인용되었지만, 근대 심리학에서는 동기 없는 행위는 있을 수 없다고 확신한다. 그래서 개인적으로 한 동기를 선택해야만 한다면, 우리는 아름다움 앞에서나 다른 사람들이 사랑으로 행복해 하는 것 때문에 자신을 혐오하게 된다는 이아고 자신의 진술을 고를 것이다. 그러나 셰익스피어의 위대함은 등장인물들에 관해 관객이 각자 결론을 내릴 수 있도록 자유를 허용하는 점에 있다. 당신도 당신만의 결론을 내릴 수 있다.

이아고는 양심 없는 완전한 잔인성으로 청중들에게 충격을 주는 것만큼이나 그만의 매력으로 우리를 즐겁게 해준다. 그는 재치 있고 쾌활하며 인간에 대한 많은 지식을 가지고 있다. 그가 악을 위해 여러 좋은 자질을 사용해도 주위 사람들은 이를 깨닫지 못하고 속아 넘어간다.

일상생활에서의 이아고들

이아고는 과장된 극중인물이지만, 셰익스피어는 실제 삶에서 그런 유형의 사람을 알고 있었음에 틀림없다. 그는 이아고의 본질을 단지 과장했을 뿐이다. 이아고는 부정적인 힘으로 쉬지 않고 천천히 사람들을 좀먹어가는 벌레다.

극 중에서 그는 두 사람을 죽게 만든다. 이에 반해 실제생활에서 부정적인 세력권을 창출해내는 사람들은 대부분 드러나지 않는 손상을 입힌다. 그들은 우리의 삶 배후에 숨어서 느리지만 확실하게 영향을 끼친다.

많은 사람들이 주위에서 맴돌고 있는 어떤 사람에 대해 특히 불편함을 느꼈던 경험을 해봤을 것이다. 그러나 그 사람의 부정성이 무엇으로 이루어져 있는지를 정확하게 지적하기는 어렵다.

어떤 친척을 만났을 때 우리는 왜 의기소침해지는가? 옛 친구를 만났을 때 일자리를 잃을 것 같다는 불안감을 느낀 적은 없는가? 어떤 이웃사람과 수다를 떤 후 배우자가 다른 사람에게 관심을 갖고 있다고 상상하게 된 적은 없는가?

이런 갑작스러운 의기소침이 직접적으로 친척이나 옛 친구, 이웃 때문이라고 비난하기는 어렵다. 그러나 잘 조사해보면 불안해하거나 일시적인 자기증오에 빠지기 전에 어떤 특정한 사람과 함께 있었음을 알게 될 것이다.

〈오셀로〉의 이아고는 일상생활에서 나타나는 온갖 부정적인 인물들을 대표한다. 근본적으로 심리학자였던 셰익스피어는 이런 사람들의 본질이 사실 매우 오묘해서 정확히 알 수 없다는 것을 알았다.

- 이아고들은 종종 다른 사람을 통해 작용한다.
- 그들은 비꼬거나 많은 더러운 일들을 당신이 보지 않는 곳에서

행한다.

- 그들은 오랫동안 당신과 함께했던 사람들이기 때문에 당신에게 충실해보일 수 있는 방법을 알고 있다. 언제 당신 삶의 이면 속으로 숨어들지 모르면서도 겉으로는 당신과 함께 하는 척한다.

- 당신을 소진시키는 원인이더라도 그들이 없는 삶은 생각하기 어렵다. 이아고처럼 그들은 자신을 어떤 식으로든 당신에게 없어서는 안 될 존재로 만든다. 혹은 그들이 가까운 가족이나 친척이기 때문에 당신이 그들을 결코 버리지 못할 것이라는 사실을 이용한다.

- 부정적인 사람들은 상대가 행복한 사람이면 누구든 상처를 입히고 싶어 하는 이아고적 욕구를 가지고 있다. 그러나 그들은 이런저런 이유로 당신의 삶에 계속 남아 있기를 원하기 때문에 이를 노골적으로 드러내지 않을 뿐이다.

- 어떤 목적도 없이 그냥 당신을 공격하는 사람들도 있다. 그러나 그들의 존재 자체가 독성을 갖기 때문에 당신은 그들과 함께 있으면 고통스럽다.

당신이 알고 있는 이아고들, 즉 교묘하게 부정적인 힘들은 당신에게 적대적인 사람들보다 훨씬 더 위험하다.

직장 생활을 하는 대부분의 사람들은 동료들 중 누가 자신의 자리를 유지하기 위해 배반행위를 할지 미리 알 수 있을 만큼 충분히 정치적이다. 당신의 남편이나 아내를 훔치려고 애쓰는 이웃이나 당신의 아이를 싫어하는 선생님을 쉽게 알아낼 수 있는 것이다. 당신은 이런 사람들을 기꺼이 적으로 간주하고 그들을 몰아내거나 유심히 관찰할 것이다. 그렇게 하면, 그들은 당신에게 위험한 존재가 되지 않을 것이다.

그러나 눈에 보이지 않는 이아고의 진정한 위험은 바로 당신 자신 속에 놓여 있다. 당신은 그 또는 그녀가 오랫동안 가까이 지낸 사람이기 때문에 멀리하기를 꺼린다. 아마 그 사람이 당신에게 얼마쯤 은혜를 베풀었거나, 당신이 그 사람에게 마음을 빼앗기고 있는지도 모른다. 그러나 그들은 당신이 도전하기를 두려워하는 어떤 영역으로부터 이익을 챙기고 있을지도 모른다.

삶에서 이아고 찾아내기

당신을 적대시하는 사람들을 찾아내는 일은 매우 쉽다. 적어도 그들은 친구인 것처럼 보이려고 애쓰지 않는다.

그러나 이아고는 실제로 자신을 당신의 친구라고 믿고 있을지도 모른다. 그리고 정말 그 사람과 당신은 가장 절친한 사이일 수도 있다. 아니면 당신은 부분적으로 그 사람에게 책임을 느끼기 때문에 함께 있을지도 모른다. 또 당신이 그 사람의 유일한 친구라고 생각하고 있을 수도 있다. 어쩌면 당신은 이아고가 다른 사람을 학대하기 때문에 남들이 그를 피하는 것을 목격한다. 하지만 당신은 자신에게 잘 해주는 유일한 사람이 바로 그라고 생각할 것이다.

그러나 모든 이아고와의 관계에서 당신의 무의식적인 마음은 의식적인 마음이 무시하려고 애쓰고 있는 것을 안다. 당신은 본능적으로 삶 속에 있는 이아고를 새로운 연인이나 상관에게 소개하기를 꺼린다. 만약 마음을 졸이면서도 어떤 식으로든 소개했다면, 얼마 후에 당신은 무엇인가 약간 잘못되어 가고 있음을 느끼게 된다. 상관이 당신을 냉정하게 대하거나, 당신의 연인이 평소와 달리 말이 없다.

그러나 당신은 이런 유형의 사람들과 헤어지고 난 다음에 기분이 나빴거나 장래에 관해 걱정했던 것을, 혹은 더 나이 들어 보이지 않을까 염려했던 것을 금방 잊어버린다. 그래서 또 다시 이들과 점심을 함께하려고 한다. 그러나 그런 사람이 어떤 집단의 일원이거나 파티에 초대되면 모든 행사들은 빛을 잃고 만다.

이처럼 이아고들은 당신을 타락시키는 영향력을 갖고 있다. 그런 영향력이 삶에서 당신이 그런 사람들을 원하는지 아닌지를 결정하는 중요한 기준이 되어야 한다. 이아고 유형의 친구가 떠난 뒤 당신은 스스로에 대한 기분이 나빠지고, 더 불안해질 것이다.

당신은 이런 기분을 무시하려고 애쓸 것이고, 곧 털고 일어나 삶을 재기함으로써 새로운 기분을 되찾을 수 있다. 그리고 매우 기꺼운 마음으로 그 경험을 무시해버릴 것이다. 당신에게 가해지는 어떤 손상도 스스로 다룰 수 있다고 느끼기 때문에 당신은 그 사람에게 함께 있도록 허락할 것이다.

그러나 실제로 이아고들은 당신에게 지속적으로 해를 끼치고, 끼칠 것이다.

'부정적인' 이아고

부정적인 사람들은 당신의 기운을 꺾는다. 그들은 함께하는 시간뿐만 아니라 당신이 혼자 있을 때조차도 사기를 저하시킨다. 당신 주위에 그런 사람이 있다면, 당신은 새로운 모험에 관해 무력감을 느껴 모험을 하거나 삶을 향상시키는 어떤 시도조차 하지 않으려고 할 것이다.

이아고 유형들은 당신의 모든 야망에 관해 '그게 무슨 소용이 있는가?'라는 의식을 심어준다. 그들은 당신으로 하여금 스스로를 불신하고, 기회를 포기하게 만든다. 당신의 삶에 유력한 이아고가 있다면 당신은 저도 모르게 '무관심한 태도'를 발달시키게 되고 결국 최악만을 믿게 될 것이다.

만약 그런 사람이 없었다면 삶이 지금 같은 모습을 하고 있지 않을 거라는 사실을 깨닫고 당신은 깜짝 놀랄 것이다.

이아고들이 삶 속에 깊이 뿌리내리기 전에 그들을 찾아내는 법을 배우는 것이 중요하다. 당신에게는 이들을 민감하게 인식하고 정확하게 지칭하는 용기가 필요하다.

어떤 사람이 이아고임을 확인한다면 그 사람이 가져올 많은 손상을 무력화시킬 수 있다. 이제 그 사람이 '무관심한 태도'를 확산시키려고 애쓰거나 완곡하게 비난할 때 당신은 그가 부정적인 행동을 하고 있음을 즉시 깨달을 수 있다.

대부분의 사람들은 선천적으로 부정적이다. 당신이 사랑에 빠져 있다고 말하면 그들은 무엇인가 경멸적인 이야기를 한다. 당신이 좋은 일자리를 얻었다고 발표하면 그들은 오래 못 가거나 그 일이 훌륭하지 않다고 넌지시 내비친다. 당신이 자신의 삶에 관한 희망을 밝히면 그들은 그것들이 꿈같은 계획이며 도저히 실현될 수 없다는 식으로 흠집을 낸다.

이런 사람들은 아무런 해도 끼치지 않는 단순한 비관주의자들이 아니다. 그들 중에는 진심으로 당신에게 최악의 상황이 닥치기를 바라는 사람들도 있다. 그들은 감히 "나는 당신이 실패하길 바란다. 당신이 즐거워하거나 성공하는 모습을 보면 화가 난다."라고 말하지 않는다. 오히려 그렇게 말한다면 당신은 그들을 무시할 수 있을 것이다. 그러나 그들은 단지 자신이 '현실적'일 뿐이라고 말하려고 애쓴다. 그들은 일이 잘못되었을 때 당신이 충격 받거나 실망하지 않도록 돕기 위해 노력하고 있음을 넌지시 암시한다.

대부분의 이아고들은 우리의 삶을 단지 약간 더 나쁘게 만들 뿐이다. 그들은 우리의 더 나은 삶에 먹구름을 드리우는 존재일 뿐이다. 그러나 심리적으로, 나아가서는 육체적으로 정말로 우리를 파괴시키려는 이아고들이 있다. 실제 삶에서 그런 사람들은 극적인 결과들을 만들어낸다. 나는 알코올 중독으로 죽어가는 오랜 친구에게 술을 마시도록 권유한 이아고를 알고 있다. 그가 친구의 죽음으로 어떤 물질적인 이익을 얻거나 그 친구에게 원한을 품고 있었기 때문에 그렇게 행동한 것은 아니었다. 이 사람은 동기 없는 사악한 이아고의 전형이었다.

아마도 당신은 자신이 어떤 형태로든 이아고라고 확신한 사람에게 공개적으로 별명을 붙이고 싶지는 않을 것이다. 그렇다면 마음속으로라도 반드시 그 사람이 이아고임을 되새기고 있어야 한다. 그 사람이 당신의 삶에서 매우 중요하다면 당신은 그 또는 그녀가 무슨 일을 하고 있고, 왜 그 사람이 그런 일을 그만두기를 원하는지에 대해 논의할 수 있어야 한다.

이와 반대로 당신의 삶에 존재하는 이아고가 매우 하찮은 존재이면서도 부정적인 영향을 끼치고 있다고 판단되는 경우가 있다. 이런 경우 당신은 그 또는 그녀를 버리게 될 것이다.

그러나 당신이 그 사람의 행동에 대적하기로 결정하든 않든 간에 그에 관해 당신이 내렸던 결론은 잊지 마라. 자기면역은 이아고들의 유독성에 대한 가장 효과적인 방어다.

'무관심한' 이아고

모든 이아고 중 부정적인 유형을 인지하기 위해서는 먼저 당신의 감정을 잘 살펴야 한다.

'무관심한' 이아고의 첫번째 단서는 무력감이다.

예를 들면 당신이 그 사람에게 흥분해서 새 동료가 굉장히 멋있다고, 혹은 당신이 사랑에 빠져 있다고, 혹은 휴가 떠나는 친구들이 함께 가자고 제의해왔다고, 혹은 임금이 인상되었다고 말했다고 치자. 이런 경우 당신은 갑자기 이 모든 것들이 어리석은 짓이라는 느낌을 갖게 된다. 마치 자신이 어리석은 소리를 지껄이고 있었던 것처럼 느끼면서 스스로를 미성숙한 바보처럼 여기게 된다. 당신을 몇 시간 또는 며칠 동안 흥분시켰던 것들이 이제 전혀 중요하지 않아 보인다.

당신은 그것들이 도대체 그 사람에게 말할 만한 가치가 있었던 일이었는지 의아해 한다. 그에게 부담감을 주었으므로 이제 조용히 해야겠다고 느낀다.

여기서 잊지 말아야 할 것은, 당신의 열정이 이 특별한 사람과의 상호작용을 통해 사라지고 말았다는 점이다. 그 또는 그녀와 대화를 한 후 흥분할 대상이 아무것도 남아 있지 않은 것처럼 보이게 된 것이다.

"내가 사랑에 빠진 게 어쨌다는 건가? 사람들은 누구나 날마다 사랑에 빠진다. 아마 이것도 오래가지 않을 거야."

"내가 새로운 동료에 관해 그렇게 흥분할 필요가 있었는가? 내가 그를 좋아하는 것이 뭐 그리 중요할까? 그에 대해 계속 지껄이는 것은 나를 우습게 보이도록 만들 뿐이다."

당신의 열정이 사라진 이유가 무엇인지 자문해봐라. 이아고적인 인물들이 무엇을 했는가?

첫째, 그는 당신의 흥분을 공유하지 않았다.

둘째, 그는 열광하는 당신이 순진하고 유치하다고 말하거나 그에 대해 넌지시 암시했다. 그것에 대해 곰곰이 생각해보아라. 그러면 그가 종종 당신으로 하여금 미성숙하고 너무 원기 왕성하다는 느낌을 갖게 만드는 것을 알게 될 것이다.

'무관심한' 유형 다루기

당신의 방식을 환영하는 사람들을 위해 원기 왕성한 순간을 비축해 두어라. 그들은 당신에 대해 진정으로 관심을 갖고 있는 사람들이다. 어떤 사람은 진정으로 당신 삶의 밝은 부분들을 좋아할 것이다. 진정한 친구는 당신이 즐거운 순간들을 기뻐할 수 있도록 도와줄 것이다.

왜 연애와 같은 가슴 설레는 일은 미리부터 잘못되리라고 생각하면서 시작해야 할까? 실패를 생각하기는 매우 쉽다. 그러나 실제로 당신이 실패할 운명일지라도, 어느 정도는 좋은 순간들이 있

기 마련이다. 적어도 당신은 당신의 이아고처럼 한평생을 냉소주
의자로 살아가지 않을 것이다.

- 성숙한 사람은 결코 흥분하지 않는다는 이아고의 암시를 받아
  들이지 마라.
- 최악의 상황에 대비하는 것이 더 낫다는 식으로 말하는 사람을
  막아라. 최악의 경우의 시나리오를 상상하면서 너무 많은 시간
  을 보내게 되면 당신의 삶은 망가지고 만다. 친구라면 당신의
  짐을 덜어주고, 용기를 주고, 승리를 기뻐하고, 그것이 잘되어
  가든 그렇지 않든 간에 당신의 포부를 격려해줘야 한다.
- 당신이 이 '무관심한' 사람과 계속 함께하기로 결심했다면, 그
  가 알고 싶지 않은 것을 굳이 말하려고 애쓰지 마라. 그가 어떤
  일에 감동받기를 싫어하는 사람임을 잊지 마라. 그의 부정성을
  받아들이면 당신이 많이 다치는 일은 없을 것이다.

당신은 그의 '무관심한' 태도를 지적할 권리를 갖고 있다. 그리
고 그를 자주 만나지 않는 게 좋을 것이다.

누구든지 어떤 일에 관해 "그래서 그게 어쨌다는 건가?"라고 말
할 수 있음을 기억하라. 바람직한 삶의 기술은 어떤 것들을 중요
하지 않게가 아니라 중요하게 만드는 것이다. 이런 이아고 유형은
당장 방어적인 조치를 취하지 않으면 평생 동안 당신의 삶을 조금
씩 침식해 나갈 것이다.

'자기도취'적인 이아고

이 유형의 이아고 또한 당신의 성취를 무시한다. 그들이 옆에 있을 때 당신은 자신을 자꾸 비하할 것이다. 그러나 그는 분명히 '무관심한' 사람은 아니다. 오히려 정반대다. 많은 것들이 그에게 매우 중요하다. 당신에 관한 문제는 이 '많은 것들'이 모두 이아고를 포함한다는 것이다.

당신이 직장에서 월급이 올랐다고 말하려 할 때 자기도취자는 자신이 진급후보에 올랐다고 말한다. 당신이 휴가계획에 관해 말하면 그도 즉시 자신의 계획을 말한다. 그가 당신 말을 듣지 않고 있다고 생각하고 싶을 테지만, 물론 그는 당신 말을 듣고 있다. 그 증거는 그가 즉각 당신의 주제를 채택하여 자신의 것으로 만든다는 사실이다.

당신이 어떤 문제 때문에 자기도취적인 이아고에게 전화를 하면 그는 그 문제에 관해 제대로 듣지 않거나, 당신이 그 문제를 쉽게 해결할 수 있다는 식으로 즉시 당신을 칭찬한다. 그는 이 칭찬을 그에게 유일하게 실제적인 주제(바로 그 자신)로 전환하기 위해 사용한다. 당신은 그 칭찬에 기뻐할지도 모르지만 전화를 끊은 후 그가 당신이 아닌 그 자신에 관해 이야기했음을 깨닫게 될 것이다.

다른 이아고 유형과 마찬가지로 당신은 먼저 자신의 느낌을 통해 자기도취자를 찾아낼 수 있다. 이런 이아고와 함께 있으면 당신의 삶은 본질적으로 중요하지 않으나 그의 삶은 지극히 중요한 것처럼 생각되어 당신은 이류가 된 기분이 들 것이다.

일단 그가 당신의 기운을 이런 식으로 꺾고 있다는 의심이 들면, 그것을 조사해볼 필요가 있다. 당신을 위해 보내야 할 시간의 대부분을 그 또는 그녀의 이야기를 하면서 보내지 않았는가?

더 나은 테스트를 하기 위해 당신의 화제를 밀고 나아가보라. 전화로 30분 동안 그 또는 그녀의 관계나 사업에 관해 이야기 나눈 후 당신의 주제를 끄집어내라. 그러면 자기도취자는 그것을 간단히 무시해버릴 것이다. 그러면 다시 한 번 그것을 제기하라. 주제를 계속 밀고 나가라. 당신이 그의 고민에 바쳤던 만큼의 시간과 관심을 당신에게 바치기를 거부하는 것을 통해 그가 자기도취자임을 확인할 수 있을 것이다.

'자기도취' 유형 다루기

다시 한 번 말하는데, 자신이 어떤 어려움에 직면해 있는가를 알게 되면 전투는 절반 이상 이긴 셈이다. 일단 당신이 그의 관심이나 흥미를 결코 사로잡을 수 없음을 깨닫게 되면 그때부터 당신은 자유다.

이 사람이 자신이 아닌 당신에 관해 말하도록 계속 유도하는 것을 조심하라. 이렇게 하는 것은 단지 당신의 가치를 하락시킬 뿐이다. 기껏해야 그 또는 그녀는 나중에 자신의 말을 계속하기 위해서 사람들이 기차가 지나가기를 기다리듯 당신 말을 끝까지 들어줄 것이다. 그는 당신이 지껄이고 있는 동안 멍청하게 당신을 바라보다가 자신의 순서가 오면 명랑해질 것이다.

당신의 유일한 희망은 그 사람과 맞서는 것이며, 이것도 그 또는 그녀가 당신에게 매우 소중한 사람일 경우에만 시행해볼 가치가 있는 일이다. 그 사람이 당신과 관계 있는 일들에 관심이 없는 것처럼 보여 낙심했으면, 더 이상 아무 말도 하고 싶지 않다고 말해야 한다.

진정한 자기도취자는 당신의 이런 불평을 무시할 것이다. 왜냐하면 논쟁이 자신이 아니라 당신을 포함하기 때문이다. 그러나 그가 불완전한 자기도취자라면 당신 말에 어느 정도 대응할 것이다. 그 사람은 오히려 당신의 잘못이라고 말할 것이다.

다음에 당신은 자신에 대해 말해야 한다. 그가 주제를 바꾼다면 그 점을 지적하라. 그가 당신 말을 진지하게 듣지는 않겠지만 아마 듣는 척은 할 것이다. 그것이 시작이다. 언젠가는 목적을 달성할 것이다.

자기도취자가 당신을 너무 괴롭게 해서 그 관계를 기꺼이 끝내기로 결심했다면 그것은 매우 쉽다. 당신에 대해서만 이야기하고 그의 주제를 받아들이지 마라. 그는 전화하기를 그만두고 당신에게서 멀어져 갈 것이다.

'질투하는' 이아고

질투하는 이아고들은 당신의 성공에 분노한다. 그들은 당신을 깎아내리기 위해 당신이 갖고 있는 것들을 하찮게 여긴다. 자신이 원하지만 갖지 못하는 것을 당신이 갖고 있기 때문에 실제로는 속이 부글부글 끓어오름에도 불구하고, 당신이 어떤 일을 훌륭하게 해내지 못하고 있음을 내비친다.

"당신이라면 그렇게 작은 차는 사지 않을 거라고 생각했는데요." 이 질투하는 이아고의 말은 다음과 같이 해석될 수 있다. '2년마다 새 차를 살 수 있는 당신의 능력이 부러워 죽을 지경이야. 나는 10년이나 된 차를 갖고 있다고.' 질투하는 이아고는 보통 당신의 행복에 분노한다. 그들은 당신의 좋은 기분을 망쳐놓기 위해 노력한다. 그들은 흔히 당신에게 필요한 충고를 하는 척함으로써 자신들의 부정성을 가정한다. 그러나 그들의 충고는 당신을 돕기보다 해를 끼칠 가능성이 더 많다.

달갑지 않은 충고를 하는 많은 사람들은 사실 질투하는 사람들이다.

"그렇게 비싼 휴가를 가는 대신 저축해야지." 이는 관심을 표현하는 말처럼 보일지도 모르지만 실은 당신에게 죄의식을 갖게 함으로써 당신으로부터 즐거움을 빼앗아가려는 질투심 많은 사람의 시기일 뿐이다.

질투하는 이아고는 당신 삶에서 일어나는 모든 것들을 문제시한다. 그 또는 그녀는 당신이 독신이기 때문에, 당신이 결혼했기 때문에, 당신이 책임 있는 일을 하고 있기 때문에, 당신이 집에서 애들과 함께 지내면서 일하지 않기 때문에, 당신이 더 젊기 때문에, 당신이 더 나이가 많고 더 오랜 경력을 갖고 있기 때문에 당신을 질투한다.

정말로 질투하는 사람들은 어떤 사람이 당신보다 더 많이 갖고 있거나 정확히 당신만큼 갖고 있는 때조차도 불행해 한다. 자신의 친구보다 두 배나 더 부유한 여자가 친구가 보석 하나를 산 것에 대해 분노할 수 있다. 그녀는 그런 보석을 다섯 개쯤 살 여유가 있음에도 불구하고 그런 반응을 나타낸다.

가끔 질투에 빠진 이아고는 당신의 행운을 방해하려 한다. 그들은 당신이 마치 시간이나 돈을 당신 자신만을 위해 소비함으로써 자기들을 무시해왔다는 식으로 말한다.

"내 봉급으로는 그런 식당에 갈 수 없어."

더군다나 그들은 당신에게 중요한 모든 것들을 체계적으로 깎아내리는데, 이것이 그들에게는 자신들의 부러움을 다룰 수 있는 유일한 방법이기 때문이다. 패배자라는 의식에서 벗어나기 위해 그들은 당신을 패배자처럼 느끼도록 만든다.

'질투하는' 이아고 다루기

그런 사람들과 함께 있을 때 당신은 자신에게 일어나는 좋은 일을 감추고 싶을지도 모른다.

질투하는 이아고가 당신이 연애를 하는 것에 죄의식을 갖게 만들거나 당신의 연인을 깎아내릴 것이기 때문에 어쩌면 다른 사람들에게 새로운 연인에 대해 말하고 싶지 않을 것이다.

나는 미처 발견하지 못한 질투하는 이아고에 의해 희생되는 사람들을 자주 본다. 그들은 질투하는 이아고보다 먼저 자기 자신의 성취와 친구를 헐뜯게 된다.

- 질투하는 사람 때문에 생기는, 스스로를 비하하고 싶은 충동을 이겨내라.
- 자랑하지 마라. 그러나 당신이 자랑스러워하는 것과 성취한 것은 자유롭게 진술하라. 만약 질투하는 사람이 그것을 폄하하는데도 불구하고 그 사람과 터놓고 지내고 싶다면, 그가 언제나 당신을 깎아내리고 있다고 말하라. 그 사람에게 "제 성공을 함께 기뻐할 수 없나요?"라고 요구하라.
- 당신이 가치 있다고 생각하는 것에 대해 결코 방어적이 되지 마라. 당신의 자동차, 연인, 친구 등에 관해 성급하게 변명한다면 질투하는 이아고를 돕게 될 것이다.

다른 사람이 따라오지 못한다고 해서 당신 자신의 포부를 제한하지 마라. 그것은 질투하는 사람에게 정당한 보수 이상을 주는 꼴이될 것이다. 그 사람들도 경쟁적인 질투심으로부터 자유로워지면 당신의 성공을 함께 기뻐할 것이다. 진정한 친구들은 그것을 마치 자신의 성공인 것처럼 자랑스러워할 것이다. 이런 사람들이야말로 (질투하는 이아고들이 아니라) 당신의 삶에 필요한 사람들이다.

'마음을 좀먹는' 이아고

마음을 좀먹는 사람들은 문제가 당신이 아니라 그들에게 있는 것처럼 행동하기 때문에 가장 확인하기 어려운 이아고들이다. 이들은 오랜 시간에 걸쳐 당신에게 해를 입힌다. 그들은 어떤 특이한 기분에 깊이 빠져 있는데, 그 기분을 오랜 시간 동안 천천히 당신에게 전염시킨다. 이런 기분 때문에 그들 자신도 고통을 받지만, 당신의 건강한 기운도 사라질 수 있다. 그들은 마치 그렇게 하는 것이 자신의 유일한 야망인 것처럼 행동한다.

그들은 스스로 슬퍼하거나 세상에 대해 분노한다. 혹은 삶이 자신들을 속였다고 생각한다. 그러면 당신은 그를 측은하게 생각하거나 짜증을 낸다. 어떤 경우든 그들 곁에 있으면 결국 당신의 삶이 망가진다.

당신은 그들의 감정에 깊이 연루되어 있기 때문에 무엇인가 행해지고 있다는 것을 상상하지 못한다. 그러나 실제로 그들은 당신에게 많은 해를 끼치고 있다.

그들이 사용하고 있는 독은 심리학자들이 '유인감정(자신의 전망이나 견해에 의해 우리들이 스스로 의기소침하거나 무력하다고 느끼게 만드는 사람들의 영향)' 이라고 부르는 것이다. 그들은 자신이 느끼는 것을 당신도 느끼도록 만들며, 이를 의도적으로 할 때도 있고 무심코 하는 경우도 있다.

그런 사람들과 함께 지낸 다음에는 갑자기 세상이 원망스러워지거나 삶이 당신을 속였다는 느낌이 들 것이다.

예를 들어 지금의 경제상황이나 일에 관해 계속 걱정을 토로하는 사람과 함께 지내는 경우를 생각해보자. "곧 대대적인 감원이 있을 것 같아."라고 그 사람이 말한다. "…에게 무슨 일이 일어났는지 아니? 해고됐어. 다른 일자리를 얻기가 매우 어려울 거야."

이런 일이 당신에게 일어날 거라고 예언하는 것은 아니지만, 그 사람은 당신에게 특별한 두려움을 불러일으키고 있다. 그가 당신에게 자신의 두려움을 전염시켰고, 당신은 이런 일이 일어나고 있다는 것을 그 순간에는 알지 못한다. 그러나 다음 날 아침 일어났을 때 그것이 마치 자신의 일인 것처럼 두려움에 떨고 있는 스스로를 발견하게 될 것이다.

한 내담자는 그녀의 어머니와 이야기한 후, 자신과 두 자녀의 육체적인 건강을 걱정하고 있는 자신을 발견하게 되었다고 토로했다. 그녀의 어머니는 온종일 시청자들이 전화로 참여하는 라디오 쇼를 들으면서 건강에 관한 수많은 이야기들을 수집해온 걱정이 많은 사람이었다. "비싼 식당에서 새우를 몇 마리 먹었던 여자가 3일 후에 급사한 것을 알고 있니?" 그런 이야기들 때문에 내담자는 신경쇠약증에 걸렸다.

더 교묘하게 마음을 좀먹는 행위는 보통 악의적으로 행해진다. 그런 짓을 하는 사람은 자신이 비참한 상태에 놓여 있거나 승진할 수 있는 기회를 놓쳤다고 느낀다. 그래서 당신을 헐뜯으려고 애쓰며 당신에게 그와 유사한 무력감을 불러일으키고자 한다. 이런 식으로 마음을 좀먹는 사람들은 다른 사람들, 주위 사람이나 뉴스에 나오는 유명인사들을 아낌없이 칭찬하는 방법으로 당신이 스스로 무력함을 느끼도록 한다.

당신의 어머니가 동생의 아내에게는 매우 사랑스럽다고 말하면서 당신 아내에 대해서는 아무런 언급이 없을 때, 혹은 친구가 항상 어떤 여배우가 얼마나 사랑스럽고 날씬한가에 대해 이야기할 때 불쾌감을 느낄 것이다. 그렇지만 당신은 좋아하는 동생의 아내에게 불리한 주장을 할 수 있는가? 좋아하는 여배우를 칭찬하는 말에 동의하지 않을 수 있는가?

비교를 통해 당신을 초라하게 만들고자 하는 언행을 인지하는 것이 중요하다. 그런 언행은 당신이 하찮은 존재라는 느낌을 갖게 만들 것이다.

근대 심리학은 자신이 어떻게 느끼고 있는가를 언급하지 않고서도 다른 사람을 자신과 똑같이 느끼게 만들 수 있는 방법을 연구해 오고 있다. 셰익스피어는 어떤 태도가 전염성이 있다고 지적함으로써 이런 연구를 미리 예상했다. 그는 〈베니스의 상인〉에서 안토니오로 하여금 슬픔은 전염성이 있다고 말하게 한다. 〈트로일루스와 크레시다〉에서 그는 어떤 사람의 분노가 어떻게 다른 사람을 화나게 만들 수 있는가를 묘사한다.

"분노는 분노를 동정한다."

셰익스피어는 용기와 두려움 모두 전염성이 매우 높은 것으로 간주했다. 우리 인간들은 주체성을 가진 개체가 아니라 무리를 지어 이동하는 동물과 유사한 존재다. 예를 들면 헨리 6세의 아내는 한 전투에서 그에게 다음과 같이 말한다.

장군님, 용기를 내세요. 적들이 가까이에 있습니다.
이런 나약함이라면 당신의 부하들이 용기를 잃을 것입니다.

실제로 셰익스피어는 이런 감정의 확산을 이야기할 때 '전염'이라는 말을 사용했다. 그는 전투에 참가한 다양한 지도자들이 이런 지식 정도는 갖고 있다고 생각했다.

'마음을 좀먹는' 유형 다루기

어떻게 '유인감정'과 싸워 이길 수 있는가?

모든 심리학적인 문제처럼 출발점은 통찰력, 즉 현재 일어나고 있는 일에 대한 이해다.

"남편의 직장 친구들과 함께 외출할 때마다 내가 늙었다는 느낌이 든다"는 사실을 알았다고 가정해보자. 당신은 결코 그런 저녁을 즐거운 마음으로 기다리지 않을 것이다. 그러던 어느 날 보통 때보다 훨씬 더 기분 나쁜 저녁을 경험한다. 그러면 어떻게 그런 기분을 갖게 된건지 조사해보아라.

아마 그들 중 어떤 사람이 자신은 너무 나이가 들어서 다른 회사에서 더 나은 일자리를 얻는 일은 꿈도 꿀 수 없다고 말했을 것이다. "이 나이에 누가 나를 고용해 주겠는가?" 그는 마치 자신을 하찮은 존재처럼 여기면서 아무도 서른 살이 넘은 사람을 주목하지 않음을 넌지시 암시한다.

지위와 나이를 의식하고 있는 그들 중에는 나이 먹는 것을 두려워하는 사람들이 있다. "나는 이제 스물여덟 살인데 이렇게 높이 승진했다. 서른 살이 넘어서도 그저 그런 일을 해야 한다면, 생각만 해도 끔찍하다."

이런 사람들은 모두 나이 먹는 것에 대해 병적인 두려움을 가지고 있다. 그들은 그 두려움을 당신에게 전달하고 있으며, 마법의 나이가 있어 그 이후에는 취직도 하지 못하는 쓸모없는 존재가 된다는 부정적인 생각 또한 전달한다.

이런 사람들이 당신 또한 그런 패배감을 느끼게 만들기 위해 그렇게 행동했느냐는 중요하지 않다. 아마 스물여덟 살인 사람은 자신과 당신의 나이 차이를 지적함으로써 당신이 그녀를 부러워하게 만들려고 애쓰는 것일지도 모른다. 혹은 단지 미래에 대한 그녀 자신의 두려움을 말하고 있는 것일 수도 있다. 이유가 무엇이든 간에 그것은 중요하지 않다. 이 사람들이 당신에게서 감정을 유도해내려 한다는 것만 알면 된다.

- 다른 이아고들과 마찬가지로 마음을 좀먹는 사람이 당신에게 무슨 일을 하고 있는지를 알게 되면, 당신은 실질적으로 자신을 치료한 셈이 된다.
- 상대방이 어떤 특수한 감정을 가슴에 담고 있는 사람임을 아는 것 자체가 그 감정에 대한 예방접종이다.

일단 어떤 사람이 마음을 좀먹는 이아고임을 확인했다면, 그 사람에게 "당신이 인간이 가질 수 있는 끔찍한 질병에 관해 계속 이야기할 때 나는 도망가고 싶습니다. 좀 그만둘 수 없나요?" 라고 말하라. 혹은 친구에게 "네가 계속 아름다운 금발미인을 칭찬할 때 나는 왠지 무시당한 느낌이 들어." 라고 말할 수도 있다.

마음을 좀먹는 사람은 자신이 내보이는 언행이 이미 그들의 개성이자 일부분이기 때문에 그만두기가 매우 어렵다. 세상에 속았다는 느낌이 들거나, 어떤 사람의 성취를 냉소하거나, 사랑이란 결코 존재하지 않는다고 느끼는 것은 마음속에 깊이 뿌리내린 심리적인 것들이다. 당신에게는 마음을 좀먹는 사람의 마음속 깊이 박힌 문제를 치료해줄 시간이 없다. 기대할 수 있는 최상의 접대는 그가 당신과 함께 있을 때 여유 있는 마음을 가질 수 있도록 그에게 직접 말하는 것이다.

당신의 삶에 들어와 있는 이아고들을 확인하는 것은 행복을 위해 꼭 필요한 일이다. 이를 등한시하면 당신은 그들의 손아귀에서 벗어나지 못한 채 고통 받을 것이다. 우리가 셰익스피어의 희곡에서 이아고의 동기를 알지 못하듯 당신은 이아고들이 왜 그런 식으로 행동하는지 모를 것이다. 적어도 이아고를 한두 명 이상 친구로 사귀어본 적 없이 인간관계를 형성해 온 사람은 없을 것이다. 그런 이아고 유형들이 당신의 삶 속에 침투해 있는 것은 당신 잘못이 아니다. 그러나 그들을 추방하거나, 또는 적어도 그들이 제멋대로 행동하지 못하도록 하는 것은 당신의 의무다.

14

데스데모나의 환상

〈오셀로〉의 데스데모나는 셰익스피어의 비극적인 여주인공 중 하나이다. 그러나 그녀를 자세하게 설명한 경우는 거의 없다. 셰익스피어는 데스데모나를 젊고 가엾을 정도로 순진한 여성으로 묘사한다. 우리는 그녀가 매력적이고 건강하며, 세속적인 남자인 오셀로와 사랑에 빠져 있는 것을 안다. 그녀는 아버지를 방문한 오셀로를 관심 있게 본다. 그는 그녀에게 운이 좋은 군인으로서 자신이 경험했던 낭만적이고 장엄한 모험을 자세히 이야기해주고, 그들은 사랑에 빠지게 된다. 그녀의 사랑은 깊고 순수한 것이었다. 그의 사랑 역시 그러했기 때문에 두 사람은 결혼에 이르렀다.

그러나 오셀로는 너무 쉽게 자신감을 잃고 만다. 그는 데스데모나가 자신의 부하인 젊고 잘생긴 마이클 카시오와 사이좋게 지내는 것 때문에 괴로워한다. 카시오와 관련된 거짓말에 속은 오셀로는 데스데모나가 자기를 배신하고 그와 부정한 짓을 하고 있다고 확신하기 시작한다.

그러나 오셀로는 이런 의심에 대해 데스데모나와 직접 부딪혀보는 대신 몰래 그녀를 감시하고, 모든 방법을 써서 빈정거린다. 그는 수시로 급작스러운 감정의 굴곡을 겪으며, 그녀에게 많은 문제가 있다고 지적한다. 그녀가 자신을 분노하게 만들고 있다는 사실을 숨기지 않으므로써 그녀의 삶을 엉망으로 만든다.

만일 그녀가 현명한 여자였더라면 자신이 위험에 처해 있음을 알 수 있었을 것이다. 그러나 데스데모나는 오셀로의 변화를 감지하는 데 너무 둔하고 느렸다. 게다가 변화를 감지했을 때조차 그녀는 그것이 그냥 조용히 지나쳐가기를 바랐다. 무엇인가가 아주 잘못되고 있다는 것이 점점 명확하게 느껴지자, 그녀는 비로소 자신이 했던 일을 다시 되돌아보는 시간을 갖는다.

그녀는 오셀로의 사랑을 되찾기 위해 자신의 어떤 면을 고쳐야 할 것인지 고민한다. 그러나 그가 분별력을 잃었을지도 모른다는 생각은 한 번도 하지 못한다. 오셀로처럼 데스데모나도 그들 사이에서 점점 더 커져가는 문제들에 관해 이야기할 기회를 찾지 못한다.

오늘날의 독자들과 관중들은 셰익스피어 시대에 살았던 사람들과는 매우 다른 방식으로 그 희곡에 반응한다. 그 시절에 여성은 자신의 관계에 관해 직접적인 방식으로 남편에게 대들 수 없었다. 명문 출신의 남편은 수십 년 동안 공개적으로 정부들을 가질 수 있었지만 아내는 단지 못 본척하라는 교육만 받았다. 사실 셰익스피어 작품의 기본골격은 남성과 여성 사이에 의사소통이 부족했기 때문에 가능했던 것이 많았다.

순진무구한 사람의 침묵

오늘날 〈오셀로〉를 읽거나 연극으로 관람하는 우리의 마음속에는 "데스데모나, 남편이 매우 이상하게 행동하는 것을 보면서 왜 그에게 그 이유를 묻지 않니?" 라는 질문이 메아리친다. 혹은 "그의 행동을 믿을 수 없다고 그에게 말하는 게 어때?"라고 중얼거린다.

우리는 오셀로가 자신이 갖고 있는 의심에 관해 말하고, 데스데모나가 그녀에게 불리해 보이는 증거들을 설명함으로써 모든 것을 해결하는 상황을 가정해본다. 그녀는 자신이 정숙하다는 것을 그에게 충분히 확신시킬 수 있을 것이다.

악의 없는 논쟁을 통해 그들은 어두운 그림자를 거둬낼 수 있을 것이다. 두 사람은 오셀로의 기수인 이아고가 수많은 악의적인 거짓말을 했음을 발견하게 될 것이다. 오셀로는 그 악한을 처벌할 것이고, 두 사람은 행복하게 잘 살아갈 것이다. 서로 사랑하고 있는 두 사람 사이에 오해가 발생했을 때는 가끔 직접적으로 대결해 크게 싸우는 것도 해결방법이다.

〈오셀로〉가 비극이 아니고 희극이라면 이런 식으로 끝났을 것이다. 그러나 〈오셀로〉에서 데스데모나는 어리석게 대처한다. 그녀의 침묵은 파멸의 한 원인이다. 그녀는 오셀로에게 거짓 사실들을 주입시키고 있는 이아고의 함정에 빠지고 만다. 이 연극의 극적효과의 일부분은 오셀로와 데스데모나 사이에 생기는 소외에 있다. 청중들은 두 사람 편에 서서 서로를 연결시키려고 하지만 잘 되지 않는다.

이상한 말이지만 〈오셀로〉는 일종의 '잘못된 정체감'에 관한 연극이다. 배신하는 사람은 데스데모나가 아니다. 오셀로가 데스데모나를 신뢰하지 못함으로써 그녀를 배신하고 있다.

데스데모나 역시 자신을 배신한다. 그녀는 자신을 어떻게 변화시켜야 하는지를 생각하느라 바빠서 실제로 일어나고 있는 일을 제대로 파악하지 못하고 있다. 그녀의 유일한 관심은 어떤 대가를 치르더라도 오셀로의 사랑을 회복하는 것이다. 그녀는 오셀로가 자기에게 무슨 짓을 하든 상관없이 그를 사랑할 것이라는 사실을 자랑스러워한다.

교살되기 직전에 그녀는 오셀로에 관해 다음과 같이 말한다.

버림받는 것은 괴로운 일이다.
그분의 몰인정이 삶의 의욕을 잃게 한다.
그래도 내 사랑은 결코 변치 않으리.

끝까지 사랑하는 것도 좋지만, 그녀 자신을 돌보지 않는 것은 바람직한 일이 아니다. 오셀로는 그녀를 창녀라고 부른다. 이런 말을 듣고도 그녀는 그에게 직접적으로 대들지 않는다. 그는 섬을 방문한 고위 사신들 앞에서 그녀를 마루 위에 내팽개쳐버리고 그것을 본 사신들은 충격을 받는다. 그러나 데스데모나는 여전히 자신을 변호하지 않는다. 불행하게도 오늘날의 많은 학대받는 이들이 비슷하게 행동하고 있다. 그녀는 이 모든 일을 그저 하나의 끔찍한 꿈 정도로 생각하고 싶어 한다.

오셀로가 마침내 무엇을 잘못했는지 그녀에게 말할 때는 두 사람만 있었다. 그는 그녀의 목을 조르고, 데스데모나는 숨이 끊어지기 직전에 살인을 목격한 자신의 몸종에게 숨을 몰아쉬면서 마지막 말을 남긴다. 오셀로가 자신을 죽였다는 것을 부인하면서 자신은 자살한 것이라고 말이다. 이는 오늘날에도 부당한 비난을 받아들이는 많은 여성들의 모습과 같다고 할 수 있다.

아이러니컬하게도 데스데모나는 자살한 것이나 다름없다. 그녀는 관계를 위해 자신을 완전히 엉망으로 만들었다. 또 남편을 너무 신뢰했기 때문에 자신이 변하면 모든 일이 다 잘될 것이라고 생각했다. 그녀는 그들이 서로 부딪칠 수밖에 없다는 사실을 부인했다.

데스데모나 콤플렉스

오늘날 남편이 아무런 설명 없이 오랜 시간에 걸쳐 감정을 변화시키는 것을 참아낼 여성은 거의 없다. 데스데모나는 극단적인 경우다. 이는 그녀가 '극단적인' 시대에 살았으며, 셰익스피어가 그것을 이용해 극적 효과를 창출해내려고 노력했기 때문에 가능했다.

그러나 데스데모나가 갖고 있는 많은 성향들은 현대의 관계에서도 흔히 볼 수 있다. 많은 사람들(아무래도 남성들보다 여성들이 더 많다)이 상대방에게 맞추기 위해 기꺼이 자신을 자연스럽지 못한 모습으로 변형시키고 있다.

연인으로부터 오랫동안 육체적인 학대를 받으면서도 참기만 하는 것은 결코 옳은 일이 아니다. 그리고 육체적인 학대보다 심리적인 학대가 훨씬 가혹한 것이다.

- 어떤 사람이 당신에게 자신의 이상에 맞는 사람이 되기 위해서는 근본적인 모습을 변화시켜야 한다고 말한다면, 이는 심리적인 학대이다.
- 인간관계에서 중요한 기준은 상대방이 자신에 대해 어떻게 느끼도록 만드냐가 되어야 한다. 이상적으로 말하자면, 당신은 자신에 대해 평안하게 느껴야 한다.
- 정의하건대, 사랑은 당신이 자신에게 더 좋은 느낌을 갖도록 만들어야 한다. 사랑은 무엇인가를 증가시켜야 한다. 스스로를

더 민첩하고, 더 섹시하고, 더 능력 있다고 느껴야 한다. 이 중 어느 것도 가볍게 여겨서는 안 된다. 당신은 많은 것을 배우고 증명해야 하는 미숙한 학생이 아니라 멋진 영화배우인 것처럼 느껴야 한다.

• 연인은 삶의 필수품이 아니라 일종의 사치품이다. 연인이 없어도 당신은 완전한 사람이 될 수 있다. 그러므로 연인의 존재가 당신을 하찮게 만들어서는 안 된다.

불안과 사랑을 혼동하지 마라

관계를 위해 당신의 모습을 엉망진창으로 만들고 왜곡시키는 것은 결코 옳은 일이 아니다. 그러나 우리는 살아가면서 때때로 양보를 하고 '부자연스럽게' 행동한다. 우리는 학교나 사업회의에서 연사가 주제에서 크게 벗어난 연설을 하는 경우에도 조용히 앉아 있고, '위엄 있는' 태도로 일하고 행동하기 위해 정장을 한다. 그러나 삶의 가장 친밀한 영역에서 이런 일을 하는 것은 자기 배신이다.

• 자연스러움은 자신이 선택한 관계에서 가장 먼저 요구되는 것이다.

• 연인과 함께 있을 때 당신 자신에 관해 얼마나 편안하게 느끼고,

얼마나 자연스러운가에 따라 1에서 10까지 점수를 매김으로써 관계를 시험 삼아 판단해봐라. 10점을 얻는 관계는 거의 없다. 우리는 배우자에게도 모든 생각을 다 말하지 않는다. 그러나 10점에 근접해야 할 때가 있다면, 즉 완전한 표현의 자유를 향유해야 하는 경우가 있다면 이는 연인의 관계여야 할 것이다.

• 우리는 삶을 함께할 계획을 갖고 있는 사람과 가장 자연스럽게 지내야 한다.

• 진정한 로맨스는 비현실에 기초하지 않는다. 자신의 취향과 선호도를 밝히고 당신이 멸시하거나 두려워하는 것들에 관해 솔직하게 말하는 것은 충분히 낭만적이다. 정직은 결코 사랑의 환상을 손상시키지 않을 것이다. 그것은 평생 동안 사랑하며 살아가는데 반드시 필요하다. 그렇게 된다면 갑작스럽게 실망하는 일이 발생하지 않는다.

그러나 많은 사람들이 끊임없이 걱정하고 불안하게 만드는 관계에 빠져 있는 자신을 발견한다. 그들의 연인은 오셀로적인 자질이 몸에 밴 사람들이다. 그들은 불만족스럽고, 더 많은 것을 원하고 있다는 느낌을 상대방에게 발산하고 있다.

그런 사람과 함께 있다면, 당신의 성향이 그들이 원하는 형태로 변할 수도 있다. 하지만 이는 그들이 당신의 마음속에 주입시키는 불안과 열정의 부추김을 혼동하는 것이다.

당신이 그 사람을 감동시키거나 기쁘게 할 수 없다는 사실 때문에 그가 당신보다 훨씬 더 위대하다고 생각할 것이다. 당신은 진정한 사랑의 행복한 긴장이나 사랑이 주는 홍분을, 자신이 기대에 미치지 못하고 부족한 점이 많다는 의식과 혼동하고 있다.

자신의 모습을 엉망진창으로 만들기

항상 당신에게 무언가를 잘못하고 있다고 넌지시 암시하는 사람이 있다면, 당신은 데스데모나처럼 자신을 변화시키는 일에 지나치게 몰입하게 될 것이다. 당신의 짝은 어떤 관계에서든 가장 중요한 질문, 즉 "이 사람은 나를 어떻게 느끼게 만드는가?"를 묻지 못하게 만들었다. 대신 당신은 그의 눈에 자신이 얼마나 잘하고 있는 것으로 보일까에만 지나치게 집착해왔다. 당신의 짝은 자신에게 소중한 어떤 것이나 일련의 사항들을 당신이 변화시킨다면 모든 것이 다시 잘 될 것이라는 점을 암시해왔다.

"당신이 언제나 아이들을 먼저 생각하지 않고 나와 더 많은 시간을 보내주기만 한다면 많은 것들이 달라질 텐데 말이죠."

"나야말로 당신이 사업과 세상일에 더 많은 관심을 가지면 좋겠는데. 〈시사 매거진〉같은 뉴스 프로그램을 보는 게 어때? 아니면 〈뉴스 위크〉를 읽는 건?"

"김부장 부인은 주말 내내 시장을 빈둥거리는 대신 동호회를 만들어 테니스를 한다던데, 당신도 그녀처럼 뭔가 경쟁적인 것을 해야만 해. 그러면 지금처럼 그렇게 해이해지지 않을 거야."

당신의 짝은 그런 것들을 빈정거리는 투로 말한다. 혹은 당신 아내가 "현석씨는 언제나 옷을 잘 입어. 그는 외모에도 무척 신경을 쓰지. 그게 미경이가 그를 자랑스러워하는 이유야."라고 지적한다.

이런 암시적인 비교나 비판은 서서히 겉으로 드러난다. 당신은 점점 그 관계에 몰두하게 되며, 관계를 좋게 만들기 위해 필사적인 노력을 하게 된다. 그러나 잘못되고 있는 것처럼 보이는 일들이 잇달아 일어난다. 당신은 문제가 발생할 때마다 전체를 보는 대신 그것들을 고치려고 노력한다. 당신의 얼마간의 삶을 되돌아보면, 주어진 일들을 성공적으로 이행하기 위한 노력으로 점철되어 있음을 발견하게 될 것이다.

당신이 변해야 할 필요성이 관계 초기에 제기되는 경우도 있다. 처음 데이트를 한 후 당신은 자신이 서투르거나 무식하다는 느낌을 받게 된다. 혹은 필요 이상으로 많은 것을 알고 있다고 느낄 수도 있다. 당신 자신이나 상대방에게 용서를 빌고, 전에는 결코 신경 쓰지 않았던 사소한 문제들을 고치려는 모습을 발견한다.

당신의 연인을 너무 믿지 마라

상대방이 잘못하고 있다고 말하는 한두 가지 사항을 고친다고 해서 모든 일들이 다시 잘될 거라고 생각하지 마라. 문제는 언제나 더 심각해진다. 그리고 그 문제는 당신이 아니고 그의 것이다.

셰익스피어가 〈줄리어스 시저〉의 한 등장인물을 통해 말한 대로 '다정한 눈은 그런 잘못들을 결코 보지 못할 것이다.'

당신이 계속해서 조금씩 고쳐나간다 하더라도 연인을 괴롭히는 또 다른 문제가 계속 등장할 것이다. 문제는 당신 연인에게 있다. 이럴 경우 사랑의 지침서들은 대개 사랑하는 사람을 비판하는 것이 좋다고 가정한다. 이런 책들은 그런 비판을 어떻게 해야만 하는가에 대해 충고한다. 남편의 나쁜 식사예절 때문에 고민하는 아내는 그것을 고치는 수밖에 없다고 적고 있다. 남편이 다른 모든 것에서 바람직하다면 몇 십 년이 걸리더라도 바로잡아야 한다고 주장하는 것이다.

실제로 남편의 그런 단점이 문제가 될 수 있다. 그러나 남편이 식사예절을 바로잡을 때까지 사랑받을 만한 가치가 없다는 식의 무자비한 생각을 하는 것은 잔인한 짓이다. 당신이 어떤 사람의 잘못을 일상적인 근거에 의해 비난할 때마다, 그는 훨씬 더 넓은 의미에서 자신을 가치 없는 사람이라고 느낄 것이다.

나는 상대방의 잘못을 너무 강조하다가 관계가 깨지는 경우를 많이 봤다. 그런데 여기서 진짜 문제는 불완전함을 참아내지 못하고 비난하는 사람의 자질이다.

나와 상담을 했던 한 사람은 열심히 일해서 성공한 사업가와 결혼해 살았는데, 나를 찾아 왔을 때 그녀는 사치스럽고 안락한 자신의 삶에 매우 불안해했다.

몇 달 동안의 치료를 통해 그녀가 남편을 매우 어리석게 생각하고 있음이 밝혀졌다. 그는 매일 12시간 내지 14시간씩 일했기 때문에 너무 피곤해서 연중 어느 때나 볼 수 있는 표를 가지고 있으면서도 그녀와 함께 오페라, 연극 등에 갈 수 없었다. 그녀는 그가 "예술을 이해하지 못한다"고 비난하곤 했다.

이것이 그녀를 괴롭히는 그의 유일한 단점이었다. 그녀는 그를 사랑했기 때문에 결혼했으며, 당시에도 여전히 사랑하고 있었다. 그러나 20여 년을 함께 살면서 그녀는 남편으로 하여금 스스로를 어리석고, 일방적이며 교양 없는 사람으로 생각하게 만들었다.

그녀는 남편이 마침내 그녀만큼 교육받지는 못했지만 허식을 부리지 않는 그의 비서와 함께 자신의 곁을 떠났을 때 큰 충격을 받았다. 그의 새 아내는 남편을 활력 있고 개방적인 기업가로 여기는 여인이었다.

그녀의 남편은 수년 동안 자신을 아내에 맞추기 위해 노력했다. 그가 직면해 있었던 외부의 격렬하고 거친 사업세계를 아내의 이상적인 세계와 조화시켜 보려고 노력했다. 그러나 자신에 대한 아내의 부정적인 생각 때문에 마침내 포기하고 말았다. 그는 더 이상 아내가 들고 있는 거울을 통해 자신을 보기 원하지 않았다.

불행하게도 나 역시 남편에 대한 그녀의 생각을 너무 늦게 알았다. 그래서 그녀의 진짜 불만은 그녀 자신에 대한 것임을 깨닫도록 도와줄 수 없었다.

당신을 적대시하는 사람에게 동조하지 마라

　사랑하는 관계에서 비난을 받는 사람이 자기 자신을 적대시하는 것은 언제나 매우 큰 잘못이다. 사랑을 다시 획득하기 위해 자신을 변화시키는 일에 열중하기보다는 당신을 비난하는 상대가 잔인하게 사랑을 보류하고 있는 행위에 당당하게 맞서야 한다.

　당신이 당당하게 맞서고 있는 상황에서는 존경심이 사라지는 것을 정지시키기 위해 자신을 변화시키는 일이 불가능하다.

　부부가 함께 내 사무실을 찾아오면 보통 남편 쪽에서 배우자에 대한 불만을 논리적으로 설명하는 경우가 많다. 예를 들면 한 남자가 자신의 부인은 너무 조심스럽게 운전한다고 불평했다. 그는 아내가 좌회전하기 위해 너무 오랫동안 기다리는 것을 참을 수 없었다. 그녀가 운전하면서 두려워하는 모습을 보면 만사를 두려워하는 그녀의 모습이 떠오르기 때문에 화가 난다고 그는 말했다.

　그녀는 이 비난을 진지하게, 너무 진지하게 받아들였다. 자신이 머뭇거리는 운전자임을 인정했다. 그녀는 그의 말이 옳다는 것, 즉 그녀가 만사에 너무 주춤거린다는 점을 계속해서 고백했다. 될 수 있는 대로 빨리 고치겠다고 남편에게 약속했다. 또한 그가 자신에게 그렇게 화내는 이유를 충분히 이해한다고 말했다.

　그렇다. 그녀는 자신도 모르는 사이에 데스데모나가 된 것이었다. 나는 사람들이 이런 행동을 할 때마다 그들의 얼굴에 나타나는 어떤 표정을 놓치지 않는다. 이 여자가 아무런 변명도 없이 자신의 잘못을 인정하면서 자비를 구하고 사랑을 천명할 때마저도 그녀는 창백하고 지치고 무력해 보였다. 나는 그녀가 결국 아무것도 얻지 못할 것임을 안다.

그녀가 정말로 너무 주의 깊게 운전하는 사람인가는 분명히 문제가 되지 않는다. 관찰자인 나는 하찮은 결점 하나로 아내의 성격을 일반화하는 그 남편의 야만성이 진짜 문제라는 생각이 들었다. 그는 사랑을 보류하겠다고 위협함으로써 아내를 완전히 압도하고 있었다. 그녀 또한 남편의 태도에 의문을 제기하기보다는 그의 의견을 받아들임으로써 그의 잔인성에 휘둘리고 있었다. 그 후 남편의 마음에 들게 자신을 고치려는 그녀의 노력은 전혀 쓸모없는 것으로 판명됐다. 몇 번의 치료를 통해 나는 그녀의 지위를 새롭게 하는 유일한 방법은 사랑을 요구하는 것임을 깨닫도록 도왔다.

그녀는 몇몇 실질적 대안을 가지고 남편과 맞섰다. 그가 계속해서 그녀를 혹평한다면 관계를 끝낼 각오를 하고 내린 대안이었다. 그렇게 할 수 있었던 밑바탕에는 자신의 장점을 발견한 그녀의 자신감이 있었다.

결국 그녀는 남편이 일 때문에 고통 받고 있었으며 그 좌절을 그녀에게 퍼붓고 있었다는 것을 알아냈다. 홀로서기에 성공함으로써 그녀는 그에게 제멋대로하지 못하도록 큰 소리칠 수 있었으며, 비로소 추종자가 아닌 진정한 협력자가 될 수 있었다.

그녀는 처음 자신에 대한 남편의 생각을 믿고 자신의 잘못을 바로잡으면 관계가 향상될 것이라고 여기는 실수를 저질렀다. 그러나 일단 자신에 대한 남편의 부정적인 생각을 불신하게 되었을 때 그녀는 그의 불만족 안에 실제로 존재하는 것을 찾아낼 수 있었다. 그런 후에 그녀는 자신의 균형을 회복할 수 있었다.

당신이 공격받고 있다고 느껴진다면 "이 관계가 나를 어떻게 느끼게 만들고 있는가?"라고 자문해보아라.

만약 당신이 요즘 자신을 단정치 못한 주부나 사업 실패자, 혹은 상상력이 없거나 성적 매력이 없는 사람처럼 느끼고 있다면 관계를 더 넓은 안목에서 봐야 할 시간이 왔음을 뜻한다. 상대방이 불평하고 있는 세부 사항들을 바로잡는 것은 기껏해야 더 많은 비판을 잠시 연기하는 것에 불과하다. 대신 상대방을 정말로 괴롭히는 것이 무엇인지를 찾아내려고 노력하라.

자신이 늙어가는 사실에 화가 나서 그가 당신에게 더 많은 운동을 하라고 강요했는가? 그러나 당신은 그를 위해서가 아니라 당신 자신을 위해 운동을 해야 할 것이다.

당신이 그의 동료들과 저녁을 함께할 때 사업에 관해 충분히 알지 못해서 그를 당황하게 만든 적이 있었는가? 그보다 그는 직장에서 자신이 기대한 대로 잘하지 못했기 때문에 당황해하고 있을 것이다. 이 경우 당신을 걷어차는 행위는 그에게 아무 도움이 되지 않는다. 더군다나 그의 발길질을 참아내는 것도 당신에게 아무런 도움이 되지 않을 것이다.

역할 바꾸기 연습

당신은 그와 11년 동안 함께 살아왔거나 지난 달에 처음 만났을지도 모른다. 여하튼 당신들 두 사람은 친밀하다. 게다가 당신은 그에게 반했으며 그를 사랑한다. 때문에 분명히 그가 고칠 수 있는 것, 즉 당신을 괴롭히는 사항들을 모두 열거할 수 있다. 그는 너무 빨리 식사를 하며, 괴상하게 옷을 입는 취향을 갖고 있다. 게다가 듣기 지겨울 정도로 자신의 이혼에 관해 말한다.

- 이런 결점들 때문에 그를 사랑하지 않기로 결심한 당신을 상상할 수 있는가? 그런 결점들을 하루에 다섯 번씩 떠올리는 자신의 모습을 상상할 수 있는가?
- 그것들을 시정하지 않으면 어려움에 처할 것이라고 그에게 경고하고 있는 당신의 모습을 상상할 수 있는가?
- 그런 모습을 상상할 수 있다면 당신은 그를 진심으로 사랑하는 게 아니다. 혹은 이미 세부사항들에 관해 그를 괴롭히고 있을 것이다.

이런 불균형은 거의 언제나 일방적이기 쉽다. 그는 비난하는 역할을 하고, 당신은 적응하는 역할을 한다. 이러한 역할 바꾸기 연습에서 사소한 결점을 이유로 그를 무자비하게 폄하하고 있는 당신 자신의 모습을 상상할 수 없다고 가정해보자.

왜 그렇게 할 수 없는지 자문해보라. 그렇게 하는 것이 그에게 매우 공정하지 못하기 때문이라는 대답이 주어질 것이다. 당신은 그가 갖고 있는 좋은 점이 나쁜 점을 능가한다고 느낀다. 성생활, 동지애, 공동관심, 그리고 함께 즐거움을 나누는 것 등이 단점들을 훨씬 능가한다. 당신은 어떤 것을 좋아하지 않을지도 모르지만, 언제나 그것을 부각시킴으로써 관계를 황폐화시키지는 않을 것이다.

당신과 달리 그는 왜 이런 식으로 생각하지 않는가? 그는 왜 당신이 가진 좋은 점이 나쁜 점을 능가한다는 것을 이해하지 못하는가? 그는 왜 여유 있게 생각하지 못할까?

의심할 필요 없이 그의 비난은 일종의 핑계다. 당신에 대한 그의 사랑이 식어버렸거나, 아니면 그는 결코 당신을 사랑하지 않는 것이다. 어떤 경우이든 간에 당신의 모습을 바꾸는 것은 도움이 되지 않을 것이다. 그가 당신을 괴롭히는 데 빌미가 되는 행동에 대해 당신은 잘못을 인정할 수 있다. 그러나 비난의 범위와 그 비난의 과도한 잔혹성에 대해서는 그가 책임을 져야 한다.

'질식사'를 피할 수 있는 몇 가지 조언들

셰익스피어는 남성들로부터 너무 많은 학대를 받는 여자주인공들을 창조했다는 비난을 받아왔는데, 이는 어느 정도 옳은 말이다. 〈햄릿〉의 오필리어는 햄릿이 자신의 일에 몰두하면서 자기혐오에 빠져 있기 때문에 많은 고통을 받는다. 그녀는 햄릿이 가진 여자에 대한 증오심의 희생자인데, 이는 햄릿의 어머니가 아버지를 죽인 살인자와 결혼했기 때문에 생긴 증상이다. 오필리어는 햄릿에게 무시당하고 저주받으며, 마침내 미쳐서 자살한다. 그녀는 결국 온몸을 꽃으로 단장하고 시냇물에 빠져 죽는다.

〈실수연발 *The comedy of Errors*〉에서 한 여인은 셰익스피어의 극에 등장하는 많은 여성들의 위치를 단적으로 보여준다.

내 아름다움이 그를 눈부시게 할 수 없기 때문에
나는 남아 있는 세월들을 눈물로 보내다 울면서 죽을 것이다.

여기에 데스데모나 함정을 피하는 데 도움이 될 수 있는 몇 가지 지침이 있다.

1. 당신의 진정한 모습을 관계 초기에 드러내라.

당신의 새 연인은 운동을 잘하는 여자를 좋아하는데 정작 당신은 운동을 싫어한다면, 억지로 운동을 좋아한다고 거짓말하지 마라. 얼마 지나지 않아 반드시 사실이 드러나게 될 것이다. 아니면 당신은 수영선수인 체하기 위해 노력하는 비참한 생활을 하게 될 것이다. 조금이라도 다른 사람이 생각하고 있는 자신의 모습에 맞추려고 애쓰지 마라. 어떤 사람과의 관계에서 차이는 당연한 것이다. 새 연인이 그 차이를 용서할 수 없다고 한다면, 당신도 그를 용서해서는 안 된다. 세월이 흐르면 지금은 예상할 수 없는 많은 차이들이 생겨날 것이다. 그가 타협하는 사람이 아니라면, 당신은 그것을 지금 깨우칠 필요가 있다.

2. 상대방이 당신이 변할 때까지 사랑을 보류하겠다고 말한다면, 절대 이것을 받아들이지 마라.

사랑받고 있고 더할 나위 없이 좋다는 느낌이 들면 당신은 양보할 수 있다. 당신에 대한 몇몇 비판은 타당한 것일 수도 있지만 뭔가를 해야 한다면, 즉 그의 사랑을 얻기 위해 자신의 무엇을 변화시켜야 한다면, 그렇게 하지 마라. 변해야 한다면, 그것은 당신 자신을 위한 것이어야 한다.

3. 결코 당신이 잘못하고 있는 것인지도 모른다고 추측하지 마라.

짝이 가련해 보이거나 당신을 보고 기뻐하지 않는다고 해서 자신에게 잘못이 있는지 찾는 우를 범하지 마라. 상대방의 관심을 끌고, 상대방이 반복해서 무슨 일이냐고 물어보도록 만들기 위해 습관적으로 험상궂은 모습을 취하는 사람들이 있다. 상대방이 당신에게 자신의 문제를 말할 용기가 없는 사람이라면 "내가 어디가 잘못되었을까?" 하고 자신을 책망할 필요가 없다.

4. 당신이 어떤 식으로든 바뀌면 그가 당신을 다시 사랑할 것이라고 믿지 마라.

'일방통행 오류' 는 매우 자주 발생한다. 그가 원하는 대로 바뀌더라도, 언제나 다른 요구가 또다시 생길 것이다. 그가 당신을 힘들게 하면 자신의 행동이 아니라 그의 행동에 대해 토론하라.

5. 육체적인 학대가 있을 경우 최후통첩을 하라. 그리고 그것을 꼭 지켜라.

한 번만 더 그런 일이 일어난다면 끝장이라고 경고하라. 그런 일이 반복되는 경우, 어떤 수단을 써서라도 당신을 보호하라. 폭력은 단계적으로 확대되는 경향이 있음을 명심하라.

6. 그가 무력하고, 애처롭고, 과거가 불행했다거나 혹은 지금 위험한 상태에 처해 있다는 사실에 위안받지 마라. 여성들은 보살피는 사람이 되는 훈련을 받아왔기 때문에 이러한 상황은 불리하게 작용한다. 과거의 고통이 현재의 학대를 보장해주지는 않는다. 그를 기쁘게 하기 위해 당신 자신을 엉망으로 만들지 마라. 그를 위해 어떤 변명도 하지 마라.

7. 친구들을 계속 사귀어라.

세월이 흐름에 따라 우정에도 어느 정도 변화가 있을 수 있다. 그러나 당신의 배우자가 오랫동안 당신과 친한 사이였던 사람들을 멸시하는 것은 아주 나쁜 신호다. 그는 아마 당신의 협력자들을 제거하기 위해 무의식적으로 그런 행동을 하고 있는지도 모른다. 이런 일이 일어나도록 내버려두지 마라.

그가 당신의 협력자라면 당신이 다른 친한 사람들을 갖고 있는 사실을 기뻐해야 할 것이다. 친구를 포기하는 것은 다른 사람을 위해 자기 자신을 완전히 뒤집어 보여주는 것과 같다.

8. 당신이 불행한 관계에 놓여 있다면 일기를 쓰면서 한 달에 얼마나 많은 날들을 정말로 즐겁고 가치 있게 느끼고 있는지 생각해봐라.

당신이 상대방을 위해 자기 자신을 보기 흉하게 바꾸는 사람이라면, "이번에는 내가 양보해야만 돼."라고 말함으로써 자신을 속이기가 매우 쉽기 때문에 이런 일을 하는 것이 중요하다. 당신은 자신이 얼마나 자주 양보하는지를 망각하는 경향이 있다. 일기를 쓰면 얼마나 많이 자신의 모습을 엉망진창으로 왜곡시키고 있었는지, 그리고 일정 기간 동안 얼마나 자주 양보해왔는지 알게 될 것이다. 일기를 통해 당신은 균형 있는 생각을 갖게 될 것이다.

5, 삶에서 악마 추방하기

리어 왕의 무지 · 클레오파트라의 속임수
슬라이의 자기도취

강박관념에서
벗어나라

셰익스피어는 그가 '열정의 노예'라고 표현한 것에 대해 강력하게 반대했다. 뛰어난 통찰력을 가지고 있었던 그는 모든 것을 다 갖춘 사람이 되려면 매우 다양한 감정과 욕망을 경험해야 한다는 사실을 알고 있었다. 그것은 어떤 하나의 욕망이나 충동이 우리의 개성을 지배하도록 방치함으로써 다른 모든 것들을 망칠 수도 있는 위험으로부터 자신을 지키는 방법이었다.

삶을 방해하는 그런 열정의 한 예로서 강박관념적인 질투심이 있다. 그러나 그것보다 더 교묘하면서 그것 못지않게 치명적으로 지배적이 될 수 있는 다른 열정들도 많다. 개성의 한 부분을 강조하는 것은 악마가 우리를 지배하도록 내버려두는 것과 같다.

예를 들면 속임수로 남들을 지배하고 싶은 욕구를 통제하지 못하는 사람은 진정한 사랑을 위해 필요한 다른 모든 감정들을 포기한다. 마찬가지로 늙어가는 것에 대한 두려움, 즉 흐르는 세월 때문에 생기는 절망감에 빠진 사람은 자기 자신이 두려움의 대상이 된다. 그 또는 그녀는 감정적으로 움츠러들고 심리적으로 늙게 된다. 이 경우 재빨리 자기연민이 지배적인 힘이 되어 활력을 없애버리고 다른 사람들을 떠나가게 만든다.

겉보기에 호의적인 감정들마저 당신의 개성에서 너무 많은 자리를 차지하면 또 다른 골칫거리가 될 수 있다. 성공에 대해 즐거움을 느끼고 성공을 위해 노력함으로써 우리는 자신을 잊어버릴 수 있다. 그러나 진정한 성공은 결코 그것에 지나치게 집착하는 사람에게는 오지 않는다. 이런 사람은 자기 자신을 항상 더 높은 지위에 있는 다른 사람과 비교하는 경향이 있기 때문에 결국 어떤 성취도 만족스럽지 않게 생각한다.

셰익스피어는 모든 감정이 공평한 대우를 받을 수 있는 균형상태를 지지한다. 어떤 한 가지 감정 때문에 당신의 내적 균형을 잃어버리는 것은 자신을 속임으로써 삶의 풍요로움과 완전성을 빼앗는 것이나 다름없다.

가장 원시적인 생명체에서 고등생물로 자연 진화단계를 계속 따라 올라가다 보면 고등동물을 구별하는 특징이 '학습할 수 있는 능력'이라는 사실을 발견하게 된다.

예를 들어 개미는 매우 복잡한 행동을 할 수 있지만 이 모든 행동들은 선천적인 것이다. 태어날 때 자신의 종과 떨어져 살아온 개미도 군체 내에서 살고 있는 다른 개미들과 똑같이 행동을 한다. 개미들은 약간 배울 수는 있지만 많은 것을 학습할 수는 없다. 그들은 궁극적으로 자신들의 본성을 변화시킬 수 없다.

개와 고양이는 본능과 학습의 균형 있는 조합에 의존하며, 원숭이는 경험을 통한 학습에 훨씬 더 크게 의존한다. 모든 생명체들 가운데 가장 진화된 존재로 추정되는 인간은 거의 모든 것을 학습에 의존하고 있으며 평생 동안 자신을 변화시킨다.

내적으로 변화하고, 습관을 발달시키고, 견해와 태도를 바꿀 수 있는 능력으로 인해 우리 인간은 놀랄 만한 탄력성(매우 훌륭한 인류학자로 꼽히는 루스 베네틱트*Ruth Benedict*가 '유연성'이라고 불렀던 것)을 갖게 되었다. 우리는 다양한 기후 속에서 살아갈 수 있으며, 다양한 환경에 개인적뿐만 아니라 집단적으로 적응할 수 있다. 우리의 유연성, 즉 스스로를 변화시킴으로써 적응하는 능력은 생존의 가장 위대한 특성이다.

그러나 바로 이 사실, 즉 우리의 개체성이 계속 변한다는 사실이 한편으로는 위험할 수도 있다. 알코올이나 마약중독자가 될 수도 있고, 자신을 상습적인 도박꾼이나 사랑의 중독자로 타락시킬 수 있다. 또한 늙어가는 것과 같은 통제할 수 없는 특성들 때문에 스스로를 혐오하게 될 수도 있다. 우리는 다른 어떤 동물도 할 수 없는, 관계에 있어서 전반적인 심리를 왜곡시킬 수 있다.

아무것도 주어지지 않은 상태에서 우리는 이 같은 모든 것을 창조해낼 수 있다. 이는 또한 우리가 원하지 않는 사람으로 변하지 않도록 평생 조심할 필요가 있다는 것을 의미한다.

제5단계에서 고도의 자기계발을 한다는 것은 당신이 평형상태, 즉 내적 균형을 유지할 수 있게 된다는 것을 의미한다. 이는 당신이 심리적인 책략들에 굴복하여 특정 감정에 지배당하지 않도록 그것들을 회피하는 상태다. 즉 당신의 삶에 대한 접근법이 외부 사건에 의해 바뀌도록 허락하지 않겠다는 것이다. 그리고 그것은 한 감정이나 태도가 당신을 지배하도록 내버려두지 않는 것을 말한다.

내적 평형상태란 당신의 충동과 소망이 조화를 이루는 상태다. 이런 평형상태를 얻기 위해서는 자기 결정적이고, 흔들리지 않는 자기수용성을 갖고, 자신의 감정을 인정하면서 동시에 그것들을 통제할 수 있는 한계를 깨달아야 한다.

내적 평형상태는 굳건한 관계들에 의해 향상된다. 끊임없이 자신을 개선시키고 고결성을 함양시키기 위해 힘써 왔다면, 당신은 이미 내적 평형상태에 도달해 있을 것이다. 이런 상태에 이르면 일이 잘못되고 있을 때마저도 자기 자신을 계속 신뢰할 수 있다.

내적 평형상태에 도달하기 위해 당신은 모든 계획적인 책략을 조심해야 한다. 관계를 위해 또는 다른 사람들을 통제하기 위해 어떤 책략을 사용했다면, 그때부터 당신은 자동적으로 그 책략에 의존하게 된다. 그렇게 되면 책략은 악마가 되어 당신을 지배한다. 때문에 당신은 자신의 진짜 모습을 보지 못하게 된다. 예를 들어 어떤 관계를 만들어내기 위해 수단과 방법을 가리지 않는다면, 바람직한 인간이 될 가능성을 스스로 줄이고 있는 것이다. 당신은 관계를 통제하려는 바로 그 행위로 인해 관계에서 당신의 '자아'를 보존하지 못하게 된다.

다른 사람을 통제하기 위해 어떤 감정적인 책략을 사용하는 것은 "나는 혼자 힘으로 살아갈 만한 능력이 없다."라고 말하는 것과 같다. 게다가 이 사실을 확신하게 되면 점점 더 그 책략에 의존하게 될 것이다.

어쨌든 장기적인 안목에서 보면 책략이 다른 사람들에게까지 작용하는 예는 거의 없다. 대부분의 사람들은 그 책략을 간파한다. 혹은 적어도 당신은 그들의 무의식의 적이 된다. 그 책략이 일정 기간 작용하는 것처럼 보이더라도 그것은 사실 최악의 시나리오에 불과하다. 그러면 당신은 계속 그 책략을 사용하도록 운명지어진다. 자신이 만든 책략의 중독이 되어 그것에 의존하며, 그로부터 벗어나는 것을 두려워하게 되는 것이다. 책략을 사용하지 않으면 모든 관계와 삶이 산산조각날 것이라는 두려움 속에서 살아간다.

당신이 강박관념적인 관심사들의 속박을 받고 있다면, 외부의 사건 또한 당신의 모습을 왜곡시킬 것이다. 또한 그런 관심사들을 갖고 있다면 나이를 먹는 것 같은 통제할 수 없는 사실마저도 당신의 기운을 꺾을 수 있다.

성공도 당신의 중심을 무너뜨릴 수 있다(갑작스러운 큰 성공이 자살의 10대 이유 가운데 하나로 언급되고 있다). 세상을 균형 있게 바라보는 요령을 갖지 못한 사람들은 갑작스러운 성공에 방향을 잃고 만다. 그들은 어쩔 줄 몰라 하며 더 이상 앞으로 나가지도 못한다. 일반적으로 어디든 하나의 감정이나 태도가 지배하는 곳에서는 나머지 본성들이 고통을 겪을 것이다. 그 감정이 질투든, 늙어가는 것에 대한 무력감이든, 또는 언제나 황홀해 있을 필요성이든 간에 당신이 그것을 너무 강조하는 것은 스스로 삶의 풍요로움을 부정하는 것이나 마찬가지다.

인간의 내적 조화는 셰익스피어에게 매우 중요했다. 때문에 그는 희곡과 시에서 끊임없이 그에 대해 언급한다. 햄릿은 '열정의 노예'가 되지 않는 사람을 칭찬하며, 셰익스피어는 그의 소네트에서 고대 그리스인들이 숭배했던 내적 수련을 찬양한다. 모든 감정을 다 받아들이는 셰익스피어의 능력은 어떤 한 감정에 지배되어서는 안 된다는 그의 믿음을 나타낸다.

〈안토니와 클레오파트라〉에서 셰익스피어는 심리적인 책략에 의존하는 한 여성을 그려낸다. 〈리어 왕〉에서는 여러 종류의 왜곡이 실감나게 다루어진다. 〈말괄량이 길들이기〉에서는 탐욕과 너무 큰 야심이 얼마나 쉽게 우리의 진정한 자아를 망각시킬 수 있는가를 보여준다.

15

리어 왕의 무지

셰익스피어의 〈리어 왕〉은 최악의 상태에 직면해 있는 노인을 보여준다. 리어 왕은 우리 모두가 두려워하는 가장 고전적인 실수들을 범하며, 그 결과 비싼 대가를 치른다.

전해오는 이야기에 의하면 리어는 고대 영국의 한 왕이었다. 그는 생전에 세 딸 중 두 명에게 자신의 왕국을 나누어줌으로써 유명해졌다. 셰익스피어의 극에서 그는 젊은 딸들에게 자신을 찬양해야만 한다고 요구한다. 이것은 그들로부터 자신이 훌륭한 사람이라는 말을 들으면서 여전히 권력자라는 만족감을 갖기 위한 요구조건이었다.

리어는 자신을 진심으로 사랑하고 있는 딸 코딜리어*Cordelia*가 단지 그를 기쁘게 할 목적으로 마음에도 없는 찬사를 할 수 없다고 말하자 그녀의 상속권을 박탈한다. 그는 매우 이기적이지만 자신이 듣기 원하는 것만을 말하는 다른 두 딸에게 자신의 모든 재산을 나누어준다. 그들은 리어의 환심을 사기 위해 거짓말도 서슴지 않았는데 말이다.

왕국을 물려받자 두 딸은 즉각 리어에게서 등을 돌리며, 그의 수행원들을 거둬줄 수 없다고 말한다. 자신이 가졌던 모든 것을 빼앗긴 리어는 곤궁한 처지에 빠져 말 그대로 부랑자가 된다. 극이 끝날 때까지 리어는 많은 자기연민으로 괴로워한다. 자신을 '내가 지은 죄보다는 남이 내게 지은 죄가 더 많은 사람'으로 생각하고, 자신이 위대하다는 아첨을 듣고 싶어 하는 무모한 욕구로 인해 누가 진정한 친구인지를 구분하지 못한다. 결국 그는 자신의 잘못된 판단 때문에 거의 미친 상태로 시골마을을 떠돌아다닌다.

리어 왕 증후군

리어는 어떤 판단을 할 때 나이든 사람들이 대부분 하는 실수들을 저지른다. 그는 너무 많은 것을 나누어준 다음에야 자신의 운명에 대해 불평하기 시작한다. 무력하다고 느끼고, 사랑을 잃고, 두려움에 떨고 있는 그는 과거에 다른 사람들을 지배하려고 애썼던 사람이었다. 그는 고집이 세고, 모든 것으로 통하는 유일한 방법을 자신만이 갖고 있다고 생각했다.

〈리어 왕〉은 그것의 불가사의한 극적 요소, 성격묘사, 시적 요소뿐만 아니라 리어의 처지나 나이든 사람들에게 일어날 수 있는 일의 대표적인 예를 나타내기 때문에 위대한 작품이다. 자기 자신이 저지른 실수 때문에 점점 미쳐가는 리어라는 인물이 우리를 사로잡는다. 아마도 실제 삶에서 그런 사람과 사귀고 싶은 사람은 아무도 없을 것이다. 그러나 우리들 대부분은 리어 같은 사람을 실제로 알고 있으며, 많은 경우 우리의 아버지나 어머니가 그런 사람들이기도 하다.

실제로 매주 나를 찾아오는 30대 이상의 내담자 몇몇은 자신을 반쯤 미치게 만들고 있는 부모들에 관해 이야기한다. 그들의 아버지나 어머니는 리어 왕처럼 어떤 왕국을 나눠주는 대신 스스로를 늙었다고 말하며 그동안 삶의 기쁨을 주었던 활동을 그만둠으로써 일선에서 물러났다. 하지만 그 후 부모들은 즐거움을 추구하지 않고 오히려 은퇴한 것에 대해 아쉬워한다. "나는 늙었어. 지금 내가 하고 있는 일도 중요하지 않고, 너희 젊은이들에게 세상을 물려주었다. 그런데 너희들은 잘하지 못하고 있구나."

아직까지는 충분히 활동할 수 있을 정도로 건강한 부모들이 활동을 포기하고 자식들을 교묘하게 속이면서 살아가는 삶을 선택한다. 일이나 다른 사람들과의 관계를 계속 유지하고 있을 때마저 그런 부모들은 부정적인 심리를 갖게 되는데, 그들은 그것을 나이 때문에 불가피한 것이라고 설명하려고 애쓴다.

"나는 70살이다. 너는 내가 어떻게 생각하기를 원하는 거니?"

자식들을 통제하는 방식으로 불평, 부당한 요구, 자기연민을 반복하기 때문에 즐겁게 살아갈 수 있는 부모들의 삶이 불행해진다.

물론 노부모의 건강 때문에 일어나는 어려움을 과소평가해도 된다는 것은 결코 아니다. 예를 들면 눈이 침침해지고 움직임이 느려지는 것은 누구나 겪는 명백한 기력쇠퇴 현상이다. 그러나 〈오셀로〉의 한 등장인물은 다른 사람에게 이렇게 말한다.

이미 망쳐버린 일이니 최선의 방법으로 해결하시오.
사람이란 빈손으로 가기보다는
부러진 칼이라도 갖는 쪽을 택하기 마련이오.

그러나 이러한 경우에도 건강의 문제를 줄이거나 극복할 수 있는 행복의 가능성은 어느 정도 존재하기 마련이다. 특히 그 손실을 감소시킬 수 있는 가능성이 있을 때 당신의 태도는 무엇보다 중요한 역할을 맡게 된다. 이때 가장 절실히 요구되는 삶의 기술은 자신이 갖고 있는 것에서 만족을 주는 것들을 찾아내는 일이다. 이런 것은 결코 자기연민에 의해 이루어지지 않는다.

나와 상담하는 많은 사람들이 부모가 '노인'으로 변하게 될 그날을 두려워한다고 말한다. 그때 내가 그 말의 의미를 물으면, 그들은 육체적인 체력의 손실이나 노인성 질병의 시작을 말하고 있는 것이 아니라고 대답했다. 그들이 걱정하는 것은 부모가 침울해지고 울적해하며 고립됨으로써 심리적인 부담을 안게 될 사실이었다.

하지만 이와는 반대로 80대이지만 여전히 사고방식이 현대적이고, 함께 있으면 많은 즐거움을 주는 부모와 함께 살고 있는 사람들도 적지 않다. 그들은 자신의 부모를 자랑스럽게 여기고 있으며, 부모가 비슷한 나이의 다른 노인들이 갖고 있는 습관에 빠져들지 않기를 간절히 바라고 있다.

내담자들은 부모들이 친구들에 관해 이야기할 때 가장 심적으로 부담을 느낀다며 괴로운 표정을 지었다. "내 친구들이 하나씩 죽어가고 있다. 나도 이 나이까지 살리라고는 생각해보지 않았다.", "이렇게 비싼 옷들은 필요 없다. 늙은 여자는 무엇을 입든 상관없다."라는 말을 들을 때마다 그들은 화가 난다고 했고, 이는 충분히 공감할 만한 것이다.

늙는 것은 나이의 문제가 아니라 습관의 문제다

그러나 앞에서 얘기했던 것보다 심각한 문제가 젊은 사람들 사이에서 발생하고 있는데, 이는 지금까지 말한 노인성 질환의 초기 형태라고 할 수 있다. 우리 모두는 이상할 정도로 자신을 무력하게 만드는 같은 나이 또래의 사람들이나 그보다 더 젊은 사람들과 함께한 경험이 한 번쯤은 있었을 것이다. 하지만 그때마다 우울해지는 이유를 정확히 아는 사람은 아무도 없을 것이다. 당신뿐만 아니라 다른 사람들도 그들의 부정적인 효과, 즉 세속적인 행복을 무디게 하는 부담감을 느낀다. 이런 사람들은 우리 모두에게 살아 있다는 사실에 대해 죄책감을 느끼게 만든다. 그들은 오묘한 절망의 분위기를 자아낸다.

당신이 그들을 충분히 분석해낼 수 있다면, 아마도 그들이 사람들을 매우 기분 나쁘게 만드는 이유를 아는 유일한 사람이 될 것이다. 그들은 교묘하게 희망과 낙관주의, 삶의 기쁨 등을 내팽개쳐버렸다. 또 스스로를 늙었다고 여기는 문제를 갖고 있다.

왕성한 장년에서 노년으로 변해가는 심리적인 징후가 육체적인 징후보다 몇 년 더 일찍 나타날 수 있다. 실제로 그런 징후가 20대에 나타나는 사람들도 있다.

진정한 젊음의 샘은 마음에 있다

셰익스피어의 작품에서 우리는 육체적으로 늙어 가더라도 심리적으로는 계속해서 젊음을 유지할 수 있는 방법에 대한 훌륭한 조언을 찾아낼 수 있다.

물론 육체적으로 우리는 셰익스피어의 시대나 심지어 50년 전에 살았던 같은 나이 또래의 사람들보다 훨씬 더 젊어 보인다. 식품과 운동에 관한 연구가 이어지고 삶의 조건들이 개선됨에 따라 인간의 수명도 늘어났다. 당시의 의학지식으로는 치아를 교정할 수 없었다. 셰익스피어가 태어난 해에 죽었던 미켈란젤로는 주먹에 맞아 깨진 흉한 코를 지니고 평생 살아야 했는데, 오늘날의 성형수술로는 매우 쉽게 고칠 수 있는 부상인 것이다.

그러나 오늘날 많은 사람들이 더 젊게 보이는 일에 열중하게 되면서 보다 세밀한 것들이 누가 더 젊고, 더 활발하고, 어떤 일자리나 관계에 바람직한가를 결정하게 되었다.

우리는 불행하게도 젊음을 유지하는 것이 존경과 때로는 생계문제까지 연결될 수 있는 사회에서 살고 있다. 때문에 우리는 헬스클럽에 다니고, 유행하는 옷들을 계속 사 입고, 화장 및 피부와 머리 등을 가꾸는 데 많은 돈을 쓴다. 그러나 이 모든 것도 무의식적으로 늙은 것처럼 행동한다면 아무런 쓸모가 없다.

심리적인 젊음은 실제로 아무리 나이가 들어도 젊음을 상징해주는 육체적 건강과 균형 못지않게 중요한 것이다. 이런 충만한 마음의 젊음은 세상의 천박한 요구사항 이상의 소중한 것이다. 그것은 진실로 더 행복한 삶을 만들어낸다. 심리적인 젊음은 희망에 차 있고, 계속해서 충만하고, 세상의 발전에 관심을 갖는 것을 의미한다. 그것은 친근한 관계를 조성하고 새로운 애정관계를 개척할 준비가 되어 있음을 의미한다. 그것은 학습의 기초가 되는 젊음의 충만이며 새로운 것을 배울 수 있다는 신념이다.

이런 젊음을 신장시킴으로써 당신은 세월이 흐르면서 갖게 될지도 모를 두려움을 어느 정도 누그러뜨릴 수 있다. 심리적인 젊음은 세월을 문제 삼지 않는다. 사람들이 당신 주위에 모여서 함께 즐길 것이며, 당신을 섹시하고 재미있는 사람이라고 생각할 것이다. 심리적인 젊음이 무엇인지 잘 모르더라도 사람들은 무조건 그것에 끌리게 되어 있다.

당신이 이런 유형의 젊음을 갖고 있다면, 남들을 젊게 느끼도록 만들고 있는 것이다.

늙는 것은 선택의 문제다

어떤 사람을 만났을 때 우리는 즉시 판단한다. 그 또는 그녀가 우리를 늙었다고 느끼게 만드는가 아니면 젊다고 느끼게 만드는가?

자신이 늙었다는 느낌은 다른 사람에 의해 일어날 수 있다. 혹은 우리 스스로 발달시킨 노인성에서 유래한 것일 수도 있다. 우리가 과거보다 더 늙었다는 사실을 인식하는 것은 자연스러운 일이다. 그러나 언제나 자신보다 훨씬 더 젊은 사람들과 시간을 보내는 것처럼 측은할 정도로 나이를 부정하면서 살아가는 사람들은 매우 많은 고통을 겪게 된다.

당신은 세월이 흘러가면서 일어나는 불가피한 육체적인 변화를 받아들이는 것 이외에는 나이에 관해 생각할 필요가 전혀 없다.

실제 나이를 알았을 때 우리를 깜짝 놀라게 하는 사람들이 있을 것이다. 우리는 그들을 실제 나이보다 훨씬 젊은 것으로 생각하는데, 되돌아보면 그들을 젊어보이게 만들었던 것은 그들의 육체적인 겉모습이 아니라 태도였음을 깨닫게 될 것이다.

계속해서 자신이 젊다고 느끼는 방법에 관한 셰익스피어의 충고는 인간성에 대한 그의 연구에 기초하고 있으며, 이것은 지금까지 변하지 않았다. 직접적인 충고와 함축적인 충고가 있는데, 후자는 늙어가는 사람들에게서 그가 관찰한 어떤 경향에 관하여 말하고 있다.

자신도 모르게 빠져드는 나이를 먹어가는 습관들(우리로 하여금 늙었다고 느끼게 만드는 습관들)은 있지만, 그 습관들이 무엇인지 파악하게 되면 그것들에 저항할 수 있다. 당신이 이런 습관들을 떨쳐 버릴 수 있다면, 사람들은 당신을 더 젊게 볼 것이다. 만약 이런 습관 중 하나가 당신에게서 자라나고 있다면 즉시 제거해버려라.

당신의 부모님 중 한 분이나 주위의 어떤 노인이 이런 특성을 발달시키고 있다면, 도울 수 있는 일이 있다. 그것은 인생이 여전히 많은 가능성과 풍요로움을 가지고 있다는 사실을 그 사람에게 다시금 확인시켜 주는 일이다.

그 또는 그녀가 하는 말을 듣고 있으면 당신의 사기가 떨어진다는 점을 그 사람에게 말하라. 그 사람이 '연령차별주의자'의 자기 혐오감으로 자신에 대해 말하는 것을 듣고 있노라면 당신과 당신의 형제자매들, 즉 전체 가족들이 당황하게 된다는 점을 지적하라. 그렇지만 불손하게는 행동하지 마라.

당신이 좋은 관계를 유지하고 있고 부모가 심리적으로 자신을 자각하고 있다면, 더 많은 것을 도울 수 있다. 부모님께 스스로를 늦게 만들고 있다고 말하면서 그런 행동들을 구체적으로 지적할 수 있다. "어머니가 그런 식으로 말씀하시면 제 기분이 엉망이 됩니다. 물론 어머니도 마찬가지일 거예요. 저는 그런 식으로 어머니가 늙었다고 말씀하시는 걸 참을 수 없습니다."

이 문제를 포함한 많은 문제를 해결하기 위해 사람들이 서로 도움을 주고받을 수 있다면, 모두 자격을 갖춘 심리학자나 다름없을 것이다.

젊음을 유지하는 방법에 관한 10가지 충고

여기에 셰익스피어 작품을 통해 얻은 10가지 특별한 준수사항이 있는데, 그것은 젊음을 계속 유지하고 싶은 경우 모두 매우 귀중한 과제들이다. 이를 지키도록 노력해보자. 부모님이나 앞서 제시한 태도 때문에 부담감을 주는 사람들과 한 번에 하나씩 이 항목들에 관해 진지하게 토론해보는 것도 좋다.

1. 학생으로 계속 남아 있어라.

도전적이고 새로운 무엇인가를 배우려는 모든 노력 뒤에는 내일이라는 개념이 존재한다. "나는 더 많은 것을 배울 것이며, 세계는 나에게 제공해줄 많은 것을 갖고 있다"는 생각이 언제나 활력을 불어 넣는다. 햄릿은 그의 친구 호레이쇼를 '학생친구'라고 부르는데, 이는 두 사람 모두 인생의 학생임을 의미하는 것이다. 학자들은 햄릿의 나이를 측정하는데 어려움을 겪고 있다. 모든 연령의 배우들이 햄릿 역을 연기했으며, 그 중에는 60세가 넘은 사람들도 있었다. 그러나 햄릿의 나이에 상관없이 '학생친구'라는 두 단어에는 젊은 활기가 담겨 있다.

공예기술이든 새로운 언어든 배우는 일에 열중하거나 관심을 가지면 정신이 다시 새로워지고 계속해서 활기를 유지하게 된다. 셰익스피어의 극에 등장하는 젊은 사람들은 언제나 배우고 발견하며 무엇인가를 완성한다. 이와 반대로 〈템페스트〉에서 아직 노인이라고 할 수 없는 프로스페로가 그를 매우 활기 차게 만들었던 마술공부를 포기하겠다고 했을 때, 우리는 그가 갑자기 젊은 사람에서 노인으로 바뀌어버렸다는 끔찍한 생각을 하게 된다.

2. 과거를 자랑하지 마라.

당신이 과거에 얼마나 활동적이고 능력이 있었는지, 혹은 수년 전에 사람들이 당신을 얼마나 대단한 존재로 생각했었는지에 관해 자랑하고 싶은 욕구를 최대한 자제하라.

늙었다고 느끼는 순간들이, 특히 당신보다 더 젊은 사람들과 함께 있을 때 그런 욕구를 불러일으킬 것이다. 당신은 젊은 날의 영광스러웠던 순간에 대해 이야기하고 싶을 것이다. 그러나 그 이야기는 틀림없이 그 상황과 관계가 없거나 부적절한 것으로 들릴 것이다. 남들은 당신에게 아부를 하거나 감명받은 것처럼 행동할 것이다. 그러나 당신은 이런 '옛날 이야기'로 스스로를 그 집단으로부터 구별 짓고 있으며, 그런 이야기는 나중에 당신을 더 늙었다고 느끼게 만들 것이다.

셰익스피어의 한 등장인물은 이런 잘못에 대해 말한다.

자랑만 일삼는 나이든 사람의 특권으로
내가 젊었을 때 무엇을 했고, 내가 늙지 않았다면
무엇을 할 것이라고 말하는 노망든 사람이나
바보처럼 이야기하지 않겠다.

늙어 보이거나 늙었다고 느끼는 것을 피하는 가장 좋은 방법은, 그 동기가 무엇이든 위에서 언급한 식의 자랑을 하지 않는 것이다.

3. 당신이 얘기하는 중에 다른 사람이 참견하는 것을 막지 마라.

불필요한 충고처럼 들릴지 모르지만, 늙어가는 사람들은 종종 자신만이 명확한 대답을 갖고 있다고 생각하는 경우가 많다. 그들은 마치 연설 준비를 하지 않은 것처럼 일괄하여 장황하게 말한다. 이것이 의견의 차이를 참지 못하는 노인들의 성향과 함께 어우러지면 매우 난처해지는 경우가 많다.

자연스러운 대화 중에도 사람들은 상대편이 말하고 있는 도중

갑자기 참견한다. 그것을 젊은이 특유의 습관, 삶의 발랄한 한 부분이라고 부르자. 혹은 당신이 그렇게 생각한다면 나쁜 예의범절이라고 불러도 좋다. 그러나 말참견할 수 없는 사람과 날마다 장황한 연설을 하는 사람은 늙고 어리석게 보인다. 이미 그런 식으로 행동하고 있다면 당신도 자신에 대해 그렇게 느꼈을 것이다.

셰익스피어는 이런 종류의 사람이 다음과 같은 특징을 갖고 있는 것으로 묘사한다.

지혜롭고, 진지하고, 매우 기발한 생각을 갖고 있는 체하면서
"나는 현인이다. 내가 입을 열면 개도 짖어서는 안 된다."라고 말한다.

셰익스피어의 등장인물들 가운데 이에 가장 가까운 사람이 폴로니어스인데, 그의 두 자식의 나이로 판단해볼 때 그는 많이 늙은 사람이 아니다. 그러나 그가 한번 시작한 강의를 끝까지 듣기 위해서는 많은 인내가 필요하다. 그래서 그를 아끼는 덴마크의 왕비마저 마침내 그가 말하는 도중에 끼어들어 "말재주만 부리지 말고 요점을 말하라"고 요구한다.

물론 당신은 자신의 아이디어를 말로 표현하고 자신의 생각을 끝까지 발표할 권리를 갖고 있다. 그러나 끝까지 자신의 이야기만 하는 것은 늙었다는 표시일 뿐이다. 유연성을 가져라. 때로는 남들이 말참견하는 것을 이해하라. 대화의 흐름을 따라가다가 당신이 말하고 싶은 것으로 다시 돌아오는 연습을 하라.

4. 젊은 사람들과 경쟁하기보다는 그들에게 용기를 주고 함께 즐겨라.

나이가 많다고 해서 최종 결론을 내릴 권리를 갖고 있지는 않다. 훨씬 젊은 사람이 당신이 오랫동안 공부했던 주제에 대하여 더 많이 알 수도 있다. 그렇다고 해서 당신의 정체성이 위태로워지는 것도 아니다. 남들보다 뛰어나려고 애쓰고, 나이가 많다는 이유로 그들에게 강제로 명령하려 한다면 그들은 침묵을 지킬 것이다. 그리고 당신이 그들에게 필요한 사람이거나 예의상 어떻게 할 수 없는 경우라면 그냥 계속 이야기하도록 내버려둘 것이다. 즉 그들은 셰익스피어가 어디에선가 '적절한 공손함'이라고 말했던 것을 표현하고 있는 것이다. 그러나 그 과정에서 당신은 함께 있는 사람들과는 달리 더 늙어 보일 것이다. 그들이 당신의 나이를 의식하고 있다는 것을 느낄 것이며, 이는 분명히 당신이 원했던 것이 아님을 깨닫게 될 것이다.

〈끝이 좋으면 다 좋아〉에서 젊은 사람들과 경쟁하려는 나이든 사람들의 경향에 대해 잘 알고 있는 한 등장인물은 자신이 늙으면 결코 그런 짓을 하지 않으리라고 맹세한다. 그는 한 친구에게 더 젊은 사람들을 숨막히게 할 만큼 자신의 나이를 내세우기보다는 차라리 죽는 게 나을 것이라고 말한다.

내 불꽃에 기름이 부족하여

더 젊은 사람들의 골칫거리가 될 때까지는
살지 않을 것이다

물론 이 말에는 셰익스피어가 극작가였던 만큼 약간의 과장이
있는 것도 사실이다. 그러나 핵심은 자신이 늙었다고 느끼지 않으
려면 젊은 사람들의 성장을 인정하고 그들이 더 성장할 수 있는
여지를 마련해줘야 한다는 것이다. 젊은 사람들은 환영받고 있다
고 느끼게 될 것이며, 자신을 필요로 하지 않는 세상에서 살고 있
다는 느낌 따위는 갖지 않게 될 것이다.

5. 남들에게 부탁받지도 않은 충고를 굳이 하려고 들지 마라.

부탁받지 않은 충고를 하는 것은 나이가 들면서 자기도 모르게
빠져들게 되는 습관이다. 그들은 자신의 존재를 정당화하기 위해
이런 일을 한다. 그러나 부탁받지도 않은 충고자의 역할을 하는
것은 그들이 당신을 더 늙었다고 느끼게 만들 뿐이다.

6. 삶과 사랑을 철학으로 대처하지 마라.

당신은 경험을 통해 사랑과 이별에 대해 알고 있다. 그리고 나
이가 들면서 다시는 사랑에 빠지지 않을 거라는 결심을 했거나,
지금은 사랑하지 않는 배우자와 수년 동안 함께 살고 있다. 그러
나 당신의 동기가 무엇이든 젊은 사람들에게 합리적인 지혜를 제
공하고 그것으로 열정을 대체하기를 기대하는 행위는 어느 누구

에게도 전혀 도움이 되지 않을 것이다. 당신이 사랑에 대해 어떤 지혜를 갖고 있더라도 단 한 번만 말하고 그만 두어라.

당신은 다음 두 인물 중 누가 더 늙고 젊은가를 쉽게 추측할 수 있을 것이다. 한 등장인물이 로미오에게 사랑하는 사람과 헤어져 살아야만 하는 운명을 달게 받아들이라고 말한다.

비록 너는 추방된 몸이지만, 너를 위로하기 위해
내가 말하는, 고난을 덜어주는 달콤한 우유인 철학

그러나 로미오는 그 충고에 대해 다음과 같이 대답한다.

철학이 줄리엣을 만들 수 없다면…
그런 철학은 꺼져버려라!

욕망과 활력을 허락하라. 실수하게 내버려두어라. 아마 그런 실수들은 당신처럼 아무에게도 치명적이지 않을 것이다. 사실 또 다른 사랑이 당신을 기다리고 있을지 모른다.

〈뜻대로 하세요〉의 로잘린드는 이렇게 말한다.

사람들이 시시각각으로 죽어 구더기 밥이 되고 있지만
사랑을 위해 죽은 사람은 하나도 없다.

열정에 관한 한, 특히 사랑 문제에 있어서 모든 것을 다 아는 척하는 사람이 되지 마라.

7. 예술이나 미학적인 추구를 계속 발달시키도록 노력하라.

이는 말 그대로 그림이나 음악 같은 예술을 사랑하거나 자연의 아름다움을 사랑하는 것을 의미한다. 크든 작든 존재하는 모든 것들을 사랑한 셰익스피어는 꽃에 대해 매우 정통해 꽃의 다양성과 아름다움에 관해 광범위하게 언급한 적도 있다.

어떤 형식으로든 아름다움을 소유하려고 노력하라. 그렇게 하면 그 아름다움을 발견했다는 생각과 그 결과로 생긴 의기양양함 때문에 계속 젊음을 간직할 수 있을 것이다.

8. 늙어가는 것에 대해 불평하지 마라.

자신이 늙어가는 것에 대해 말하는 건 당신만이 그 문제를 갖고 있는 유일한 사람이라고 불평하는 것처럼 들린다. 그것은 슬픈 일일뿐만 아니라 자기도취적인 행동이다. 이는 당신을 훨씬 더 늙었다고 느끼게 만들 것이다.

만약 당신이 자식들에게 이런 넋두리를 하면, 그들은 가만히 듣고 있을 것이다. 당신과 친한 사람들도 당신 말을 들어줘야 한다고 느낄 것이다. 그러나 어느 순간부터 많은 사람들이 당신을 피하기 시작할 것이다. 당신 얘기를 듣기 원하지 않는 사람들은 셰익스피어가 〈리처드 3세〉에서 어떤 귀족의 입을 통해 이야기했던 것처럼, 조금 과장한다면 이렇게 말하고 싶을 것이다.

어머님, 안심하십시오. 우리들 모두가 반짝이는 별이
희미해지는 것을 보고 슬퍼하는 것은 당연합니다.
하지만 아무도 슬퍼하는 것으로 그 손상을 치료할 수는 없습니다.
어머님, 저를 가엾이 여기십시오.

대부분의 사람들은 당신이 늙어가는 것에 대해 불평할 때 가엾
은 생각이 들 것이다.

9. 젊은 사람들에게 무조건 베풀려고 하지 마라.

이 충고는 심지어 자식들과 함께 있는 경우에도 적용된다. 모든
것을 다 주지 마라. 예를 들어 젊은 사람이 지불할 여유가 있고 실
제로 지불하기를 원하는 경우에도 모든 것을 지불하겠다고 고집
하지 마라. 이기적인 젊은이도 있다는 것을 기꺼이 인정하라.

'젊은 세대'에게 기회를 주지 않음으로써 당신은 그들과 멀어
질 것이며, 스스로를 늙었다고 느끼게 될 것이다. 그렇게 하는 것
은 그들이 당신을 동등한 사람으로 보지 않게 만들며, 성장했다고
느끼지 못하게 방해한다. 어쩌면 당신은 자신이 모든 것을 지불하
지 않으면 그 사람이 자신을 원하지 않을 것이라고 확신하고 있을
지도 모른다.

문학작품에서 볼 수 있는 이런 실수의 대표적인 예가 리어 왕
인데, 그는 자신의 왕국을 두 딸에게 나누어줌으로써 그들을 강화

시키고 자신의 힘은 약화시켰다. 리어의 이와 같은 행동은 나중에 두 딸로부터 냉혹하게 배반당하기 때문에 스스로에 대한 사형선고나 다름없었다.

받는 사람들은 언제나 젊은이와 노인의 차이를 강조한다. 그들은 주는 사람이 흔히 생각하는 '나는 나이가 들어 쓸모없어지고 있다. 그러니 더 이상 즐거운 일이 필요하지 않아. 그런 일은 젊은 사람들에게 더 적합하다'와 같은 감정을 이용한다.

그런데 20대의 젊은 사람들도 이런 입장을 취하는 것을 많이 봤다. 예를 들면 마치 행복한 시절은 끝나버렸다는 듯이 자신보다 약간 어린 동생에게 모든 것을 주는 여자들이 있다.

셰익스피어가 만들어낸 지혜롭고 재치 있는 등장인물인 리어왕 궁전의 어릿광대는, 리어가 모든 것을 두 딸에게 준 것을 후회하자 이미 늦었다고 리어를 조롱한다.

광대 : …나는 달팽이가 어째서 집을 갖고 다니는지 알지.
리어 : 왜?
광대 : 제 머리를 쑤셔 박기 위해서죠. 딸들에게 집을 내주고 뿔을 감출 껍데기도 없어서야 되겠소?

리어는 나중에 자신에게 필요할 수도 있는 것들을 모두 딸들에게 줘버렸다. 그러므로 젊은 세대들에게 나누어줄 여유가 있더라도 다시 한 번 생각해보아라. 만약에 그 동기가 자신이 너무 늙었다는 생각이나 어떤 관계에서 자신에게 부족한 점이 많다는 느낌을 상쇄시키기 위한 것이라면, 주는 행위에 의해 당신은 그 어느 때보다 자신이 더 나이 먹음을 느끼게 될 것이다. 관계 자체를 신뢰하고 균형을 갖도록 하라.

10. 죽음에 관해 말하지 마라.

물론 나이든 사람들이 더 그러는 경향이 있지만 가끔은 젊은 사람들도 죽음에 대해 이야기하는 것을 본다.

죽음에 관한 대화는 분명 관계된 모든 당사자들에게 끔직한 경험이다. 그것은 듣는 사람이 더 젊거나 더 많은 희망을 가진 데 대한 죄의식을 느끼게 하기 위한 계산된 행위다. 그리고 다른 사람의 관심을 끌기 위한 아주 유치한 방법이다.

〈템페스트〉의 마지막 부분에서 사람들의 심금을 울리는 프로스페로의 자기연민의 말을 누가 듣고 싶어 하겠는가? 자신이 갖고 있던 마술의 힘을 포기한 후 그는 "밀라노로 돌아가서 죽음을 기다리며 살겠다"고 통고한다.

그런데 셰익스피어의 가장 나이 많은 등장인물들 중 한 사람인 폴스타프는 결코 자기연민에 빠지지 않는다. 그는 끝까지 믿기 어려울 정도로 천진난만한 기질을 유지한다. 실제 존재한 인물인 존 올드캐슬 *John Oldcastle* 경을 바탕으로 창조된 폴스타프는 나이가 들어서야 가능한 정신과 모험을 재현한다. 물론 그는 책임감이 없는 사람이었지만 날마다 호기심과 열정, 기쁨으로 아침을 시작했다.

어떤 사람이 '대체 언제 친구들과 함께 싸우고, 술 마시고, 떠들고 놀기를 그만두고 천국에 가기 위한 몸가짐을 갖출 것' 인지에 관해 물었을 때, 폴스타프는 그런 대화를 계속할 흥미를 잃는다.

입 닥쳐. 해골처럼 말하지 마. 내 종말을 생각하게 하지 마.

셰익스피어는 죽음을 인정하지 않은 것이 아니었다. 그의 작품 여기저기에서 등장인물들이 죽고, 죽음에 관해 한가롭게 이야기한다. 물론 논쟁의 여지가 있지만 햄릿을 제외한 대부분의 사람들은 죽음에 탐닉하지 않는다. 그렇게 하기에는 대부분 너무 젊고 활기에 차 있다. 70세의 폴스타프는 그들 가운데 가장 젊은 사람 못지않게 발랄했다.

사람의 나이는 우리가 어떻게 할 수 있는 일이 아닌 것처럼 셰익스피어는 농담조로 시간은 대머리가 틀림없다고 표현했다. 그러나 자신이 얼마나 나이가 들었는지를 '느끼는' 것은 분명히 우리가 통제할 수 있는 일이다. 셰익스피어는 이런 통제가 어디에서 가능하며, 어떻게 해야 그것을 우리의 이익을 위해 사용할 수 있는가에 대한 풍부한 이해를 제공해준다.

16

클레오파트라의 속임수

셰익스피어의 희곡 〈안토니오와 클레오파트라〉는 로마의 고위 정치인이자 장군이었던 마크 안토니와 클레오파트라의 마지막 사랑을 다룬다. 안토니와 클레오파트라는 셰익스피어 덕분에 역사상 가장 위대한 사랑의 커플 중 하나가 되었다고 해도 과언이 아니다. 셰익스피어에게는 로미오와 줄리엣, 베아트리체와 베네딕트 같은 위대하고도 낭만적인 연인들을 만들어내는 재능이 분명 있었다.

셰익스피어가 보기에 클레오파트라의 삶에서 안토니오와 나누었던 사랑은 가장 흥미로운 사건이었다. 왜냐하면 당시 매우 많은 것들이 위험한 상태에 있었고, 그 사랑은 그녀가 39세에 자살함으로써 끝났기 때문이다.

그러나 클레오파트라는 정열적이고 매우 외향적인 연애를 했던 것으로 전해진다. 셰익스피어는 이 역사적인 사건에 기초해서 이집트의 여왕이었던 클레오파트라를 믿기지 않을 정도로 아름답고 부유하고 강력하며, 자신의 매력을 이용해 모든 사람들을 휘어잡는 기술이 뛰어났던 여인으로 묘사했다.

동시에 관능적이고 현명하며, 육체를 이용하여 어떤 남자든지 자신을 사랑하게 만드는 능력을 소유했던 사람으로 묘사했다. 그녀는 남자를 성적으로 자극하여 자신에게 열중하도록 만드는 재주를 가지고 있었다.

셰익스피어는 클레오파트라의 자기 포장술을 거의 마술적인 것으로, 즉 그녀가 자신의 의지대로 아름다움과 성적 매력의 분위기를 만들어내고 유지할 수 있었던 것처럼 기술한다.

셰익스피어는 한 등장인물을 통해 클레오파트라에 대해 다음과 같은 유명한 구절을 남긴다.

세월이 그녀의 아름다움을 시들게 할 수 없고,
아무리 보아도 그녀의 무한한 다양성은 조금도 싫증나지가 않네.

클레오파트라는 거의 마법사나 다름없었다.

셰익스피어 이후 수세기 동안 많은 작가들이 그랬듯이 셰익스피어 자신도 그녀에게 완전히 매료된 것처럼 보인다. 그는 그녀를 매우 아름답고 육체적으로 완벽한 존재로 생각했다.

클레오파트라의 비밀

그러나 최근 들어 실제로 클레오파트라는 어떤 모습이었을까에 대해 많은 논의가 이루어지고 있다. 당시 씌어졌던 논평들이나 몇몇 인물화들은 클레오파트라가 실제로는 보통 수준의 미모를 가진 여자에 불과했음을 암시한다. 그녀의 얼굴 생김새는 약간 투박했으며 몸매는 연약한 편이었다. 그녀가 결코 엘리자베스 테일러가 아니었던 것은 확실하다.

반면에 최근의 또 다른 연구들은 클레오파트라가 알고 활용했을 매우 발달한 화장술과 놀라울 정도로 화려했던 의류기술(금세공, 보석이 박힌 머리 장식, 이국적인 가죽제품)에 관한 것들을 밝혀내고 있다. 우리는 이제 클레오파트라가 자신을 돋보이기 위해 사용했던 인위적인 분위기에 관해서 알게 됐다. 그녀는 자신이 머무는 곳의 빛과 자신을 휘감고 있는 향기를 언제나 통제할 수 있었다.

인간 본성에 관한 가장 위대한 학자인 셰익스피어에 의하면, 클레오파트라가 만들어냈던 극적이고 물리적인 비법들은 이보다 훨씬 더 복잡한 심리적 비법들과 함께 어우러지고 있다.

셰익스피어는 클레오파트라의 연애관계들이 순전히 그녀의 방종 때문에 이루어진 것이 아니라 이집트 여왕이라는 클레오파트라의 지위 때문에 이루어진 것으로 이해한다. 그녀는 왕좌를 지키기 위해 자신만의 간계를 사용했다.

클레오파트라의 아버지는 죽으면서 그녀에게 왕좌를 물려주었지만 당시 그녀는 10대의 어린 나이였기 때문에 오빠의 후견인에게 그 자리를 빼앗겼다. 그녀가 그 자리를 되찾기 위해 애쓰고 있을 때 줄리어드 시저가 로마 적대자를 추적해서 이집트에 도착했다. 클레오파트라는 이를 세계에서 가장 강력한 장군의 협력을 얻을 수 있는 절호의 기회로 생각하고 그를 유혹함으로써 자신의 목적을 달성할 수 있었다. 그녀는 시저의 아들을 낳았으며, 시저가 로마에서 살해될 때가지 그의 곁에 머물렀다.

그 후 시저의 후계자 중 한 사람인 마크 안토니가 이집트를 대표하는 여왕으로서 자신을 알현하라고 불렀을 때, 클레오파트라는 그를 재빨리 유혹했다. 중간에 몇 번의 마찰이 있었지만 그녀는 죽을 때까지 안토니와의 무모한 사랑을 유지했다. 그녀는 안토니가 당시 로마에서 가장 강력한 사람의 누이동생이며 그의 아내였던 옥타비아Octavia와 로마를 버리고 그녀 옆에 머물게 만들었다. 클레오파트라 때문에 안토니는 로마에서 명성을 잃고 웃음거리가 되었으며, 결국 옥타비아가 이끄는 로마군에 대항하여 싸우게 된다.

안토니가 악티움Actium 대해전에서 패배했을 때 클레오파트라는 그를 포기한 채 자신의 배 60척을 이끌고 떠나버린다. 그러나 안토니는 로마로 돌아가지 않고 클레오파트라를 뒤따른다. 그는 결국 그녀가 자결했다는 거짓 보고를 듣고 자신의 칼날 위에 쓰러져 자살을 시도한다. 그리고 마침내 클레오파트라가 있는 곳으로 옮겨져 그녀의 품안에서 죽는다.

그 후 클레오파트라는 옥타비아누스에게 시종을 보내 다시 그를 유혹하려고 한다. 그러나 옥타비아누스는 그녀의 비법에 무감각한 남자였다. 셰익스피어의 작품에서 그녀는 독사에게 자신의 가슴을 물게 해 자살한다. 이런 식으로 클레오파트라는 종말을 맞이하지만, 그녀의 신화와 비법은 아직까지도 생생하게 남아 있다.

클레오파트라의 심리적 비법

셰익스피어가 묘사한 클레오파트라의 심리적 비법은 특히 잊을 수 없는 부분이다. 그 속임수에서 가장 중요한 것은 연인으로 하여금 평정심을 잃게 만드는 것이었다.

처음 그녀는 안토니를 야성적으로 유혹한다. 그러나 나중에는 사랑과 냉대를 반복한다. 그녀는 자신을 변덕스럽고 통제할 수 없는 사람처럼 보이도록 만들기 위해 치밀하게 준비된 행동을 한다. 클레오파트라는 그들의 관계를 긴장을 늦출 수 없는 격렬한 상태로 유지함으로써 안토니의 마음속에 불안과 불확실성을 유발시켰다. 이것을 안토니는 사랑으로 잘못 이해하고 있었다.

극이 전개됨에 따라 클레오파트라는 안토니의 경험을 무시하며, 오직 자신만의 경험을 중요시하기 시작한다. 그녀는 안토니의 삶에 무슨 일이 일어나든 오로지 자신에게만 모든 정성을 다 바칠 것을 요구한다. 만약 그가 맹목적으로 그녀를 사랑해주지 않으면 자신의 사랑을 그만둘 것임을 은근히 암시한다. 또한 자신이 감정적으로 초연해 있기 때문에 그가 자신의 마음을 사로잡기는 어려울 것처럼 행동한다. 그리고 그에게 불만을 갖고 있음을 전달한다.

클레오파트라는 자신의 기법을 이용하여 안토니에게 고통을 주며, 그를 고도의 흥분상태에 빠지게 만든다. 이것은 결국 그의 열정과 융합된다.

안토니가 긴급한 용무로 로마에 가기 위해 그녀 곁을 떠났을 때, 클레오파트라는 그를 감시하기 위해 그녀의 하인들 중 한 사람을 보낸다. 먼저 그녀는 그 시종에게 자신이 보내서 왔다는 말을 하지 않도록 당부한다. 그녀는 이런 행동을 통해 자신이 그에게 많은 관심을 가지고 있음을 보여줌으로써 그녀를 잃을지도 모른다는 그의 걱정을 덜어줄 거라고 생각한다. 그런 다음 그녀는 자신의 시종에게 다음과 같이 말한다.

그가 어디에서 누구와 무엇을 하고 있는지 알아보아라.
만약 그가 슬픈 상태에 있다고 생각되면
내가 춤을 추고 있다고 말하라. 명랑한 상태에 있으면
내가 갑작스런 병을 얻었다고 보고하라.

바로 이것이 클레오파트라의 심리적 비법의 정수다.

안토니는 곧 그녀가 자신의 마음을 가지고 놀고 있다는 것을 알아차린다. 그는 친구에게 다음과 같이 말한다.

그녀는 남자의 생각이 미치지 못할 정도로 교활하다.

그러나 이로 인해 그의 강박관념이 끝난 것은 아니다.

클레오파트라처럼 여러 비법을 구사할 수 있는 현대인은 거의 없다. 그러나 많은 사람들이 그녀와 비슷한 시도를 하고 있다.

오늘날 물리적인 비법은 매우 쉽게 이루어지고 있다. 상점에 가면 누구나 화장품과 향수에 쉽게 접근할 수 있다. 하지만 대부분의 사람들은 확실한 성형수술이나 지방제거수술마저도 비법으로 간주하지 않는다. 따라서 오늘날의 비법은 철저히 심리학의 영역에 속한다. 클레오파트라의 비법을 사용하고 싶어 하는 사람들은 겉모습이나 분위기 같은 책략보다는 심리적인 수단에 더 의존하게 되는 것이다.

비법을 사용하는 사람들

심리학적 비법에 크게 의존하고 있는 사람들은 근본적으로 불안한 상태에 있다. 그러나 그들은 보통 겉으로는 자신감 있고 품위 있는 것처럼 보인다.

• 이들은 대개 평균 이상으로 잘생겨 보인다. 때문에 누구든 언제라도 자신과 사랑에 빠지게 만들고, 자신에게 봉사하도록 만들

수 있다고 생각한다. 시간이 지남에 따라 그들은 효과적인 수법 들을 늘려간다.

• 이들은 유명한 사람들의 이름을 마치 친구 이름처럼 언급함으 로써 자신을 돋보이게 만들어줄 사람들을 끌어 모은다.

• 이들은 다른 사람들과 깊은 우정을 갖지 못한다. 왜냐하면 친구관 계를 형성할 만큼 자기 자신을 드러내지 않기 때문이다. 그들의 많은 친구들은 단지 그들의 이미지를 포장하는 존재일 뿐이다.

• 비법을 사용하는 사람들은 어떤 일, 특히 윤리적인 일에 대해서 는 명확하지 않은 경향이 있다.

비법의 목적은 무엇보다도 효과창출이다. 상대편, 즉 연인이나 잠재적 연인을 자신의 필요한 욕구 이외의 다른 어떤 것도 보지 못하게 함으로써 통제하려는 것이다.

이런 비법을 어느 정도 전문적으로 사용하는 것은 건강한 사람 들, 즉 사랑할 수 있는 사람들이 흔히 만들어내려고 노력하는 낭 만적인 분위기와 아무런 관계가 없다. 이것은 촛불이 켜진 아늑한 분위기에서 저녁을 먹거나, 아름답게 꾸미는 차원이 아니다. 이것 은 하나의 생활양식, 즉 다른 사람들에게 자신의 본심을 들키지 않도록 계산된 생활양식이다.

비법을 사용하는 사람들은 감정이입과 잔인성을 교묘하게 결합 시킨다. 그들은 당신이 언제 불행하고, 언제 그들을 버릴 것인가 에 민감하다. 그들의 촉각은 매우 발달되어 있다.

그들은 당신이 망각상태에 계속 머물도록 필요한 조치들을 취한다. 당신이 관계를 끊으려 하면 갑자기 친절해지면서 당신에 관한 세세한 것까지 기억해낸다. 그들은 당신이 죄책감을 갖도록 여론을 이용할 것이다. 그러나 그런 감정이입은 결코 진정한 관심을 표현하는 것이라고 할 수 없다.

비법의 네 가지 기술

초연한 척하기

초연함을 비법으로 사용하는 사람은 당신보다 자신이 더 우아하고 더 많이 아는 것처럼 보이려고 노력한다. 그는 세상에 대해 항상 무언가 불만이 있는 것처럼 행동하며, 당신이 그에게 더 열성적이거나 열광적이기를 기대할 때 아무런 반응도 하지 않는다. 그는 항상 이렇게 말하는 것 같다. "나는 그것이 어떻게 행해졌는지 알지만 너는 잘 모를 것이다.", "나는 너보다 더 좋은 곳에 가본 적도 있고 더 나은 사람들을 알고 있다.", "나는 지금 재미있는 곳에 가고 있다. 너도 언젠가는 가게 될 것이다."

잘생긴 사람들도 자주 이 술책을 사용한다. 그들은 경험에 의해 자신의 얼굴이 다른 사람들과 가까이 하기에는 어렵다는 것을 안다. 그들은 무심코 잘못 말하거나 너무 열광적으로 반응하는 것은 자신의 이미지를 손상시키는 것일 뿐이라고 생각한다.

정말 매력이 없는 사람들을 포함한 다른 사람들도 이 술책을 사용한다. 그들은 둔감한 척함으로써 자신이 따돌림 당하는 것을 막는다. 초연함 비법의 목표는 일방적으로 상대방에게만 노력을 요구하고, 상대방과의 관계에서 나타나는 모든 위험을 만드는 것이다.

이런 초연한 사람과 마주한 상대방은 너무 많은 말을 하게 되거나 쑥스러워하고 혹은 서로 다투는 경험을 하게 된다.

초연함 비법의 숙달자들은 누가, 누구에게, 그리고 얼마나 자주 먼저 말을 거는가에 매우 민감하다. 거리에서 우연히 그런 사람을 만나는 경우 백이면 백 언제나 당신이 더 적극적으로 인사를 하게 된다.

나는 고등학교 때부터 알고 지내던 사람(매력적인 면이 전혀 없는 사람)에게 실험을 해봤다. 그는 베푸는 것이 거의 없었기 때문에 아무도 그를 좋아하지 않았다. 우리는 주사위놀이 클럽에서 자주 부딪치곤 했다. 그럴 경우 언제나 내가 먼저 인사를 했는데, 얼마 후 나는 그가 "안녕! 테리."라는 힘찬 내 인사보다 자신의 인사를 더 약하게 하기 위해 은근히 애쓰고 있음을 깨닫게 되었다.

그래서 다음에 만났을 때 나는 일부러 목소리를 낮춰봤다. 그는 나보다 더 낮은 목소리로 대답했다. 그 다음 몇몇 미팅에서 나는 인사말을 낮춰 속삭이는 소리를 냈으며 결국에는 고개만 끄덕이게 되었다. 실험이 끝날 때쯤에는 내가 고개를 끄덕이는 것에 대해 그는 아무런 응답도 하지 않았고 지금 우리는 서로 아예 모르는 체한다.

초연함은 감정적으로 발달하지 못한 사람이 선택하는 마지막 수단이다. 자신이 쓸모없는 존재임이 탄로 나는 것이 두려워 가만히 있거나 지루한 척함으로써 다른 사람들이 자신을 과대평가하게 만든다.

우리는 초연한 사람의 마음속을 읽으려는 경향을 가지고 있지만 진공 상태를 이해한다는 것은 매우 어려운 일이다.

희소가치 높이기

드 비어즈가 *De Beers* 다이아몬드를 배당하듯이 자신을 매우 조심스럽고 드물게 남들 앞에 나타내고자 하는 사람들이 있다. 그들은 자신의 가치를 희소성을 통해 유지하는 것이다. 사람들이 자신을 보기 어려우면 어려울수록 자신의 가치가 매우 높아질 것이라고 생각한다.

그런 사람은 섹스나 당신과 함께 보낼 시간을 보류하든가 자신의 휴가를 어떻게 보낼 것인지를 비밀에 부친다. 그 결과, 그 사람이 갑자기 많은 섹스를 해주거나 시간에 관대할 때 당신은 마치 복권에라도 당첨된 것처럼 운이 좋다고 생각하는 것이다.

이런 사람들은 매우 늦게 회답 전화를 하며 종종 불가사의하게 바쁘다. 남편이나 아내 몰래 연애를 하는 사람들이 특히 이 희소가치를 사용하는 경향이 있다. 당신이 없는 그들의 삶도 중요하다는 뜻을 넌지시 비치는 것이다. 그런 사람과 연애를 하고 있다면, 당신은 그가 자신의 배우자에게도 마찬가지로 희소가치 술책을 쓰고 있음을 알 때까지 열등감을 느끼게 될 것이다.

자신의 매력을 주로 희소가치에 두는 사람은 초연한 비법을 사용하는 사람처럼 자신을 당신보다 더 세련되고 착한 사람으로 드러낸다. 그들은 일 년 중 어떤 주요한 날들을 당신이 아닌 '특별한' 사람들과 보내는 날로 신성시하기도 한다. "나는 언제나 크리스마스를 오랜 친구들과 함께 지내지. 물론 그 친구들은 매우 훌륭한 사람들이야. 그런데 내가 이번 크리스마스에 너를 그 모임에 데려가면 친구들은 기분이 상할 거야."

질투심 유발시키기

질투심을 유발시키는 데에는 많은 방법이 있다. 이는 극단적으로 자신을 믿지 못하는 사람이 흔히 사용하는 비법이다. 그는 자신에게 초대할 사람이 많은 것처럼 보이게 함으로써 자신의 가치를 확대시키려고 애쓴다. 즉 그와 함께 있는 당신이 행운아임을 암암리에 내비치는 것이다. 또 진지하지 못한 관계를 선호하거나, 다른 어떤 사람이 자신에게 홀딱 반해 어쩔 줄 모른다는 점을 넌지시 비추기도 한다.

또한 이런 사람은 소위 '사후 질투심'을 주입시킴으로써 당신을 그의 옛날 연인이나 배우자들과 경쟁하게 만든다. 우리는 이런 유형의 사람들을 흔히 만날 수 있다.

예측 불능의 신비감 불어넣기

이것은 자신을 젊고 근심걱정이 없는 존재로 나타내고자 하는 사람이 사용하는 비법이다. 그들은 마치 당신 같은 '우둔한' 사람들이 인생에서 당연한 것으로 생각하는 짐들(시간을 엄수하고, 침착하고, 책임을 지고, 약속을 잘 지키는 것 등)을 면제받는 것처럼 행동한다.

이런 유형의 사람은 매우 매력적이기 때문에 그 사람에게 걸려든 후에야 그들의 무책임을 발견하게 되는 경우가 많다. 또한 그들은 당신이 평정을 잃어버릴 정도로 매력적인 무엇을 많이 지니고 있다.

이런 사람들은 천재는 예측 불능이라는 영원한 신화와 당신 같은 사람은 정말로 수준 높은 사람들이 무엇을 할 것인지 결코 알수 없다는 사실을 교묘히 이용한다.

이런 사람들은 종종 예술가를 향한 우리의 신망을 이용하지만, 그들에게 부족한 것은 진짜 예술가로서의 재능과 헌신이다. 진정으로 위대한 예술가들은 대부분 규율을 지니고 책임감을 가진 사람들이다.

심리적인 비법에 의존하는 것은 왜 나쁜가?

비법을 사용하는 사람은 무의식적으로 다음과 같은 거래를 하고 있다. "내 현실이 상대방을 자극시켜 관계를 유지할 수 없게 하기 때문에 현실을 허상으로 대치할 것이다."

비법의 사용은 사랑을 유혹하고 유지할 수 있는 능력이 없다는 자백과 같다.

그것은 인위적인 장치기 때문에 당신은 쉽게 무너지는 모래같은 관계를 형성하고 있다. 더 많은 심리적 비법을 사용하면 할수록 이는 더욱 더 깊어만 간다.

• 심리적 기법은 언제나 불리한 결과를 가져온다.

당신은 상대방의 마음속에 강렬한 욕망을 불러일으키고, 일정 기간 상대방을 당신에게 묶어두고 싶다. 그러나 결국 상대방의 마음속에 당신이 자극시킨 욕망과 강박관념뿐만 아니라 무의식적인 분노까지 끓어오르게 만들 것이다.

• 상대방이 당신에게 다가와 명령한대로 하더라도 그 또는 그녀는 동시에 당신을 미워하는 법을 배우고 있을 것이다. 결국 당

신은 상대방을 학대하고 있는 것이다. 상대방이 영원한 사랑을 맹세했다 하더라도 그 사람은 무의식적으로 자신이 불쾌한 대접을 받고 있다는 사실을 느끼고 있다. 그 또는 그녀가 당장은 이것을 시인하지 않겠지만, 사실인 건 어쩔 수 없다.

당신의 연인은 얼마 동안 진심으로 당신을 변호할 것이다. 그러나 연인의 친구들은 당신이 하고 있는 일을 꿰뚫어볼 수 있다. 그러므로 당신으로부터 벗어날 것을 충고한다. 때문에 당신의 연인은 당신을 변호하면서 그들에게 대들지도 모른다. 이처럼 여전히 당신의 마음을 움직이고, 자신을 입증해 보이고 싶은 필사적인 욕망에 사로잡혀 있는 당신의 연인은 아마 당신의 가장 충실한 옹호자일 것이다.

그러나 속지 마라. 당신 연인은 모든 희생, 즉 모든 양보들을 자신의 무의식 속에 차곡차곡 쌓아두고 있다. 그는 반드시 어떤 시점에서 보복할 것이다. 당신의 연인이 당신에게 벗어나거나 몰래 다른 사람과 관계를 가질 용기를 얻게 되기까지 10년이 걸릴 수도 있다. 그러나 그렇게 됐을 때 그 또는 그녀는 놀라울 정도로 당신에게 어떤 동정심도 갖지 않을 것이다.

- 비법의 사용에 따르는 또 다른 위험은 당신이 개방적이고, 정직하고, 기분이 좋을 정도로 솔직한 경쟁자에게 패배할 수 있다는 점이다.

비법은 진정한 의사소통이 부족한 곳에서 번창한다. 거기에는 다른 사람이 개입할 여지를 만들어주는 불신과 거리감만이 존재한다. 당신보다 더 매력적이지는 않지만 당신의 연인을 칭찬하고 만족시키는 사람이 끼어들 것이다. 그런 격려와 지지에 고무되어 당신의 연인은 자기 자신을 되찾게 될 것이다. 자신을 행복하게 해주는 사람이 있는데, 누가 무엇 때문에 자신을 비굴하게 만드는 사람을 소중하게 생각하겠는가? 완전한 인간이 될 수 있는데 무엇 때문에 부족한 삶을 살겠는가?

당신에게 깊이 빠져 있는 동안 그 사람은 자기 자신이 미숙하다고 믿는다. 그러나 이제 다른 사람이 나타나 그것은 속임수이며, 그 속임수를 쓰고 있는 사람이 바로 당신임을 밝혀준다. 그는 크게 분노할 것이며, 동시에 당신에게서 빠져나오길 잘했다고 생각할 것이다.

• 원하는 것을 얻은 후 비법을 포기하면 무슨 일이 일어날까? 당신이 어떤 특별한 사람을 붙잡기 위해 심리적인 비법을 사용해왔다면, 바로 그 사람을 얻었다고 생각하는 순간 경계심을 낮출 것이다. 당신은 상대방에게 사랑을 얻기 위해서는 무엇이든 시키는대로 해야 한다고 요구하지 않을 것이다. 대신 이제 상대를 사랑한다고 당당하게 선언할 것이다.

이것은 우선 상대방에게 그럴 듯하게 들릴 것이다. 하지만 당신의 갑작스런 변화는 상대방을 기쁘게 하고 두 사람의 연애를 굳건한 토대 위에 올려놓기는커녕 상대방을 해방시킴으로써 이제 언제든지 보복할 수 있다고 생각하게 만든다. 그를 고통스럽게 했던 모든 성행위의 거부와 당신이 사용했던 모든 초연함과 희소가치 책략에 대해 그는 열 배로 보복한다. 그는 지금까지 고통 속에서 살아왔으니 이제 당신의 차례다.

• 마지막 시나리오는 그것이 영원히 계속되기 때문에 정말 최악의 것이다. 당신은 연인이나 배우자를 계속 자신의 곁에 두기 위해 비법들을 평생 동안 계속 사용해야 한다고 느낄지도 모른다. 심리적 비법들은 기본적으로 언제나 속이는 행위기 때문에 엄청난 스트레스를 유발한다. 당신은 고립감과 외로움을 느낄 것이며, 새로운 기법을 만들어내야 한다는 압박감을 갖게 될 것이다.

실제로 지금까지 언급한 비법 중 하나를 평생 동안 사용하는 사람들도 있다. 그들은 젊었을 때 자신을 원했던 여자들이 있었음을 암시함으로써 현재 자신을 이해해줄 수 있는 사람을 멀리 한다. 그들은 끊임없이 자신과 연인을 괴롭히고 있다. 또한 자신이 사랑과 진실을 보여주면 관계가 끝장나거나 상대방이 그에 대한 복수를 하게 될 것이라고 항상 두려워한다.

당신이 비법을 사용하는 사람에게 빠져 있다면

어떤 특수한 비법에 빠져 있는 경우 당신은 아마도 가장 치욕스럽고 고통스러운 사랑을 하게 될 것이다. 비법을 사용하는 사람들의 목적은 당신을 계속해서 미숙하다고 느끼게 만드는 데 있다. 비법을 사용하는 사람과 필사적으로 그의 마음에 들려고 애쓰는 사람의 관계만큼 불안한 것도 없다.

비법을 사용하는 사람들은 언제나 '소모자들'이다. 그들은 자신에게 더 잘 봉사하는 사람이 나타나면 당신을 교체하려고 할 것이다. 그러나 당신이 인정하든 안 하든 간에 당신의 감정에 무관심한 채 전적으로 헌신만을 요구하는 이런 사람들과 평생 동안 함께 살아야 한다면, 그것은 정말 최악의 상황일 것이다.

마술 깨뜨리기

1. 무엇 때문에 관대한 사람들을 어리석다고 생각하는지 자문해보아라.

정말로 관대한 대접에 무슨 잘못이 있는가? 당신은 어떤 사람, 특히 연인이 될 가능성이 있는 사람이 정중하거나 당신의 가치를 인정할 때 거북스럽거나 당황스러운가? 그렇다면 아마 자신을 가치 없는 존재라고 느끼고 있을 것이다. 또한 이 경우에는 너무 쉽게 자신을 숭배하는 사람을 바보라고 부를 것이다. 비법을 사용하는 사람을 그렇지 않은 사람으로 바꾸는 것은 많은 에너지를 소비하더라도 거의 불가능한 일이다.

2. 당신을 잘 대접해주는 사람과 함께하는 연습을 하라.

새로운 관계를 위해 언제나 문을 열어놓아라. 당신에게 어울리는 매력적인 사람을 만나면 그가 당신을 좋아한다고 해서 패배자로 간주하지 마라. 좋은 대접을 받아들이는 법을 배워라. 그리고 좋은 대접을 받았을 때 당신이 당황하는 것에 대해 곰곰이 생각해봐라.

부모로부터 학대받았던 사람들이 비법을 사용하는 사람들에게 넘어가기 쉽다. 그들은 무의식적으로 까다로운 부모들의 마음에 들기 위해 어린 시절에 했던 일들을 반복한다. 무시당할 때 마음이 평안해지는 것을 느낀다. 왜냐하면 그것이 그들에게 익숙한 분위기기 때문이다.

3. 마음속으로 한계를 정하라.

당신이 받아들일 수 있는 무시나 속임수의 한계는 어느 정도인가? 그 사람이 1개월, 1년, 아니면 5년 동안 자신의 방식을 바꾸지 않았다고 가정해보자. 그가 결코 자진해서 온 정을 베풀거나 정성을 다하지 않았다고 가정해보자. 당신은 냉대 속에서 한평생을 살아갈 수 있는가? 이 관계가 그럴 만한 가치가 있는가?

이런 학대를 참아낼 수 있는 시한을 정하라. 일정한 시간이 지나면 이 관계를 그만둘 것이라고 자신에게 약속하라. 얼마나 오랫동안 당신이 고통을 참고 있는가를 알 수 있도록 일기를 써라. 그 관계가 당신이 정한 최소한도의 기준에 어긋나지 않았는지 날마다 기록하라. 그 또는 그녀가 얼마나 많이 당신을 질투하도록 만들고, 다른 사람을 성적으로 매력적이라고 언급하고, 당신과의 약속을 잊어버렸는지 적어두어라.

이런 식으로 하면 적어도 당신은 스스로 무너뜨릴 수 없는 경계선을 마음속에 갖게 될 것이다. 일정한 시간이 지난 후 당신은 마음 그 자체, 특히 사랑하는 연인의 학대를 참아낸 사람의 마음이라면 이미 지워버렸을지도 모를 일종의 기록물을 가지게 될 것이다.

4. 상대방을 위해 어떤 변명도 하지 마라.

그가 당신을 괴롭히는 것은 그가 과거에 학대를 받았고, 어려운 어린 시절을 겪었으며, 지금까지 충분한 사랑을 받아본 적이 없기 때문이라는 식으로 설명하지 마라.

그 또는 그녀에게 자신의 입장을 분명히 하라. 그가 당신을 좋아하지 않기 때문임을 인정하라.

5. 당신이 그 관계에서 무엇을 얻고 있는지를 명확히 하라.

그 또는 그녀가 잘생기고 다른 사람들에게 좋은 인상을 주고 있는가? 섹스를 정말 잘하는가? 당신이 그의 배려를 받을 만한 가치가 있으며, 스스로 특별한 대우를 받고 있다고 느끼는가?

일단 그 관계에서 얻는 것을 규정한다면 그 또는 그녀가 떠나갈 경우 잃게 될 것들이 무엇인지도 명확하게 알 수 있을 것이다. 아마 그것은 당신이 생각했던 것만큼 많지 않을 것이다. 그리고 어떤 면에서는 부족한 점도 있겠지만 전반적으로 더 나아질 것이다.

6. 당신은 경쟁하기를 좋아하는 사람인가?

너무 많은 에너지와 시간을 투자했기 때문에 그 또는 그녀가 떠나는 것을 허락하지 못할 수도 있다. 당신이 너무 많은 양보를 했기 때문에 헤어질 경우 연인이 훨씬 많은 이익을 얻는 것처럼 보일 것이다. 그리고 당신이 겪었던 모든 고통이 헛수고처럼 여겨질 것이다.

이것이 도박사의 오류이다. 하루는 그 자체의 가치로 평가되어야 한다. 당신이 지금 행동을 취한다면 1년 후 오늘 당신의 삶은 새로운 모습을 하고 있을 것이며, 손실도 그만큼 줄어들 것이다.

7. 상대방이 가진 진짜 미덕의 목록을 작성해보아라. 그러면 그것이 무엇이든 간에 그 사람이 그것을 부풀리고 있기 때문에 당신도 과대평가하고 있음을 깨닫게 될 것이다.

8. 당신도 연인과 같은 비법을 사용하려고 계획하고 있는가? 예를 들어 당신을 가까이 할 수 없는 사람처럼 보이게 하거나 그를 질투하게 만들고 있는가?

만약 그렇다면, 그것은 책략을 스스로 수용함으로써 상대방이 그것을 이용해 당신을 속이려 할 때 당신이 훨씬 더 쉽게 넘어가도록 만들고 있는 것이나 다름없다.

자신의 행동을 깨끗하게 하라. 그런 책략은 어린애 같은 장난임을 명심하라. 그러면 상대방이 그런 책략으로 당신을 속이려 할 때 그 책략과 함께 상대방을 경멸할 수 있을 것이다. 이렇게 되면 그 관계에서 벗어나기가 훨씬 더 쉬워질 것이다.

9. 상대방의 입장에서 생각해보아라. 그러면 그의 행동을 올바르게 파악할 수 있을 것이다.

당신이 심리적인 비법을 결코 사용해본 적이 없다면, 다른 사람(특히 당신이 사랑하는 사람)이 그것을 사용하고 있음을 알아차리기가 훨씬 더 어려울 것이다.

다음과 같은 질문을 스스로에게 해보아라. "일부러 이틀을 기다렸다가 응답전화를 한다면 어떨까?", "내가 연인이 될 가능성이 있는 사람이나, 나에게 관심을 가지고 있는 사람들에게 그런 짓을 하고 있나?" 당신은 아마 그렇지 않다고 대답할 것이다. 당신 스스로가 교활하고 속임수를 쓰는 사람 같은 기분이 들 것이다. 이점을 직시하라. 이것이 그 또는 그녀의 모습이다.

10. 비법을 사용하는 사람은 언제든지 당신에게서 손을 뗄 수 있음을 잊지 마라.

여러 해 동안 불쾌한 대접을 감내한 후에 버림받기보다는 지금 이런 일이 일어나는 편이 훨씬 더 낫다.

11. 당신 자신의 삶을 살아라.

당신의 삶을 그 사람의 삶에 맞추는 방식으로 그의 책략을 존중하지 마라. 그가 당신을 마음 졸이게 한다고 해서 친구들과의 약속을 취소하지 마라. 전화를 기다리지 마라.

함께 있을 때 순진하게 보이려고 하거나, 그의 존경을 잃을까봐 당신의 열의를 숨기거나, 생각하고 있는 것을 감추지 마라. 당신은 어쨌든 지금까지 존경받지 못했다. 그러니 지금부터라도 자신의 삶을 사는 것이 좋다.

12. 당신이 정말 그 사람과 헤어진다면 처음 한두 달 정도는 매우 고통스러울 것임을 명심하라.

먼저 관계를 끊는 편이 당신에게는 훨씬 더 용이할 것이다. 사실 당신이 먼저 그만두려고 하면 상대방은 방법을 바꿔서 마음을 되돌리려고 노력할 것이다. 그러나 그런 노력은 오래 지속되지 못할 것이다. 또 다시 그가 최후의 결정권을 가지게 되면 당신을 버릴 가능성이 매우 높다.

13. 자신이 책략을 사용하지 않는 사람임을 기뻐하라. 당신은 진정한 사랑을 가지게 될 가능성이 상대방보다 훨씬 더 많다.

지금 훌륭한 관계를 갖고 있는 대부분의 사람들도 비법을 사용하는 사람에 의해 고통당한 후에야 그런 관계를 찾아낼 수 있었다. 책략을 사용하는 사람이 악용했던 그들의 관대함이 이제는 그들의 큰 힘이다. 그들은 행복하다. 하지만 옛날 연인은 사랑이나 오랫동안 지속되는 어떤 것 없이 아직도 그 유감스러운 장난을 열심히 하고 있을 것이다.

17

외적인 것이 당신에게 영향을 미치게 하지 마라

슬라이의 자기도취

술주정뱅이며 초라한 거지인 크리스토퍼 슬라이*Christopher Sly*
가 시골의 술집 밖에서 여주인에게 자신이 마신 술값을 지불할 수
없다고 말한다. 그들은 잠시 동안 다투고 술집 여주인은 도움을
청하러 나간다. 슬라이는 비틀거리며 나가다 쓰러져 즉시 잠이 든
다. 차가운 저녁 때다.

슬라이가 술집 밖에서 누워 자고 있을 때 한 영주와 그의 수행
원들이 사냥에서 돌아오다가 꼼짝 않고 자고 있는 슬라이를 발견
한다. 그들 모두 '흉하고 더럽게' 생긴 슬라이의 모습에 깜짝 놀
란다. 그리고 그가 별나고 재미있게 생겼다고 생각한 그들은 짓궂
은 장난을 치기로 결정한다. 영주는 수행원들에게 슬라이가 깨지
않도록 조심해서 자신의 저택으로 옮기라고 지시한다. 그들은 슬

라이를 영주의 침대에 옮겨 놓고 깨어나면 그가 실제로 영주이며, 자신들은 모두 그에게 봉사하는 하인이라고 말할 계획이었다.

그들은 슬라이가 깨어나면 그가 오랫동안 아파 누워 있으면서 자신은 아무 쓸모없는 술주정뱅이라고 미친 듯이 고함치곤 했었지만, 다행히도 의식을 되찾게 되었다고 말하기로 서로 짰다.

> 자네들은 어떻게 생각하나? 그를 침대로 옮겨다가
> 좋은 옷으로 갈아입히고, 손가락에 반지도 끼워주고
> 머리맡에는 맛있는 음식을 갖다놓고
> 거기다가 용감한 시종들까지 옆에 있으면,
> 그가 잠에서 깨어났을 때
> 거지라는 자기 신분을 망각하지 않을까?

하지만 이는 단순한 장난이 아니며, 보통 사람들이 얼마나 쉽게 속아 넘어가는가에 대한 하나의 시험이다. 과연 거지가 자신을 영주라고 믿게 될까?

얼마 후 슬라이는 아름다운 그림들로 가득 찬 방에서 깨어나 난로에서 향나무를 태우는 향기를 맡게 된다. 하인 한 명이 장미수로 자신의 머리를 씻겨주고 있고 또 다른 하인들이 기대에 부푼 눈으로 자신을 바라보고 있다. 그가 말을 하자 하인들은 그가 '회복'된 것을 기뻐하며 눈물을 흘린다.

처음에 슬라이는 자신이 그들의 주인이 아니라 부랑자에 불과하다고 진심으로 항의한다. 그러나 하인들은 그가 수 년 동안 꿈을 꾸면서 헛소리를 했었다고 말한다.

그들은 슬라이가 그 말에 큰 반박을 하지 않는 것을 보고 깜짝 놀란다. 마지못해 가볍게 항의한 후에 슬라이는 영주와 하인들이 바꿔놓은 자신의 모습을 기꺼이 받아들이며 자신의 과거 모습을 완전히 망각한 것처럼, 자신의 우월성과 영주의 지위를 전혀 의심하지 않는 것처럼 행동한다.

슬라이는 즉시 영주와 시종들에게 명령을 내리기 시작한다. 그들은 슬라이가 자신들의 상관이라는 새로운 역할을 매우 빨리 받아들이는 것에 놀라서 아무런 말도 하지 못한다. 누구도 자신들의 장난이 이렇게 잘 먹혀들리라고는 기대하지 않았다.

몇 가지를 지시한 후에 슬라이는 극단에서 자신을 즐겁게 해줄 연극을 공연하도록 명령한다. 그리하여 셰익스피어의 〈말괄량이 길들이기〉가 시작된다. 슬라이를 위해서 상연되고, 우리들도 보도록 허락된 이 연극은 희극이어야만 했다. 왜냐하면 그동안에 겪었던 슬라이의 고된 시련과 비교될 만한 경쾌한 것이 필요했기 때문이다.

흥미롭게도 셰익스피어는 슬라이를 위해서 상연된 연극의 시점에서 다시 슬라이에게로 시점을 옮겨 내용을 이어가지 않고 작품을 끝낸다.

따라서 우리는 그 거지가 미망에서 깨어나 자신이 정말로 누구인지를 알아차리는 것을 보지 못한다. 우리는 단지 얼마 후에 슬라이가 몹시 거칠게 조롱당하고 동전 몇 푼을 얻어 전보다는 조금

나은 상태로 거리로 내팽개쳐졌을 것이라고 상상할 뿐이다. 연극의 도입부가 끝난 후 슬라이의 모습은 영원히 우리들의 시야에서 사라진다.

크리스토퍼 슬라이에게 무슨 일이 일어났는지 우리에게 말하지 않고 연극을 끝낸 것은 셰익스피어의 잘못이 아닌 것 같다. 셰익스피어의 완벽함을 주장하는 사람들, 즉 진정한 '셰익스피어 숭배자들'은 그 생략이 셰익스피어가 아니라 인쇄업자들의 잘못이라고 생각한다. 인쇄될 텍스트에 실리지 않은 끝부분이 있었으리라는 것이다.

어쨌든 슬라이를 잘 처리하지 못한 실수는 명백했기 때문에 프로덕션에 따라 전체 도입부 부분을 생략하는 경우가 많다. 리처드 버튼과 엘리자베스 테일러가 주연한 〈말괄량이 길들이기〉는 슬라이를 완전히 삭제해버렸다.

영국 스트랫포드Stratford의 한 프로덕션에서 만든 작품에는 슬라이가 매우 밉살스러운 인물로 그려졌기 때문에 프롤로그 후에 그가 사라진 것이 기쁘기까지 했다.

슬라이는 희극의 한 익살스러운 인물로 묘사되고 있을 뿐이지만, 사실 그의 문제는 매우 심각한 것이다. 불행하게도 전적으로 외적인 것으로부터 정체성을 구하고자 하는 '슬라이 증후군'이 우리 사회에 널리 퍼져 있는 비극적인 심리상태기 때문이다.

많은 사람들이 자신의 개인적 특성보다는 다른 사람들의 눈에 비치는 소유물이나 지위에 의해 자신을 정의한다. 자기 자신을 인간적이거나, 감수성이 풍부하거나, 사회문제에 관심을 갖고 있는 사람으로 생각하기보다는 소유한 자동차의 레벨, 휴가를 보내는 장소, 자신의 이웃은 불가능하겠지만 자신은 살 여유가 있는 특별한 물건에 의해 판단한다.

연극에서 영주의 시종들은 슬라이에게 귀족이었다고 납득시키면 재미있는 일이 일어날 것이라고 예상했다. 그러나 슬라이가 새로운 환경을 즉각적으로 받아들일 것이라고는 아무도 상상하지 못했었다. 슬라이처럼 매우 쉽게 적응하기 위해서는 거의 정신병에 가까운 공허감, 즉 과거의 어떤 것에 대해서도 전념하지 않는 것이 필요하기 때문이다. 슬라이는 이런 기준을 충족시켰다.

자기도취자의 미망

자기 자신의 정체성을 전적으로 외부 환경에 의해 규정하는 '슬라이 증후군'은 셰익스피어 시대 이후 훨씬 더 광범위하게 퍼져나갔다.

셰익스피어가 살았던 시대의 영국에서 사람들은 자신의 환경을 크게 개선시킬 수 있는 기회를 거의 가질 수 없었다. 슬라이 같은 사람이 특별한 바보로 두드러져 보이는 이유는 그가 자신의 신분에서 벗어나 힘을 가질 수 있다고 상상했기 때문이다. 그러나 오늘날 사람들은 열심히 일함으로써 실제로 신분상승을 할 수 있으며, 가끔 가난뱅이에서 큰 부자가 된 사람이 나타나기도 한다.

우리가 향유하는 근대 민주주의의 장점은 분명히 누구나 자신의 삶의 상태를 개선시킬 기회를 가질 수 있다는 것이다. 그리고 단점은 많은 사람들이 너무 쉽게 자신의 내적 가치를 사회계층의 기준에 의해 평가한다는 점이다.

많은 사람들이 지금 자신의 정체성을 외적 성공으로부터 이끌어내고 있지만 이는 완전히 방향감각을 상실해버린 경우이다.

우리들 중 몇몇은 아직도 내적 기준들, 즉 윤리, 목적, 사랑하는 사람, 목표 등에 집착한다. 그러나 인간의 잠재력이 증가함에 따라 모든 수준에서의 경쟁이 생겨났다. 게다가 지금 이야기하고 있는 반갑지 않은 부산물, 즉 '슬라이 증후군' 이 나타났다. 자신을 외적인 것들(돈, 의복, 소유물)에 의해 판단하는 이 증후군은 지금도 계속해서 증가하고 있다.

수백만 명의 사람들이 부와 외적인 것들이 주는 행복을 과대평가하고 있다. 그러므로 슬라이 병은 근대의 자기도취 상태다. 자기도취가 발생하는 원인은 개인적인 정체성의 결핍, 즉 목적, 헌신, 사랑에 자신을 투자하지 못하기 때문이다.

자기도취에 빠진 사람들은 다른 사람들이 자신을 찬양하도록 만들려고 애쓴다는 의미에서 다른 사람들에 의해 살고 있다고 할 수 있다. 자기도취자에게 다른 이들은 단지 칭찬과 존경을 제공하는 사람에 지나지 않는다. 그들은 다른 어떤 가치도 갖고 있지 않다. 그래서 자기도취자는 다른 사람들에게서 자신이 필요로 하는 것들을 제공받지 못하면 그들과의 관계를 청산한다.

우리들이 슬라이에게서 볼 수 있는 과장된 자존심, 자신에게 유리한 것이라면 무엇이든 기꺼이 믿으려고 하는 경향은 자기도취자들에게서 흔히 볼 수 있는 것이다. 셰익스피어 극의 관객들은 '자기도취자'라는 단어를 확실히 깨닫고 있지 못했지만, 슬라이가 자신이 알고 있는 사람들과 비슷한 존재임은 확실히 눈치 챘던 것 같다. 그들에게 슬라이는 허영심 강한 사람에게 일어날 수 있는 일들의 상징이었던 것이다.

현대의 크리스토퍼 슬라이

흥미롭게도 오늘날의 관객들이 슬라이의 상태를 질병으로 인식할 가능성은 과거보다 낮은 것 같다. 왜냐하면 이제는 그런 사람을 흔히 볼 수 있기 때문이다. 오늘날에는 슬라이와 같은 인물이 종종 성공한 사람으로 통하기도 한다.

많은 돈을 상속받고, 결혼을 잘하고, 명성을 쌓고, 신분을 상승시키기 위해 노력해보라. 그러면 당신도 자기도취 정도에 비례해서 인간성을 상실하고 자신을 과도할 정도로 외부적인 것에 의해 판단하게 될 것이다.

당신이 크리스토퍼 슬라이 같은 성격을 갖고 있다면 자신뿐만 아니라 다른 사람들에게도 위험한 존재다. 이런 문제를 갖게 되면 당신은 자신보다 많이 갖지 못한 사람들을 열등하다고 생각하게 된다. 마치 왕권신수설을 믿는 왕이 자신은 신하들과는 다른 피를 가지고 있다고 상상했던 것처럼, 어떤 사람이 그들을 당신보다 열등한 사람들이라고 간주해주기를 기대할 것이다. 그런 문제를 갖게 되면 자신의 개인적인 과거를 잊기가 매우 쉽다.

당신은 사람들을 지위나 신분에 따라 대접한다. 때문에 웨이터나 문지기가 실수를 했을 때 그들에게 무뚝뚝하게 굴거나 욕설을 퍼부을 것이다. 하지만 당신보다 사회적으로 우월하다고 생각하는 사람들이 주는 것은 무엇이든 받아들일 것이다.

자신의 중심 없이 슬라이 증후군으로 고통 받고 있는 사람들은 진정한 자기애가 없으며 정직한 자기평가를 하지 못한다. 그런 사람들은 기회를 붙잡았을 때 자신의 본래 모습을 드러낸다. 그리고 자신이 정말로 어떤 사람인지를 알지 못하기 때문에 무한한 자격을 가지고 있다고 생각하고 싶어 한다. 또한 태어날 때부터 자신이 특수한 존재였던 것처럼 가장하면서 다른 사람들을 비하하려고 애쓴다.

슬라이 증후군의 치료

• 당신의 삶에서 가장 중요하지 않다고 생각하는 사람을 당신이 어떻게 대접하고 있는가에 의해 자신을 판단하라.

- 정신적으로 당신을 고양시키고, 이 세상 누구 못지않게 건전한 사람이라고 생각하게 만드는 가장 좋은 방법은 사람들 사이의 모든 차별을 없애는 것이다. 당신이 다른 사람들과 의견이 다르거나 결코 그들을 다시 보지 않겠다고 작정했더라도, 일단은 품위 있게 대접해야 한다.

그렇게 하면 가시적이고 일상적인 보답을 받게 된다. 전화를 할 때 상관의 비서를 정중하게 대한다면 상관이 당신을 대접해줄 기회를 증가시키는 셈이 된다.

게다가 당신은 별로 중요하지도 않은 결정을 해야만 하는 수고를 덜게 된다. 왜 당신이 접대를 할 사람과 하지 않을 사람을 꼭 구별해야만 하는가? 그런 수고를 아끼는 가장 쉬운 방법은 차별 자체를 없애는 것이다.

- 당신은 정신건강을 위해 멀리 떨어져 있지만 쉽게 변하지 않는 무엇인가를 갖기 위해 노력하는 것이 필요하다. 다양한 이상들을 갖는 것뿐만 아니라 그런 이상들을 실현하기 위해 오랫동안 노력하는 것도 중요하다.

정말로 안정된 관계를 원한다면, 어떤 이익을 위해 자신의 과거를 배반하는 일은 없도록 해야 한다. 사회계층의 사다리를 오르기 위해 당신 중심과의 연계를 헐값으로 팔아버리는 것은 정신적인 자살이나 다름없다.

사랑에 빠져 있는 사람이 자신의 연인을 더 가진 것이 많거나 잘생긴 사람으로 바꾼다고 해서 만족할 수 없듯이, 확실한 인생관을 가진 사람이라 해도 깊은 상실감 없이 자기중심을 포기할 수는 없을 것이다.

출세를 위해 자신을 팔아넘긴 친구나 연인의 변심 때문에 충격받아본 사람들도 적지 않을 것이다. 이런 경우의 관계는 발전과 아무 상관도 없는 것처럼 보이지만 이 또한 대부분 슬라이 증후군 때문에 일어난다.

- 당신의 삶이 진정한 의미를 갖기 위해서는 반드시 발전적이어야 한다. 때때로 우리를 괴롭히는 '우리는 불완전한 존재' 라는 생각은, 삶이 의미 있으며 더 완전하거나 더 좋은 사람이 되기 위해 노력하고 있다는 사실을 증명해준다.

- 노력과 애정을 통해 당신의 삶에 가치를 부여하지 않는다면, 당신은 외적인 것들 때문에 오랫동안 불행하게 될 것이다.

중심 지키기

슬라이가 어렵지 않게 변신할 수 있었던 것은 그의 지난 삶이 그만큼 무의미했음을 입증한다. 만약 그가 장원의 영주 노릇을 계속하도록 허락받았더라도, 곧 공허함을 경험할 것이다. 금새 그가 가지고 있는 것에 싫증을 느끼고 더 많은 것을 원하기 시작할 것이다.

슬라이는 바보다. 장난이 시작될 때부터 관객들은 그가 곧 당연한 처벌을 받게 될 것이라고 느낀다. 다시 거리로 쫓겨나면, 그는 자신이 실제로 위대성을 갖고 있었지만 이제 그것을 잃어버렸다고 상상할 것이기 때문에 더 참담할 것이다.

현대의 삶에서 모든 크리스토퍼 슬라이들이 처벌받는 것은 아니다. 멀리서 그런 사람들을 찾아내 그들이 어떤 사람인가를 알아내는 것이 당신이 해야 할 일이다. 자신의 중심을 지키고, 상황이 아무리 나쁘거나 좋을지라도 본모습을 결코 잃지 않는 것도 당신의 의무다.

내담자 중 수퍼스타였던 배우는 이 '슬라이 망상'으로 매우 많은 고통을 받고 있었다. 그는 자신의 중심을 완전히 잃어버렸기 때문에 함께 잤던 여자들에게 성병을 옮기는 것에 대해 양심의 가책을 전혀 느끼지 않았다. 무엇보다 그런 행위 자체가 그의 매독이었다.

반면, 또 다른 배우는 훨씬 더 유명한 사람이었지만 인간성을 털끝만큼도 상실하지 않았다. 그는 끝까지 생기 있는 사람으로 남아 있었다. 그는 자신이 알고 지냈던 모든 계층의 사람들을 의식했으며, 어린 시절의 가난을 결코 잊지 않는 감수성이 풍부한 사람이었다. 그는 다른 사람들이 상처를 입거나 굴욕을 당할 때 함께 고통스러워했다. 그는 단 한순간도 자신이 장원의 영주라고 믿지 않았으며, 평생 동안 하인들이 그의 면전에서 알랑거렸지만 자신을 그들보다 우월한 사람이라고 생각해본 적도 없었다.

- 슬라이와 대조적인 사람이 되기 위해서는 삶의 복잡한 목적을 계속 발전시키고, 자신과 다른 사람들에게 계속 헌신해야 한다.
- 명예와 인내는 외적 궁핍으로 가득 찬 삶에 깊은 의미를 부여한다.

당신의 삶이 매우 불완전하고, 성취해야 할 것들이 많으며, 사랑과 일에 더욱 더 헌신해야만 한다고 하더라도, 어떤 다른 사람의 삶도 결코 당신을 대신할 수는 없을 것이다.

Por.___The quality of mercy is not strai___

It droppeth as the gentle rain from hea___

Upon the place ___

It blesseth him ___

'Tis mightiest i___

The throned m___

___His sceptre show___

___The attribute to___

Wherein doth s___

___But mercy is ab___

It is enthroned ___ ___ ___ ___ ___ ___ ___,

It is an attribute to God himself,

And earthly power doth then show like:

더 높은 세계로의 도약

6,

FILM 400NC

프로스페로의 비법 · 포르셔의 진정한 힘
말보리오의 우울증 · 마지막 장막

궁극적인 마음의 평화는
'영성'에서 온다

우리는 정신을 양육하지 않으면 '기계적으로' 행동하게 될 것이다. 그것이 아무리 다른 사람들에게 성공적으로 보일지라도, 가장 심오한 의미에서의 편안함은 느끼지 못할 것이다. 우리는 그들을 사랑할 수 없고 그들도 우리를 사랑할 수 없다.

더불어 우리의 죽음은 누구에게도 진정으로 중요한 문제가 되지 못한다. 그런데 이는 우리의 삶이 그들이나 우리 모두에게 진정으로 중요한 문제가 아니었음을 의미한다.

셰익스피어는 정신이 없는 왕은 정신이 없는 거지보다 더 가난하고 더 외롭다는 것을 잘 알고 있었다. 그 자신은 매우 실용적인 사람이었지만, 궁극적인 의미에서 그는 낭만적이고 이상주의적인 사람이었다.

그의 희곡들을 여러 번 읽거나 연극으로 상연되는 것을 아무리 많이 보더라도, 우리는 등장인물들이 실제 사람들처럼 결코 모든 것을 다 드러내지 않는 내적인 삶을 가지고 있다고 생각하게 된다. 이런 차원이 영적인 것이다. 셰익스피어가 그것을 전달하는 데 숙달돼 있었기 때문에 그의 등장인물들은 문학 작품에서 가장 위대한 인물들이 될 수 있었다.

그러나 셰익스피어마저도 인간의 본질인 영성을 암시할 수 있었을 뿐 결코 모두 표현할 수는 없었다.

이것이 영성의 본질이다. 그것은 말로 표현되지 않는 초월적인 것이다. 그러나 우리는 그것이 거기에 존재하고 있다는 것을 알고 있기 때문에 그것에 우리의 삶을 내맡긴다. 오직 영적인 것을 경험함으로써만 우리는 스스로 영적인 존재가 될 수 있다.

당신이 앞에서 설명한 심리발전의 다섯 단계를 통과했다면, 이제 중심을 갖고 강력해져 인간관계에서 자신이 주인이며 지혜로울 것이다. 당신은 자신의 감정과 다른 사람들의 감정에 대한 감수성을 발달시키기 위해 틀림없이 열심히 노력했을 것이다.

여섯번째 단계는 개인적인 위대성의 단계, 즉 발전 중에 있는 당신의 업적들을 빛나게 만들고 당신으로 하여금 삶의 관대함을 느끼게 만드는 단계다. 이 단계를 숙달하게 되면 당신은 지금 이 지구상에 살고 있는 모든 사람들뿐만 아니라 수천 년 전에 살다 죽었던 사람들이나 아직 태어나지도 않은 사람들과도 교류하게 될 것이다. 지금 당신이 아무리 불행한 처지에 있더라도, 이 단계는 당신으로 하여금 매우 운이 좋다고 생각하게 만들 것이다. 또한 당신에게 가능성과 희망을 주고 인생의 각 단계에 있는 아름다움에 감사하게 만들 것이다.

우리는 지금 영성(당신 자신보다 더 위대한 무엇이 존재한다는 의식, 당신은 혼자가 아니라는 확신)에 대해 이야기하고 있다. 영성은 당신 안에 있는 눈에 보이지 않는 힘인데, 영성은 당신이 자신을 받아들이고 환영해주길 기다리고 있다. 당신이 그렇게 하자마자 곧 다른 사람들도 그것을 느낄 것이며, 다른 어느 때보다 당신에게 감사할 것이다.

당신의 영성은 일이 잘못되어 갈 때 자양분을 공급한다. 당신을 살아 있는 모든 것들과 연결시킬 때마저도 매우 독립적으로 만들고 용기를 준다. 셰익스피어가 말한 대로 그것은 당신이 우연히 '운명이나 사람들의 눈에 거슬리고' 있을 때조차 당신과 함께한다.

만약 셰익스피어가 영성을 갖지 못했더라면 그는 무한한 재능에도 불구하고 결코 우리들이 알고 있는 셰익스피어가 되지 못했을 것이다. 그가 모든 사람들과 맺었던 깊은 연대감은 그의 언어와 이미지 안에서 뿜어 나온다. 그의 영성은 그 자체가 하나의 생명력이다. 그것을 갖고 있었기 때문에 그는 자신의 순수한 천재성을 이용해 믿기지 않을 정도로 다양한 사람들의 마음속으로 마술적인 여행을 할 수 있었다. 그의 시 속에 형이상학적인 힘은 영적인 것이다.

영성은 실용적인 것이 아니다. 그러나 사람들은 어떤 다른 특성보다도 그것에 이끌린다. 영적인 사람을 신뢰하며 고상한 존재로 생각한다. 역사상 가장 위대한 지도자들은 우리의 영적인 지도자들이었다. 우리는 살아 있거나 죽은 사람들을 그들의 영성에 비례해서 사랑한다. 그들은 실체보다 더 크고 말로 형언할 수 없는 존재가 되어 우리의 가슴 속에 남아 있다. 또한 우리가 말로 표현할수는 없었지만 고맙게 생각할 모든 것들을 갖고 있다. 우리라고 왜 그런 특성을 갖고 싶지 않겠는가?

우리 가운데 어떤 사람들은 그들을 격려해주었던 사람들(우리의 안내자로 봉사했던 부모, 선생, 종교적 인물, 친구 등)로부터 힘을 들이지 않고 영성을 얻기도 한다. 그러나 탐욕적이고 떠들썩하며 모든 사람들이 자신에게만 봉사하는 분위기 속에서 자란 사람들은 발전의 단계에서 가장 귀중한 이 단계를 놓쳐버리고 만다. 이제 우리는 자신을 위해 그것을 얻도록 노력해야만 한다.

영성을 획득하고 심리발달의 마지막 단계까지 올라가기 위해 꼭 필요한 핵심 사항들이 다음 장들에서 주어진다. 〈템페스트 *The Tempest*〉에서 위대한 마술사인 프로스페로 *prospero*는 한 가지 대단한 비법을 가지고 있으며 동시에 우리들에게 크나큰 교훈을 준다. 〈베니스의 상인〉의 여주인공인 포르셔는 또 다른 자질을 가지고 있다. 우리는 이들을 통해 셰익스피어 자신의 비법, 즉 그가 자신의 영성을 유지하고 확대시키기 위해 사용했었던 비법을 찾아낼 수 있을 것이다.

18

당신의 모든것을 줄 수 있는 사람을 만들어라

프로스페로의 비법

적어도 당신의 인생에서 그 사람을 위해 싸울 수 있고 그 사람이라면 모든 것을 줄 수 있는 그런 존재를 갖도록 하라.

왜 불필요한 짐 같은 존재를 스스로 만들어내야 하느냐고?

그것은 당신에게 반응이 필요하기 때문이다. 여기에는 당신이 마음속으로 자신에게 나타내는 반응도 포함된다. 그러면 당신이 혼자서 살아가서는 안 된다거나 결혼을 해서 아이들을 가져야만 한다는 의미인가? 절대 그런 의미는 아니다. 요지는 당신이 어떤 식으로든 적어도 스스로를 하나의 생명을 책임질 수 있도록 만들어야 한다는 것이다. 당신이 선택한 것은 아마 연인이나 어린이, 이웃 사람, 또는 동물 등의 생명일 것이다.

셰익스피어는 이것이 단지 진부한 도덕률로 그치는 것이 아니라 두 가지 깊은 심리학적 진실을 전달하고 있다고 이해했다.

- 당신의 성취는 적어도 당신에게(당신의 노력, 생산성, 통찰력, 사랑)
  의존하는 어떤 사람이 있을 때에만 마음속에서 공명할 수 있다.

- 당신이 무엇을 갖고 있든, 또는 아무리 많은 것을 성취하든, 그
  것이 다른 사람들에게 중요하지 않다면 결국 별 의미가 없을
  것이다.

이것은 당신이 사람들로부터 갈채나 칭찬을 받을 필요가 있다
는 말이 아니다. 그들은 당신이 그들을 위해 했던 일이나 그 이유
에 대해서 모를 수 있다. 그러나 그들의 존재가 당신을 움직일 것
이다.

폭풍으로부터의 진정한 피난처

셰익스피어의 모든 희곡들에서 유일하게 전지전능한 등장인물
은 〈템페스트〉에 나오는 강력한 마술사인 프로스페로이다. 프로
스페로는 마법을 걸고 보통 사람들은 볼 수도 없는 요정들을 통제
할 수 있었다. 그는 땅과 나무에게 명령할 수 있었다. 실제로 아무
것도 그의 손에서 벗어날 수 없었다.

12년 전 프로스페로는 밀라노의 사랑받는 공작이었다. 그러나 마술 연구에 깊이 몰두해 있었던 그는 동생 안토니에게 많은 권력을 이양해주었는데, 그것은 잘못된 판단이었다. 강력한 연합세력을 형성한 안토니는 프로스페로의 권좌를 탈취하고 만다.

안토니의 지시에 따라 프로스페로와 그의 젖먹이 딸 미란다 *Miranda*는 돛도 돛대도 없는 작은 배에 태워져 바다에 버려졌다. 그러나 프로스페로는 자신의 가장 소중한 소유물인 요술복과 마술책을 간직하고 있었다.

프로스페로 공작과 미란다는 요정들이 살고 있는 먼 섬에 도착했다. 거기서 그는 큰 나무들 안에 갇혀 있었던 요정들을 해방시켜 자신의 노예로 만들었다. 스스로 그 섬의 주인이 된 것이다.

연극이 시작될 때, 프로스페로는 배 한 척이 반역자 안토니오와 다른 귀족들을 태우고 성 옆을 지나가는 것을 발견한다. 프로스페로는 눈에 보이지 않는 요정 아리엘*Ariel*의 마술적인 힘을 이용해 강력한 폭풍우를 일으켜서 그 배를 전복시킨다. 그리고 아리엘의 도움으로 승객들을 구조해 자기 섬으로 데려온다.

거기서 그는 잔인한 방법이 아니라 평화롭고 타협적인 방식으로 자신의 적대자들을 정복한다. 그의 마술에 따라 그의 딸과 난파된 배의 승객들 중 한 사람인 젊은 왕자 페르디난트*Ferdinand*는 사랑에 빠진다.

프로스페로는 자신의 마술을 이용하여 자연에 대해 거의 무한한 통제력을 행사하고 있다. 그러나 그는 여기서 매우 심오한 진리를 하나 깨닫는다. 무한한 권력도 사랑이 없으면, 즉 어느 누구를 위해 그것을 사용할 수 없으면 아무런 의미가 없다는 진리이다.

그의 딸 미란다가 15세가 되어서야 프로스페로는 자신의 추방에 관해 이야기한다. 그가 작은 배를 타고 겪었던 고생을 설명할 때 그녀는

가엾어라, 그때 내가 아버지에게
얼마나 큰 짐이었을까!

라고 말한다. 그러나 프로스페로는 그녀의 말을 바로잡는다.

귀여운 내 딸,
너 때문에 나는 존재할 수 있었다.
너의 미소는 하늘이 준 용기를 머금고 있었다…
…바로 그 미소가 나에게 무슨 일이 일어나든
참고 이겨내야 한다는 의욕을 불러일으켰다.

프로스페로의 전지전능도 그가 혼자라면 사실 아무런 의미가 없을 것이다. 그가 자신 이외의 누군가를 위해, 즉 사랑하는 사람을 위해 행동하지 않았다면 그의 마술은 공허했을 것이다. 그것은 그에게 어떤 진정한 기쁨도 가져다주지 못했을 것이다.

책임이라는 선물

인생에서 다른 사람을 염두에 두고 장애물을 뛰어넘기 위해 최선을 다해 노력할 때에만 우리는 자신이 이룩한 성취들의 중요성을 느낄 수 있다. 염두에 두고 있는 사람이 많으면 많을수록 더 좋은 것이다.

짐처럼 보이는 책임이 실제로는 편익이다. 아이들이 언제나 그렇듯이 우리가 그들을 위해 한 일을 제대로 알지 못하는 사람들도 있지만 당사자인 우리는 그렇게 함으로써 즐거움을 얻는다. 자신이 누군가를 위해 노력하고 있음을 알았을 때만큼 삶의 의욕을 느끼는 때도 없다.

진실로 의기소침한 사람, 자신의 삶이 무의미하다고 말하는 내담자에게 나는 삶의 어느 정도를 다른 사람들을 생각하면서 보냈는지 물어본다.

상대방이 그런 적이 없다고 말하면, 나는 어떻게 하면 그에게 적어도 다른 한 생명(애완동물이라도 좋다)에 책임을 느끼도록 만들수 있을까 고심한다. 다른 사람에게 책임감을 갖게 된 다음에야 자신의 성취에 대한 진정한 자부심이 생기기 때문이다. 수고란 다른 사람들이 그 혜택을 경험했을 때에만 의미가 있는 것이다.

그런 혜택을 받은 자가 곤궁에 처해 있는 어린이나 친구, 또는 미래 세대들, 즉 우리가 한 일을 알지 못하거나 알아도 결코 고맙다고 말하지 않을 사람들일 수 있다. 그들이 누구이고, 그들이 그것을 아는가 모르는가는 중요한 문제가 아니다. 왜냐하면 우리는 자신의 운명을 개선하기 위해 무언가를 했다는 것을 이미 알고 있기 때문이다.

감사를 기대하고 한 일은 아니지만 우리는 개나 고양이의 생명을 구해주었다는 사실에서 즐거움을 얻을 수 있다. 우리는 그 동물의 건강과 우정을 감사로 해석한다. 그들이 다른 사람들에게 어떤 기쁨을 준다면 우리의 수고는 잘 보답받은 셈이 된다. 왜냐하면 그것들이 이미 우리를 충족시켜 주었기 때문이다.

어디에선가 셰익스피어가 적었듯이 말이다.

잘 만족할 줄 아는 사람에게 복이 있을 것이다.

책임과 한계를 결코 혼동하지 마라

우리가 정말로 소중히 여기는 사람들에 대한 책임은 삶 자체다. 이는 삶을 넘어서는 것이며, 살아가는 이유다.

수면제에 중독되어 있고, 부유하지만 생에 대한 의욕이 없고, 자기 남편을 포함하여 누구도 사랑하지 않는 내담자가 어느 날 자신의 언니에 대한 연민의 정을 표출했다.

"불쌍한 사람이에요. 두 애를 키우면서 혼자 살아가고 있어요."

그러나 실제로 가난하지만 목적의식이 있는 그녀의 언니는 날마다 두 딸을 굶지 않게 만드는 일에서 용기를 얻고 있었다. 그들의 행복과 육체적 건강, 그리고 자신이 도울 수 있는 그들의 시련이 그녀에게 용기와 일상적인 즐거움을 주었다.

수백만 명의 사람들이 자신을 필요로 하는 존재들(어린이, 혼자 살아가지 못하는 부모, 동물) 때문에 삶을 지탱하고 있으며, 실제로 죽지 못해 살고 있다.

다른 사람들의 삶에서 자신을 중요한 존재로 만들 수 없는 사람만큼 하찮은 사람은 없다.

그가 누구든 당신이 책임질 사람을 찾아내라. 그러면 당신은 다음과 같은 것들을 성취할 수 있을 것이다.

- 승리감
- 당신이 필요한 존재라는 느낌. 이것이 당신으로 하여금 삶의 가장 어려운 시기를 극복할 수 있게 해준다.
- 삶의 가치에 대한 고양된 감사. 자신의 가치를 망각하게 되는 침울한 기간 동안에도 상대방의 삶의 가치를 인정하게 될 것이다.
- 당신의 죽음에 의해 세상이 조금은 빛이 바랠 것이라는 생각. 이는 당신의 삶이 중요하다는 생각과 같은 것이다.
- 당신이 적어도 한 사람을 위해 기꺼이 자신을 희생하려 한다면 완전한 냉소주의자가 되는 것을 피할 수 있다. 지금 돕고 있는 사람이 너무 어리고, 병들어 있고, 너무 늙어 당신이 하는 일을

제대로 인정해주지 않더라도 당신은 그것의 진가를 알 수 있다. 덕분에 당신에게는 약간의 돈을 버는 것에 불과한 일이 지금 당신이 겨울 동안 먹이를 주고 있는 비둘기들에게만은 대단한 성공처럼 보일 것이다.

당신 자신의 노력을 제대로 평가하는 일이 중요하다.
그러면 이 세상에는 당신과 같은 다른 사람들이,
즉 다른 생명체에 마음을 쓰고 있는 사람들이 많음을
깨닫게 될 것이다.

어떤 사람이 당신을 필요로 하는 상황을 용하게 모면했다고 해서 자신을 능수능란한 사람이라고 생각하지 마라. 독립적인 존재인 것처럼 보이는 데 대해 아무리 자랑스러워하더라도 당신의 마음은 곧 의기소침해질 것이다. 다른 사람들이 당신에게 의존하지 않으면 당신은 자신이 늙어가고 있음을 알게 될 것이다.
이것이 프로스페로의 교훈이다.

19

자비는 받는 사람과 베푸는 사람 모두를 행복하게 한다.

포르서의 진정한 힘

셰익스피어에 관한 잡동사니로 가득 차 있는 영국 스트랫포드의 한 작은 박물관에는 18세기에 그려진 유화 한 폭이 있는데, 그 그림은 지금도 내 기억 속에 생생하게 남아 있다. 묘사된 광경은 셰익스피어 전설의 한 부분을 차지하고 있는 유명한 일화로, 셰익스피어가 열아홉 살일 때 사슴을 밀렵했다는 혐의로 고발되었던 이야기와 관련된 그림이다.

그림 속에서 젊은 윌리엄은 벨벳 가운을 입고 그의 아버지와 함께 치안판사 앞에 서 있다. 화가는 치안판사에게 매우 진지한 표정을 짓게 함으로써 중범죄를 범한 젊은이에게 형을 선고하는 것처럼 보이게 만들었다. 그 앞에서 윌리엄과 그의 아버지는 불안과 두려움 속에서 형을 기다리고 있다.

그러나 좀더 자세히 살피면 겉으로 나타난 것 이상을 볼 수 있다. 나이든 치안판사의 거무스름한 눈에서 나는 한 가닥의 섬광을 볼 수 있었다. 이는 마치 치안판사가 이번만은 젊은 윌리엄의 죄를 용서해주겠다고 이미 결정한 것처럼 보였다. 화가는 이런 식으로 치안판사가 윌리엄의 첫번째 범법행위를 용서하려 한다는 것을 우리에게 암시하고 있다. 치안판사는 젊은이에게 범죄의 심각성을 알려주기 위해 일부러 곧 형을 선고할 것만 같은 과장된 모습을 취하고 있었다. 그러나 실제로 그는 자비를 베풀 예정이었다.

출처가 의심스러운 이 이야기의 해석 중 하나에 의하면, 젊은 윌리엄이 스트랫포드를 급히 떠났던 것은 밀렵 때문에 처벌 받은 것을 피하기 위해서였다고 한다. 그러나 이 그림을 그린 화가는 다른 견해를 가지고 있었다. 그가 그린 그림으로 판단해볼 때 푸른 벨벳을 입고 있었던 것으로 기억되는 윌리엄은 이미 용서를 받았다. 이는 셰익스피어가 그 해석과는 달리 자진해서 스트랫포드를 떠났음을 의미한다.

그림의 아름다움과 그것이 그려내고 있는 자비로운 분위기를 고려할 때, 나는 그림에 대한 내 판단이 옳다고 생각한다.

아마도 자신이 자비로운 취급을 받았기 때문에 셰익스피어는 역사상 가장 위대한 자비의 옹호자가 될 수 있었을 것이다.

자비란 무엇인가?

정신건강과 소위 정신적인 원인에 의해 생기는 질병에 관한 많은 기사들에서 '자비'는 쉽게 찾아볼 수 있는 단어가 아니다. 심리학자들도 그 단어를 잘 사용하고 있지 않다. 하지만 다른 사람들과 자기 자신에게 자비심을 베푸는 것이 우리의 행복을 보장하는 지름길이다.

《옥스퍼드 영어사전》에 의하면, 자비는 '어떤 사람이 호의를 요구할 자격이 없는 자에게 보여주는 관용과 동정심'이다. 자비는 얼마간 생각해볼 필요가 있는 주제며, 그것에 대해서는 셰익스피어가 우리를 도와줄 것이다.

자비는 정의(justice)와 달리 그림처럼 순전히 개인적인 창조물이다. 신의 은총의 한 형태라고 말하고 싶은 사람도 있을 것이다. 자비란 정의의 규칙들 아래에서는 좋은 대접을 요구할 권리가 없는 사람에게 자진해서 희생하고 호의를 베푸는 행위다.

어떤 예술 작품의 완전한 '정밀성'을 훼손시키는 것과 같은 방식으로 자비는 정의를 변화시킨다. 자비는 융통성 없음과 단절하고, 그것을 넘어서서 가장 좋은 의미에서 매우 인간적인 결과, 즉 우리 모두가 도달할 수 있는 수준의 호의를 만들어낸다.

자비의 수혜자들은 엄격한 의미에서 결백한 사람이 아니고 죄를 진 사람이며, 올바른 사람이 아니고 나쁜 사람이다.

정의, 즉 순수하고 날카로운 정의의 견지에서 볼 때 자비는 폭력적인 행위다. 그러나 자비의 목표도 정의만큼 고상하며, 정의에는 반드시 그렇지 않더라도 자비에는 정신이 있다.

셰익스피어는 자비를 예술적인 표현으로, 즉 엄격한 의미에서 없어도 좋을 장식품이지만 순전히 정신으로부터 나오는 것으로 간주했다.

정의는 법에 의해 강요되는 것이다. 그러나 어떤 법률도 자비를 강요할 수 없으며, 어떤 것도 우리가 자비로워지도록 강제할 수 없다. 자비는 순전히 마음에서 우러나와야 한다. 그렇지 않으면 그것은 전혀 나타나지 않을 것이다.

말 잘하는 여주인공, 포르셔

셰익스피어는 설득력 있게 자비를 간청하는 많은 등장인물들을 가지고 있다. 이는 자신의 연극을 보러왔던 거친 군중들에게 그가 자비를 가르치려고 애썼음을 나타낸다.

자비에 관한 가장 훌륭한 모범은 〈베니스의 상인〉의 여주인공 포르셔의 연설이다.

처음에 포르셔는 호감이 가는 사람이 아니었다. 그녀와 그녀의 시녀는 남들이 보지 않는 곳에서 마치 누가 더 잘 비꼬는가를 경쟁이라도 하듯이 그녀에게 구혼하러 온 사람들을 조롱한다. 포르셔의 아버지는 그녀 및 그녀와 결혼할 남자에게 막대한 재산을 남겼다. 하지만 그는 구혼자들이 그녀를 얻기 위해서는 세 개의 상자를 가지고 추측 게임을 해야만 한다는 유언을 남기고 죽었다. 올바른 상자를 선택한 사람이 그녀를 얻게 돼 있었다. 세 상자는 각각 금, 은, 납 상자였으며 포르셔는 납 상자를 선택한 구혼자와 결혼해야만 했다. 그녀의 아버지는 납 상자를 선택하는 사람이 '겉치레에 속지' 않는 남자일 것이라고 생각했던 것이다.

포르셔는 자기가 좋아하는 바사니오가 아버지가 고안했던 게임에서 이기도록 도와줌으로써 아버지의 유언을 파기한다. 그녀는 음악가들을 고용해 그가 올바른 상자를 고르도록 유도하는 노래를 부르게 하고 바사니오에게 답을 알려줌으로써 그를 부정직한 사람으로 만든다.

그러나 포르셔는 그녀에게 가장 위대한 순간으로 기억될 사건을 통해 완전히 다른 모습을 갖게 된다. 남편의 친구 안토니는 자신이 한 약속 때문에 1파운드의 살점을 바쳐야만 했다. 이는 그가 빚진 돈을 갚을 수 없었기 때문이다. 포르셔는 남자로 변장해서 안토니에게 자비를 베풀어 달라고 간청한다. 이것은 셰익스피어의 모든 작품들을 통틀어 가장 유명한 연설 가운데 하나가 되었다.

먼저 그녀는 자비를 강제로 만들어지는 인간의 속성이 아니라고 설명한다. 자비는 자발적이어야 한다. 누구도 그것을 강요할 수 없다. 그것은 자유의지에 의해 주어져야만 한다. 그녀는 주는 사람과 받는 사람 모두에게 자비는 큰 이익이 되며, 더 많은 영향력을 가지면 가질수록 그 영향력을 이용해서 베푸는 자비의 선물도 더욱더 커질 수 있다고 지적한다.

마지막으로, 포르셔는 자비를 베풂으로써 더 이상 강대해질 것이 없을 만큼 강하거나 중요한 사람은 없다고 말한다.

자비의 본질은 강요되는 것이 아니며
하늘에서 내리는 부드러운 비처럼 위에서 아래로 내리는 것이다.
자비는 이중의 혜택을 가지고 있다.
그것은 베푸는 사람과 받는 사람 모두에게 혜택을 준다.
자비는 최고 권력 중의 권력이다.
군왕을 군왕답게 하는 것은 왕관보다 이 자비심이다…
… 그러나 자비는 이 왕관보다 더 위대한 것이며,
자비는 군왕들의 가슴 속 옥좌에 앉아 있다.
그것은 바로 신에게 속하는 자질이다.

자비의 변형력

처음에 여러 면에서 사람들이 도무지 좋아하지 않을 것처럼 보였던 포르셔는 자비를 청원하는 이 훌륭한 연설을 통해 변하게 된다. 실제로 그녀는 셰익스피어의 여자주인공 중 동정심 많고 지혜로운 사람으로 기억되고 있다.

역설적이게도 그녀는 그 극에서 정의의 상징이 되었다. 이는 그녀가 거기에서 판사로 변장을 한 데다 그녀가 변호하고 있는 등장인물을 우리들이 지지하고 있었기 때문이다. 그러나 그녀가 실제로 요구한 것은 정의가 아니었다. 그녀는 더 높은 가치, 즉 자비를 원했다.

포르셔는 간청하면서 정의와 자비 사이의 경계를 기술한다. 자비는 정의가 끝난 곳에서 시작된다. 순수한 자비가 되기 위해서는 자비를 받는 사람이 그것을 받을 만한 가치가 없는 사람이어야 한다. 자비가 인간을 부족한 존재에서 더욱 풍부한 존재로 변화시킨다는 포르셔의 주장은 그녀 자신의 변화에 의해 예시된다. 자비를 베푸는 사람에게 미치는 영향은 일종의 연금술이다.

자비의 실제적인 힘

자비는 가슴에서 우러나와야 하지만, 자비로워지는 것이 단지 영적으로 되는 것만을 뜻하지는 않는다. 그것은 사실 매우 실제적인 것이다. 자비를 베푸는 것은 세계에 광범위한 영향을 미친다.

여기에 당신이 미처 생각하지 못했을 자비를 옹호하는 주장들이 몇 가지 있다.

1. 다른 사람들에게 자비를 베풀면 언제나 친구를 사귈 수 있다.

여기에는 물론 당신이 용서했거나 도와줬던 사람들이 포함된다. 게다가 당신이 했던 일을 목격했거나 그것에 관해서 듣고 있는 모든 사람들이 당신의 친구가 될 수 있다.

당신은 이런 사람들이 당신 앞에서 완전한 존재가 되어야 할 부담을 덜어주고 있다. 사람들에게 그들이 실수하거나 바보처럼 보일 여지를 갖고 있다고 말해주는 것이다. 대부분의 사람들에게 이것은 매우 중요하다.

나는 자비를 베풀지 않는 사람들이 재판이나 논쟁에서 이김으로써 자신의 입장을 지키는 것을 자주 보았다. 그런 사람들은 아무리 자신들의 주장이 옳다고 할지라도 필요 이상으로 사납게 상대방을 눌러뭉갬으로써 결국 모든 것을 잃고 만다.

심슨(O.J.Simpson; 미국의 유명한 미식축구선수로, 자신의 부인과 그 정부를 살해한 혐의로 기소되었으나 무죄로 풀려나 논란의 대상이 됨)의 재판이 계속되는 동안 작가이며 변호사였던 게리 스펜스 Gerry Spence가 한 토크 쇼에 출연했다. 그때 한 여자가 전화를 걸어 "왜 배심원들이 피고를 심문하지 않습니까?"라고 물었다. 그녀는 계속해서 배심원들이 피고측 변호사들에게 반드시 질문해야 한다고 생각했던 사항들을 열거했다.

프로그램에 출연한 세 변호사는 서로 그 질문에 대답하려고 했다. 그들은 답을 알고 있었기 때문에 그 질문이 우습게 보였다. 왜냐하면 그것은 명백한 절차상의 규칙이었기 때문이다. 그들은 모두 전화를 건 사람에게 무엇을 말해야 할지 알고 있었다. 그것은 전적으로 상식적인 법률 문제였다. 그래서 이 유명한 변호사들 가운데 한 사람이 배심원들은 검사나 피고 누구에게도 직접적인 질문을 할 수 없다고 말했고, 나머지 두 사람은 동의한다는 표시로 고개를 끄덕였다. 그들은 전문지식을 갖고 있었지만 그녀는 그러지 못했다. 전문가들이 흔히 그러듯이 그녀의 입장을 전혀 고려하지 않았다.

사회자가 막 전화를 끊으려고 할 때 게리 스펜스가 자신의 의견을 말했다. "좋은 질문입니다. 법이 배심원들의 직접심문을 허락하고 있지 않다는 것은 사실입니다. 그러나 배심원들은 확실히 마음속으로 그런 질문들을 하고 있습니다. 그럴 거라고 확신합니다. 때문에 그것을 큰 소리로 표현하지 못하게 한 것은 참으로 유감스러운 일입니다."

나는 나중에 다시 생각해보았다. 만약 그녀와 수백만 시청자들이 소송을 하게 된다면 어떤 변호사를 선택할까? 대답은 명백하다. 그녀의 존재를 인정하고 적당한 품위를 부여해준 사람일 것이다. 자신의 동료 변호사들에게 동의하면서도 스펜스는 훨씬 더 많은 것을 했다. 다른 두 사람과 달리 그는 그녀에게 도피할 여지를 마련해주었던 것이다. 미국의 현재 법률에 따르면 그녀의 질문이 과녁을 크게 벗어난 것은 사실이다. 그러나 그러한 실수는 그녀가 변호사가 아니기 때문에 쉽게 이해되고 용서할 수 있는 것이었다. 그녀는 중요한 의견을 말했을 뿐이었다.

반면에 자비심이 없는 사람들은 적을 만들 것이다. 또는 다른 사람들에게는 불가사의하게 보이지만 실제로는 그들의 성격 한 가운데 자리 잡고 있는 냉정함 때문에 우리들을 실망시킬 것이다. 직장에서의 상사들을 포함한 다른 사람들은 자비심이 없는 사람을 무의식적으로 두려워하며, 그 또는 그녀를 예측할 수 없는 사람, 즉 와일드 카드로 간주한다.

2. 신기하게도 자비는 커다란 상쾌감과 권력 의식을 갖게 만드는 가장 쉬운 방법이다.

자신과 남을 함께 생각하는 생활태도 덕분에 당신은 실제 나이가 얼마든 상관없이 스스로를 계속 젊고 자유롭다고 느낄 것이다.

남들을 비난하는 사람들 가운데 가장 나쁜 사람은 몇 시간 또는 며칠 동안 계속해서 흥분하고, 침묵하고, 불쾌해하는 사람이다. 이런 용서할 줄 모르는 사람들은 보통 상대방, 즉 자신의 짝이나 자녀가 사과하기를 원한다. "굴복함으로써 다시 내 애정을 획득하라."는 메시지에 의해 그들은 스스로를 부족하다고 느끼는 생각을 증대시키려고 한다.

그러나 진정으로 위대한 권력은 즉시 용서하는 사람들의 몫이다. 그들은 다른 사람들에 대한 자신의 깊은 영향을 감지한다.

진정으로 위엄이 있는 사람들은 집행유예를 선고한다. 반면에 단지 위엄을 가장하는 사람들은 모든 잘못을 처벌할 필요를 느낀다.

자비를 베푸는 것은 신의 속성 가까이로 나가는 방법이다. 그리고 자비를 표출할 기회를 갖지 못하는 만큼 마음이 가난한 사람도 없다. 원하는 자의식에 이르는 이 쉬운 길은 우리가 이웃들을 제압하고 더 많은 재산을 획득하기 위해 필사적인 돌진에 열중함으로써 너무 자주 간과되고 만다. 다른 것을 희생시키는 권력행위(다른 대안이 있다면 너구리나 쥐를 죽이는 일마저도)를 삼가라. 그러면 당신이 어떻게 느끼는지 알게 될 것이다. 자비를 베풀면 혼란 상태에 빠질 것이라든가 당신의 약점을 노출시킴으로써 경멸당할 것이라는 두려움은 잘못 알려진 사실이다. 그런 두려움들은 거의 언제나 비합리적인 것이다.

자비를 베푸는 것이 바로 진정한 권력의식을 향유하는 궁극적인 방법이다.

3. 남들에게 자비로워진다면 당신은 삶에서 다른 사람들로부터 자비를 구할 자격이 있다고 생각할 수 있을 것이다.

다른 사람들의 실수를 용서할 수 있다면, 당신의 실수 또한 용서할 수 있다. 자비롭지 못한 사람은 실수하면 다른 사람들이 자신을 공격할 것이라는 끔찍한 긴장 속에서 살아간다.

어떤 사람이 당신의 실수 때문에 잔인하게 또는 불공평하게 대하더라도, 당신이 자비롭다면 그것을 잘 처리할 수 있다.

당신이 자신에게 "나는 결코 그런 식으로 다른 사람을 공격하거나 그 실수를 몇 달 동안 반복해서 언급한 적은 없다."라고 말할 수 있다면, 당신도 잔인하게 대접받지 않을 것이다. 그러나 당신이 당신의 권한 안에 있는 사람들에게 자비롭지 못하다면 다른 사람들의 잔인성 때문에 끔찍한 고통을 받게 될 것이다. '나는 정말로 더 나은 대접을 받을 자격이 있다. 나에게 고함치고 있는 이 놈은 미쳤다.'라고 느끼게 되는 일은 없을 것이다.

이는 성차별주의와 인종주의를 다룰 때 한층 더 명백해진다. 성차별주의나 인종주의에 맞장구치는 방식으로 대응하지 마라. 모든 수단을 동원해 정의롭지 못한 일에 반대하라. 그러나 당신이 보복할 생각으로 잠시 동안이라도 성차별주의나 인종주의자가 되고자 한다면 결국 당신은 더 약해지고 만다. 그렇게 되면 당신은 성차별주의나 인종주의가 나쁘다는 자신의 생각을 얼마간 상실해버린다. 더 나은 세계를 위한 순수한 욕망으로 시작했던 일을 권력을 갖기 위한 하찮은 투쟁으로 대체해버리는 것이다.

우리가 남들을 대하는 것과 같은 종류의 대접을 받을 자격이 있다고 느끼는 것은 심오한 심리학적 진리다.

남들로부터 자비를 받으려면(혹은 자비를 받을 가치가 있다고 느끼려면) 우리가 먼저 그것을 베풀어야 한다. 포르셔는 이렇게 말한다.

우리들은 신에게 자비를 기원하지만
그 기원은 동시에 우리들 모두에게
서로 자비를 베풀도록 가르치고 있네.

다른 사람을 향한 자비를 발달시키지 못한다면 결코 자기애를 경험할 수 없을 것이다. 남을 용서함으로써 생기는 드높은 자신감은 다른 무엇과도 비길 수 없을 정도로 대단한 것이다. 그것은 우리 또한 용서받을 자격이 있으며, 용서하지 않는 사람들은 결함투성이고 위험하다는 인식을 갖게 만든다.

4. 남들에게 자비를 베풀면 당신은 굉장한 감정적 안락과 개인적 자유를 갖게 될 것이다.

다른 사람들에게 자비심을 베풀수록 당신은 더 오래 살고, 고혈압이나 다른 질병들을 피할 수 있다. 심장마비를 경험했던 사람들과 함께 일할 때, 나는 그들에게 다른 사람들의 실수를 몰아세우는 일을 자제하라고 권한다. 인생은 셰익스피어가 말한 대로 '헝클어진 실타래'다. 우리들 사이에 있는 다양성을 받아들이고, 자비롭게 사는 것이 더 오래사는 것이라고 나는 생각한다.

5. 당신 자신에게도 자비를 베풀어라.

자신에게 무자비한 사람은 계속되는 하찮은 약속 불이행에 불안감을 느끼며, 자기 자신을 용서하지 못하게 된다.

그는 사소한 일이라도 잘못하는 경우 마음의 여유를 갖지 못한다. 마치 다른 사람들이 자신을 전혀 용서하지 않고 있는 것처럼 느끼기 때문에 즉각 신속하고 임시적인 조정을 실시하게 된다. 그런 주인들은 집에 초인종 소리가 울리면 방을 대충 훑어본다. 친구들이나 사랑하는 사람마저도 자신의 사소한 잘못을 매우 부정적으로 판단할 것이라고 두려워하며 의자를 정리하거나 티슈 상자를 똑바로 놓는다.

자비심이 없는 사람은 일이 잘못되었을 때 자신뿐만 아니라 사랑하는 사람에게까지도 적대감을 보인다.

한 사업가는 자신의 아내가 수단 Sudan 의 수도를 모른다는 이유로 순간적으로 미운 마음이 생겨 자신의 동료들 앞에서 그녀를 얼간이라고 불러버렸다. 이 사업가의 분노 밑바닥에는 아내가 동료들 앞에서 자신을 우습게 만들어버렸다는 공포감이 자리 잡고 있었다. 이것이 그가 자제력을 잃은 첫번째 경우는 아니었다. 그러나 이번에 분노를 터뜨린 일은 그가 좋은 인상을 심어주기를 희망했던 바로 그 사람들과의 관계를 해치고 말았다.

그는 아내가 자신을 실망시켰기 때문에 비난했다. 이런 행위에 대해 그의 아내가 전문가의 도움을 받아봐야 한다고 주장한 것은 전혀 놀랄 만한 일이 아니다. 내 사무실에 왔을 때 그녀는 그때 자신이 어떻게 말했으면 더 좋았을 것인지를 물었다. 물론 두 사람 사이의 대화를 만들어주는 것이 상담자의 특권은 아니지만 나는 그녀에게 셰익스피어의 〈리어 왕〉에 나오는 한 구절을 상기시켜 주었다.

당신은 왜 그렇게 눈살을 찌푸리십니까?
당신은 내가 운명의 가위를 가지고 있다고 생각하십니까?

물론 이 사업가의 경우 그의 성격이 그의 운명이었다. 살아가면서 자신을 용서하지 못한 것, 즉 그가 자신의 아내에게 옮겨 심은 무자비함 때문에 그의 삶은 오랫동안 고통스럽기만 했다.

인간관계의 가장 중요한 이름, 자비

셰익스피어는 '자비'라는 단어를 그의 36개의 희곡들 가운데 33개 작품에서 모두 94번 사용했다. 등장인물의 성격은 종종 그가 자비로운가 그렇지 않은가에 따라 결정되었다. 자비롭지 못했기 때문에 위대한 등장인물이 보통 이하의 존재로 추락할 수도 있었다.

그의 작품으로 판단해볼 때, 셰익스피어는 살아 있는 피조물들(인간과 동물)에게 거의 무한한 동정심을 가지고 있었던 것으로 보인다. 또한 그는 자비가 가슴에서 우러나오기 때문에 위대하다는 주제를 반복해서 주장했다. 어떤 사람도 다른 사람을 강제로 자비롭게 만들 수는 없다.

당신이 어떤 사람을 강제로 자비롭게 만들려는 순간부터 그것은 속박을 부과하는 행위가 되며, 그 자체는 더 이상 자비의 표출이 아니다. 당신은 그것을 두려움의 행위로 만들어버리고 만다. 또한 어떤 사람이 자비를 베풀도록 매수할 수도 없다. 왜냐하면 이때 당신은 유혹에 의해 그런 행위를 부추기고 있기 때문이다. 자비는 자비로 계속 남아 있으려는 자신의 동력을 반드시 유지해야만 한다.

셰익스피어는 어떻게 모든 피조물에 대한 무한한 동정심을 발달시켰는가?

물론 어떤 사람도 이 질문에 완벽한 대답을 할 수 없지만 나는 셰익스피어 자신이 매우 중요한 순간에 자비의 수혜자였으며, 그가 그런 사실을 결코 잊지 못했기 때문이라고 생각하고 싶다.

벨벳 가운을 입은 채 아버지와 함께 치안판사 앞에 서 있는 십대의 윌리엄을 그린 그림을 다시 한 번 생각해보자. 그는 다른 사람의 사유지에서 사슴 밀렵이라는 실제 범죄행위를 했으며, 그 이유로 체포되었다. 엘리자베스 여왕 시절에 그런 범죄는 중형에 처해졌다. 수족이 잘려나가거나 심한 경우 교수형에 처해지기도 했다.

젊은 윌리엄은 그 죄를 사면받지 못하면 어쩌나 하고 크게 걱정하면서 자신의 운명에 대해 깊이 생각했을 것이다. 자비만이(치안판사가 자비를 베풀 것인지 확신할 수 없더라도 그 사람의 자비만이) 유일한 희망이었다. 그 소년은 틀림없이 자비에 관해 생각했을 것이며, 자신을 그와 비슷한 위치에 있는 모든 사람들과 견주어보았을 것이다.

치안판사가 자신의 죄를 용서해 석방시켜 주었을 때, 윌리엄은 자비의 힘을 잊지 않겠다고 다짐했으며, 이는 그의 전 생애를 통해 증명되었다.

나는 그 자비의 행위가 그림 속에 나오는 모든 사람들에게 혜택을 주었다고 생각한다. 셰익스피어의 아버지는 틀림없이 자신의 아들에게 주어진 자비라는 선물을 자기 자신의 것으로 받아들여 세상을 생각보다 더 친절한 곳으로 여기게 됐을 것이다.

치안판사 역시 우리들이 논의한 방식으로 혜택을 받았을 것이다. 그는 자신의 친절을 즐거움으로 삼았을 것이며, 젊은 윌리엄이 안도하고 고마워하는 것을 보고 틀림없이 기뻐했을 것이다. 그러나 그는 자신이 이후 몇 세기 동안 세계에 지대한 영향을 미치게 될 행동을 했음을 거의 알지 못했을 것이다. 만약 그가 청년에게 중형을 내렸다면, 지금 우리는 셰익스피어의 연극들을 보지 못한 채 살아가고 있을 것이다.

그러나 치안판사는 자신의 행동을 통해 이 세상에는 비참함뿐만 아니라 자비도 존재한다는 것을 알 수 있었다. 자신이 자비롭게 행동했기 때문에 그와 같은 다른 사람들이 존재한다고 추측할 수 있었던 것이다. 그리고 자비를 베풀었기 때문에 다른 사람들의 자비를 기대할 수 있었다.

셰익스피어는 누구보다 자기 자신이 자비의 가장 명백한 수혜자였다. 그 혜택은 그가 누린 자유와 그가 행한 용서였다. 만약 그가 그 나이에 냉소적이었다면, 자비가 그것을 일소하는 데 도움이 되었을 것이다. 자비의 도움을 받은 후 그는 그것을 더욱더 많이 베풀고, 그것의 가치를 더 인정하게 되었을 것이다. 복수심처럼 자비심은 대를 이어 내려간다. 치안판사의 판단이 셰익스피어의 정신을 풍부하게 만들었음에 틀림없다.

언젠가 그는 "자비가 정의를 완화한다"고 강력하게 주장한 적이 있었다. 그리고 그는 한 등장인물로 하여금 다음과 같이 간청하게 만든다.

당신의 권위 아래 한 번만 법을 놓아주십시오,
그릇된 일을 막고 올바른 일을 하기 위해.

20

가장 높은 단계에 도달하라

말보리오의 우울증

대학생이었을 때 나는 수백만 명의 사람들이 수세기 동안 그랬던 것처럼 셰익스피어가 특별히 나를 위해 글을 쓰고 있다고 확신했다. 지금 생각해보면 쑥스럽기까지 한 오만함으로 나는 그의 작품에 관해 내 나름대로의 판단을 내렸다. 그래서 어떤 강의에서는 셰익스피어의 비극들이 희극들보다 더 우수하다고 교수님께 보고했다.

교수님은 관대했기 때문에 내가 아직 판단할 위치에 있지 않다는 식으로 꾸짖지 않았다. 그는 또한 친절하게도 내가 어떻게 느끼든 자신에게는 아무런 상관없는 일이라고 말하지도 않았다.

나는 언제나 고통스러울 정도로 여윈 몸을 가졌지만 순수하고 매우 훌륭한 선생님이었던 버트*Burt* 교수님이 내 말을 끝까지 들어주던 모습을 생각한다. 많은 사람들이 처음에는 비극을 좋아하지만 나이가 들어감에 따라 희극의 위대함을 인정하게 된다고 자애롭게 말씀하시면서 안경을 만지작거리던 선생님의 모습을 지금도 또렷이 기억해낼 수 있다.

수많은 친구들과 내담자들뿐만 아니라 내 자신을 관찰하면서 나는 세 가지 독특한 사고 유형들을 구분할 수 있게 되었다.

첫째는 어린이들처럼 마냥 기뻐하는 단계다. 여기서 우리는 유머와 신의 섭리를 갈구한다. 진지한 어른들은 쓸데없이 엄격하다고 간주한다. 희극이나 익살극이 우리를 가로막거나 눈살 찌푸리게 만드는 것보다 더 좋다.

그 뒤 아직도 젊은 어떤 시기에(우리의 삶이 어떤 모습을 취하는가에 따라 각자 다르다) 우리는 이런 것 중 어느 것도 오래 지속되지 않으며, 우리뿐만 아니라 우리 연인들도 마음이 변하고, 세계 전체가 나이를 먹고, 어느 날 우리 모두가 죽게 될 것이라는 사실을 깨닫는다. 아마 우리는 이미 누군가의 죽음을 목격했으며, 그렇지 않더라도 갑자기 현재와 비교될 과거와 걱정할 미래를 갖게 된 자신을 발견한다.

어떤 학생이 햄릿의 나이에 관해 물었을 때 버트 교수는 "햄릿은 처음으로 죽음을 실제로 일어날 수 있는 일로 생각하는 그런 나이였다."라고 알쏭달쏭한 대답을 했다. 실제 15세에서 70세에 이르는 모든 나이의 남녀 배우들이 햄릿 역을 연기해왔다.

우울증 시기

　어린 시절의 천진난만한 시기에 뒤따르는 우울증 시기는 사람에 따라 일찍 시작될 수도 있으며, 평생 동안 그 시기에서 벗어나지 못한 사람들도 많다. 이는 나이든 사람들이 알고 있는 것처럼 보이는 보편성의 존재와 셰익스피어가 말한 대로 '내일은 무슨 일이 일어날지 아직 모르겠다.' 라는 진리를 발견했을 때 흔히 나타나는 반응의 한 형식이다.

　이 우울증 시기에 우리는 지혜가 마음의 문제이고 슬픔이 감정의 문제라 하더라도 지혜와 슬픔을 거의 동일한 것으로 생각하게 된다. 마치 자신이 영원히 살아 있을 것처럼 인생을 즐기는 사람들을 슬픈 눈으로 바라보거나 경멸하기조차 한다. 특히 이런 기쁨에 넘쳐 있는 사람들이 나이든 사람들인 경우 그들을 미쳤다고 간주한다.

　많은 사람들에게 평생 동안 지속되기도 하는 이 우울증은 '책임감 있고', '어른스럽고', '성숙하고', 마치 진정한 비전에 대한 적절한 대응이 슬픔뿐인 것처럼 가장한다.

　이 우울증 단계는 심리학자들이 '이차 수익' 이라고 부르는 몇몇 명백한 보상, 즉 부가적인 이익을 가지고 있다. 당신이 이미 햄릿처럼 세상을 '지루하고, 케케묵고, 단조롭고, 무익하고…, 잡초가 무성한 정원' 으로 보고 있더라도 결코 실망할 필요는 없다는 것이 그런 보상들 중 하나다. 게다가 우울증 자체가 매우 직접적인 쾌락을 제공한다. 당신은 실쭉거리면서 자신에게 동정을 베풀 수 있다.

가장 높은 단계

그러나 우울증 단계보다 더 높은 단계가 있다. 이 수준에 도달하기 위해서 우리는 세상의 불행을 알고 또 자신을 포함한 사랑하는 모든 것들의 덧없음을 이해하고 있더라도, 그런 우울증에 깊이 빠지지 않는 것이 필요하다.

우리는 최선과 최악의 상태에 있는 세계를 모두 경험해왔으며 불의와 강탈, 배은망덕, 질병들을 목격해왔다. 그리고 때때로 셰익스피어가 한 소네트에서 다음과 같이 적었던 것처럼 슬퍼하지 않을 수 없었다.

끝없는 죽음의 밤 속에 감춰진 소중한 벗들을 위해
좀처럼 울지 않는 눈에 눈물이 맺히게 되고
오래 전에 끝난 사랑의 슬픔을 다시 슬퍼하고…

그러나 우리가 이런 것들을 보고 있다 해도 아직 우리에게 남아 있는 것들(사랑, 칭찬, 공부, 책임, 웃음의 가능성 등)을 내버릴 준비가 되어 있지 않다. 죽었거나 아직 살아 있는 우리의 연인들도 우리가 햄릿이 오필리어의 무덤 속으로 뛰어들 듯 우울증의 심연 속으로 빠져들기를 바라지 않을 것이다.

이것은 내가 내담자들이 도달했으면 하고 바라는 수준이며, 오직 피상적으로만 어린 시절의 행복한 무지의 상태와 닮아 있는 단계이다. 그러나 이 두 단계는 전적으로 다르다. 마지막 단계에서 우리는 고통을 전혀 모르는 것이 아니며, 우울증을 소중히 하거나 우울증에 깊이 빠지지도 않는다.

〈십이야〉, 즐거움의 노래

나는 가끔 두 대륙만큼 위대하고 영원한 셰익스피어의 두 희곡 〈햄릿〉과 〈십이야〉의 줄거리가 매우 대조적인 것을 보고 깜짝 놀란다. 〈햄릿〉의 줄거리는 햄릿의 삼촌이 아버지를 살해하는 사건을 배경으로 전개된다. 복수해야 한다는 생각으로 괴로워했던 햄릿은 얼마 동안 자신을 추스릴 수 없었지만 결국에는 그것을 해낸다. 그 연극에서는 폴로니우스, 로젠크랜츠 *Rosencrantz*, 길든스턴 *Guildenstern*, 오필리어, 햄릿의 어머니, 햄릿의 삼촌, 라에르티스, 그리고 마지막으로 햄릿 자신이 죽는다.

햄릿은 종종 '우울한 덴마크 사람'으로 묘사된다. 몇몇 사람들이 주장하는 것처럼 아마 이 희곡은 지금까지 씌어진 것 중 가장 위대한 작품일 것이다.

이를 〈십이야〉와 대조시켜 보아라. 술 친구들인 토비*Toby* 경, 앤드루 에이규치크 *Andrew Aguecheek*, 어릿광대 페스트*Feste*가 밤늦게까지 술마시고 노래하며 즐기고 있다. 그들은 이미 잠들어 있는 사람들을 깨울 만큼 큰 소리로 노래를 부른다.

사랑이란 무엇인가? 사랑은 덧없는 것이라서
현재의 기쁨은 현재의 웃음일 뿐
내일은 무슨 일이 일어날지 아직 모르네.
망설이면 허무해지는 것
어서 키스해 주세요, 달콤하게 많이.
청춘이란 결코 영원하지 않은 것.

이는 하찮은 소곡에 지나지 않는다. 그러나 이것이 셰익스피어
가 썼던 다른 어떤 노래들보다 나를 슬프게 만든다. 몇몇 모차르
트 선율에서처럼 우리는 명랑하고 쾌활한 가락들을 즐기면서도
얼마 동안 알 수 없는 슬픔을 느끼게 된다.

어쨌든 연극에서는 이 특별하면서도 아무런 의미가 없는 날 밤
에 울려 퍼진 노래 속에 담긴 진실이 그것을 부르는 세 사람의 심
금을 울리고 있다.

그들이 술과 감정에 완전히 빠져 노래하고 있을 때 그집 여주인
에게 봉사하는 매우 진지한 집사 말보리오*Malvolio*가 잠옷을 입
고 나타나 노래를 멈추라고 말한다. 말보리오는 선천적으로 거의
익살스럽게 우울해하는 사람이다. 그는 가장 나쁜 상태의 '성숙
함'을 나타낸다. 그의 모든 행동들은 "인생은 모진 것이다. 그러
므로 너는 매순간 그 사실을 깨달아야 한다."라고 말하는 것처럼
보인다. 그의 이름 말보리오는 '불행을 원하는'이라는 뜻의 라틴
어에서 유래된 것이다.

노래를 부르는 그들은 "얌전히 굴어라. 그렇지 않으면 후회하게 될 것이다."라고 말할 말보리오와 마주치게 되었지만, 오히려 말보리오를 질책하면서 더 큰 소리로 노래한다.

나는 그들이 술뿐만 아니라 그 노래에 응답하고 있다고 생각한다. 그러나 그들은 그런 사실을 명백하게 드러내지 않으며, 어쩌면 그런 사리조차 알지 못한 것 같다. 그들은 인생의 덧없음을 날카롭게 꿰뚫어보고 있으며, 자신들의 남은 생을 즐기고 있다. 그래서 말보리오가 방해하는 것을 결코 허락하지 않는다.

토비 경은 억압받는 것을 거절하면서 말보리오에게 소리친다.

당신은 품행이 단정해서 술과 안주(인생의 쾌락)에는
관심이 없단 말이오?

어릿광대가 욕을 퍼부으면서 그 주장을 지지한다.

맹세코, 생강즙도 그의 입 안에서는 따뜻할 것이다.

세 사람은 노래하고 춤추는 자신들의 권리를 변호하고 있다. 인생의 덧없음을 위해, 그리고 그 덧없음을 알고 있음에도 불구하고 서로 함께 즐길 수 있는 인간들의 용기를 위해 그들은 축배를 들고 있다.

최상의 상태에서 우리 인간은 무엇이 우리에게 닥쳐오고 있는지를 알면서도 서로를 축하하고 서로를 위해 희생할 수 있는 영웅적인 피조물이다. 타이타닉 호가 침몰하고 있는 동안에 그랬던 것처럼, 어려울 때 악단이 음악을 연주해서는 안 될 이유가 있는가?

우울증이 더 좋은 상태이고 더 세련된 것이란 말인가?

나는 셰익스피어가 그렇지 않음을 말한다고 생각한다.

〈십이야〉의 요지는 우리가 허약함에도 불구하고 즐거움을 경험할 수 있는 권리를 가지고 있다는 것이다. 우리는 계속해서 노래하는 바로 그 세 명의 연약한 인물들처럼 노래하고 웃을 수 있으며 또 억압받을 수 없는 권리를 가지고 있다.

그날 밤 그들이 일으켰던 반란은 이 연극의 핵심이다. 말보리오를 웃음거리로 만드는 책략을 생각해냈던·하녀 마리아의 도움으로 그들은 우울증이 지혜보다 낫다는 결론에 이르게 된다. 마리아가 꾸민 책략이 매우 재미있고 즐거운 조롱거리였기 때문에 토비 경은 연극 끝부분에서 그녀와 결혼한다. 물론 토비 경이 설명하는 결혼의 이유를 글자 그대로 받아들일 수는 없지만, 이미 인생의 비극을 이해한 사람들이 갖고 있는 가벼운 마음은 가장 큰 미덕일 수 있을 것이다.

겉으로 보기엔 얼마나 하찮은 줄거리인가! 얼마나 경박한 주제인가! 누군가가 그것을 곧 시작할 연극의 핵심적인 줄거리라고 미리 말했다면, 아마 청중들이 용서하지 못했을 것이다.

사랑이란 무엇인가? 사랑은 덧없는 것이라서
현재의 기쁨은 현재의 웃음일 뿐

"그래도 괜찮아요."라고 〈십이야〉는 말하고 있는 것처럼 보인다. 가장 위대한 셰익스피어의 배우들 중 한 사람인 에드먼드 킨 *Edmund Kean*에 대한 이야기가 전해오고 있다. 1833년 킨이 자리에 누워 죽어가고 있을 때 친구 한 사람이 동정심에서 그의 침대 곁에 다가가 죽기가 얼마나 힘든 것인지 물었다. 킨은 아주 간단명료하게 "죽는 것은 쉽다. 그러나 희극은 어렵다."라고 대답했다.

우리는 비극이 무엇에 관한 것인지를 알고 피부 밑에 있는 두개골을 보듯이 그 실체를 봤다. 비극이 우리들에게 닥쳐오기도 하지만, 그것 때문에 우리는 우울한 견해를 갖거나 비극을 유일한 지혜의 형태로 잘못 인식하지도 않는다. 최악의 경우를 생각하면서 우리는 그것을 극복해야만 한다.

나는 셰익스피어가 우리들이 웃고, 아름다움과 서로의 존재를 즐기고, 우리들에게 주어지는 것들을 취할 수 있는 능력을 계속 유지하기를 바랐다고 생각한다. 때문에 나에게는 이것이 정신발달의 가장 높은 단계다.

21

마지막 장막

셰익스피어는 어떻게 그 많은 것들을 알고 있었을까?

셰익스피어는 사람들에 관한 매우 많은 사실을 이해하고 있었다. 그와 친하게 지냈던 사람들에 대해서만 알고 있었던 것이 아니다. 그는 개인적으로 자신과 친숙하지 않은 생활양식을 갖고 사는 많은 사람들의 충동과 욕구를 이해했었다. 지난 수세기 동안 수백만 명의 사람들을 혼란에 빠뜨렸던 그의 천재성을 통해 셰익스피어가 다양한 사람들이 느끼고 있는 바를 추론하고, 그 사람들을 황홀하게 만드는 것이 무엇인지를 알고 있었다는 것은 의심할 여지가 없다. 그는 농부의 입을 통해(또는 결코 자신의 손을 더럽힌 적이 없는 여왕의 입을 통해서도) 말할 수 있었다.

마치 셰익스피어가 당시에는 존재하지 않았던 녹음기를 사용하여 많은 시간 동안 이런 사람들과 인터뷰를 했던 것처럼 보이기도 한다. 더 나아가 그들에게 마음속에 품고 있는 생각들을 모조리 털어놓도록 만드는 주사를 놓은 것이 아닐까 하는 생각도 든다.

사람들을 관찰하는 것 이외에도 셰익스피어는 자연과 세부적인 일상 경험들에 관해 믿을 수 없을 정도로 많이 알고 있었다.

그가 자연에 관해 많은 지식을 가졌던 사실은 그가 어린 시절을 농촌에서 보냈다는 점과 어느 정도 관련이 있을 것이다. 게다가 부단한 호기심과 완벽한 기억력을 가지고 있었기 때문에 셰익스피어는 철따라 바뀌는 나뭇잎의 색깔이나 거미와 달팽이의 행동들을 관찰할 수 있었다.

그러나 그가 관찰했던 다른 것들(풀은 밤에 더 빨리 자라고, 야외에서 햇빛을 받으며 살았던 사람의 육체가 무덤에서 썩는 데 더 오랜 시일이 걸린다는 사실들)은 단순한 설명만으로는 이해가 불가능하다.

셰익스피어의 열광자들은 민속지식에 관해 언급한다. 그러나 민속지식마저도 어디에선가 얻어야만 한다. 셰익스피어 주위에는 정보의 창고를 가진 사람들이 많았음이 분명하다. 그는 많은 사람들의 인생 이야기를 들었거나, 몇몇 사람들이 생각하듯이 직접 다양한 삶을 경험했음에 틀림없다.

셰익스피어의 비밀 – '메서드 리빙'

셰익스피어는 실제적인 환생을 통해서가 아니라 다른 사람들의 몸속에 자신을 심리적으로 재생시키는 능력을 통해 무수한 삶을 살았다.

감정이입의 능력을 통해 그는 자신과 대화를 했던 많은 사람들의 삶을 함께 살았다.

나는 셰익스피어가 '메서드 리빙Method Living'이라고 부르는 기술의 위대한 숙달자였다고 생각한다. 그것은 많은 배우들에 의해 사용되고 있는 '메서드 액팅Method acting'으로 널리 알려진 방법을 확장한 것이다.

메서드 액팅은 배우가 감정을 불러일으키기 위해 자신의 개인적인 경험에 의존하는 기술이다. 배우의 삶은 자신이 연기하고 있는 등장인물의 삶과 다를 것이다. 그러나 배우의 과거에는 지금의 등장인물처럼 느꼈던 순간들이 분명 있었다. 환경은 완전히 다르지만, 그때 배우는 등장인물과 똑같은 기쁨 또는 고통을 느꼈거나 같은 방식으로 당황했었다.

그런 방법을 사용하기 위해 배우는 등장인물의 경험과 비슷했던 자신의 경험을 찾아낸다. 그러고 나서 그것을 있는 힘을 다해 상기하고 무대에서 다시 소생시킴으로써 이를 통해 등장인물을 진정으로 이해하고 그 등장인물에 자기 자신을 투사한다.

매세드 액팅은 단순한 모방이 아니다. 그것은 훨씬 심오한 것이며 배우와 그가 연기하고 있는 등장인물 사이의 공통적인 연대에 접근하는 방법이다. 먼저 그는 자신의 삶에서 정신적 여행이 등장인물과 동일했던 순간을 찾아내야 한다. 그리고 그런 순간을 지금 다시 경험해보아야 한다. 그러면 그는 누구보다도 등장인물을 잘 이해하게 될 것이다.

'메서드 리빙'은 이 기술을 일상생활에서 적용하는 것이다.

그것의 목적은 다른 사람을 감정적으로 이해하는 데 있다. 당신은 지금 다른 사람이 경험하고 있는 것과 똑같은 자신의 경험을 찾아냄으로써 다른 사람의 정신 속으로 들어갈 수 있다.

'메서드 리빙'은 우리들이 많은 상황에서 자연스럽게 했던 것들을 의식적이고 의도적으로 실행해보는 기술이다. 우리는 어린이들이 버림받았을 때 받는 고통이나 느낌을 우리가 매우 상이한 상황에서 가졌던 유사한 고통들을 회고함으로써 이해할 수 있다.

이 기술을 사용하면 당신은 자신과 매우 상이한 사람들에게도 감정적으로 접근할 수 있고 그들의 동기들을 이해하게 된다. 이런 식으로 당신은 그들이 어떠한 사람인지를 진정으로 이해하고 있다는 의미심장한 믿음을 전달할 수 있다.

당신은 그들의 무의식에 다음과 같은 메시지를 전달하고 있다. "내 삶도 당신과 비슷합니다. 저도 비슷한 삶을 살아왔으며 똑같은 위기에 직면해본 적이 있습니다. 당신의 감정은 부자연스러운 것이 아닙니다. 나도 똑같은 경험을 했었기 때문에 잘 압니다."

'메서드 리빙'의 목적은 될 수 있는 대로 많은 삶을 살아보려는 것이다. 이것은 사람들을 서로 연결시키는 데 매우 귀중한 역할을 한다. 다른 사람의 감정을 이해하기 위해서는 이 방법을 사용하는 것이 좋다. 특히 당신이 다른 사람의 감정에 공감하지 못할 때 많은 도움이 될 것이다.

나는 실제로 셰익스피어가 상상할 수 없을 정도로 다양한 사람들에 관해 잘 알고 있었더라도, 오직 '메서드 리빙' 기법을 통해서만 그런 풍요로움을 만들어낼 수 있었을 거라고 생각한다. 물론 줄리어스 시저나 마크 안토니처럼 역사에 실재했던 인물들이 그의 작품의 등장인물로 나오는 경우가 많은 것은 사실이다. 그러나 결국 그의 모든 등장인물들이 셰익스피어의 정신적 그림자들에 지나지 않았음은 틀림없다. 그는 그 등장인물들 모두였다. 우리가 보고 있는 것은 셰익스피어 자신의 풍요로움이며, 자기 자신을 들여다보고 있는 셰익스피어의 냉엄한 정직성이다.

윌리엄 셰익스피어는 누구인가?

셰익스피어가 우리에 관해 많은 것을 알고 있는데도 불구하고 우리는 그와 그의 삶에 관해 아주 조금밖에 알지 못하고 있는 것은 매우 안타까운 일이다. 그러므로 더 나아가 그에 대해 알아볼 필요가 있다.

윌리엄 셰익스피어는 1564년 영국 스트랫포드에서 태어났다. 그의 아버지 존 셰익스피어 *John Shakespeare*는 문맹이었기 때문에 서류에 이름을 적어야 할 때 자기 직업의 상징인 한 쌍의 장갑 제조업자 컴퍼스를 그리곤 했다. 윌리엄은 여덟 명의 자식들 중 한 명이었다. 윌리엄이 네 살 때인 1568년에 존은 스트랫포드의 수령이 되었는데, 이는 당시 그 도시의 가장 높은 공적인 신분으로 오늘날의 시장 지위에 상응하는 것이었다. 그러나 윌리엄이 소년이었을 때 존 셰익스피어는 경제적으로 많은 고통을 받고 있었다. 그래서 어린 윌리엄은 수업료를 받지 않았던 스트랫포드 에이번의 문법학교에 다녀야 했다.

1582년에 그는 자기보다 약 여덟 살이 많은 임신중인 앤 헤서웨이Ann Hathaway와 18세의 나이로 결혼했다. 6개월 후에 셰익스피어의 장녀 수잔나가 태어났으며 2년 후에는 쌍둥이인 햄넷과 주디스가 태어났다.

두 쌍둥이가 태어난 이후 젊은 윌리엄의 삶은 '잃어버린 세월'이라고 일컬어지는 시기를 맞이하는데, 이 시기의 삶에 대해서는 아무것도 확실하게 알 수가 없다. 추측들은 난무하지만 누구도 그가 무엇을 했는지 확신하지 못한다.

분명한 것은 셰익스피어가 28세였던 1592년 이전부터 런던에서 살았다는 것이다. 그 해에 런던에서 그의 이름이 처음으로 언급되었으며, 그는 이미 성공한 극작가로 불리고 있었다. 셰익스피어는 자신도 한 구성원이었던 극단을 위해 희곡들을 썼다. 그는 직접 연기도 했으며, 당시의 모든 배우들처럼 말을 돌보는 일에서 극장을 짓는 일까지 모든 일을 거들었다. 그리고 다른 사람들처럼 극단의 이익을 함께 나눠가졌다.

우리는 셰익스피어가 어떻게 그토록 많은 희곡들을 끊임없이 쓸 수 있었는지에 관해서 정확하게 알지 못한다. 확실하게 말할 수 있는 것은 그가 매우 빠른 속도로, 특히 전력을 다할 때는 1년에 2~3편의 희곡을 썼다는 사실이다. 그의 초기 희곡들에는 영국 왕들의 삶을 극화한 역사물들과 난폭한 비극인 〈터투스 안드로니쿠스*Titus Andronicus*〉가 있는데, 후자의 경우 오늘날 거의 상연되지 않고 있으며 질적으로도 셰익스피어의 다른 작품들과 전혀 비교가 되지 못할 만큼 엉성하다.

1592년 런던에 전염병이 창궐했다. 격리가 선포되고 모든 극장들이 문을 닫았다. 이 때문에 셰익스피어는 삶에서 또다시 '잃어버린' 시기를 맞게 된다. 2년 동안 그가 무엇을 했는지는 전혀 알 수 없다. 많은 사람들은 그가 몇몇의 장편 시를 헌정했었던 사우댐프턴 백작의 영지에서 있었을 것이라고 추측한다. 전염병이 수그러든 후에 셰익스피어가 속한 협동조합 형태의 극단이 다시 문을 열었다. 많은 사람들이 그 유명한 '지구 극장' 위로 깃발이 게양되는 것을 관심 있게 바라보곤 했는데, 이는 날씨만 좋으면 그날 오후에 연극이 상연될 것이라는 사실을 의미했다. 당시의 관습에 따라 셰익스피어의 작은 극단은 완전히 남성으로만 이루어져 있었다. 남성들이 여성 등장인물의 역할을 했다.

셰익스피어는 대중들이 무엇을 원하는지 알고 있었기 때문에 흥행에 성공할 수 있었다. 게다가 그는 돈을 부동산에 투자하는 방법도 알고 있었다. 그는 런던과 스트랫포드에 부동산을 매입했으며, 그의 저술 경력에서 가장 빛나는 시기를 앞둔 1600년 경에 그는 이미 큰 부자가 되어 있었다.

이때 셰익스피어의 천재성이 왕실의 주목을 받게 되었다. 여왕 엘리자베스 1세는 그의 연극 중 하나를 직접 봤다. 그녀는 셰익

스피어에게 자기가 가장 좋아하는 등장인물인 폴스타프를 주인
공으로 하는 희곡을 쓰도록 요구했다. 그 결과 만들어진 작품이
〈윈저의 명랑한 아낙네들〉이다. 한편 셰익스피어는 소네트도 썼
는데, 그것들 역시 문학사에서 가장 훌륭한 작품들 가운데 하나로
손꼽힌다. 그러나 그런 소네트들과 그 자신의 삶, 그가 그것들을
바치고 있는 사람들과의 관계는 분명치 않다.

1603년 영국은 엘리자베스 여왕이 죽은 후 스코틀랜드 출신인
제임스 1세가 통치하게 되었다. 변덕스럽고 심술궂은 사람으로
널리 알려진 제임스는 엘리자베스가 촉진해왔던 지적 성장을 천
천히 무너뜨렸다. 그로부터 10여 년 후에 셰익스피어는 희곡쓰기
를 그만두고 스트랫포드로 되돌아갔다. 정확히 언제인가? 이것이
그의 인생에서 의문점으로 남아 있는 마지막 문제들 중 하나다.
대체적으로는 그가 49세였던 1613년 경에 런던을 떠났던 것으로
추정된다. 어쨌든 그는 공식 기록에 의하면 52세가 되는 날인
1616년 4월 23일에 스트랫포드에서 죽었다. 그가 어떻게 죽었는
지는 아직도 남아 있는 마지막 의문이다. 공식 기록에는 오직 날
짜만 적혀 있다.

셰익스피어 극단의 일원이면서 그를 사랑하고 그의 죽음을 슬
퍼했던 두 친구들이 없었다면 우리들은 아마 그의 이름마저도 알
지 못했을 것이며, 그는 지금처럼 문학사에서 불멸의 위치를 차지
하지도 못했을 것이다. 그 두 사람 존 혜밍*John Heminge*과 헨리
콘델*Henry Condell*이 그의 작품들을 수집하여 지금도 유명한 폴

리오 판으로 출판했다. 그때가 셰익스피어가 죽은 지 7년째 되는
해였다.

　오늘날 영어에 지대한 영향을 미친 3대 요소로 색슨*Saxon*어,
노르만족을 통해 돌아온 라틴어와 더불어 한 개인으로서의 윌리
엄 셰익스피어를 일컫는다는 점에서 셰익스피어의 중요성은 아
무리 강조해도 지나치지 않을 것이다.

셰익스피어 작품의 주요 등장인물

데스데모나 : 오셀로의 젊고 아름다운 부인이다. 사악한 이아고 때문에 그녀는 간통을 했다는 부당한 비난을 받게 된다. 전체 극을 통해 데스데모나는 지겨울 정도로 수동적이고 마음이 착하다. 그래서 오셀로에게 육체적인 공격을 받은 후에도 변함없이 그를 신뢰한다. 그 극의 끝에서 오셀로는 그녀를 목졸라 죽이며, 그녀는 자신의 죽음을 아무런 불평 없이 받아들인다. (오셀로)

로미오 : 베로나에 있는 몬타규 가문의 젊은이다. 그는 줄리엣과 사랑에 빠지는데, 그녀의 캐플릿 가문은 몬타규 가문과 극도로 불화 상태에 있다. 그들의 사랑은 두 사람의 죽음으로 막을 내린다. (로미오와 줄리엣)

리어 왕 : 야비한 두 딸에게 왕국을 나누어주고 진정으로 자신을 사랑한 셋째딸에게는 아무것도 물려주지 않았던 고대 영국의 나이든 지배자다. 두 딸이 그에게 악행을 행하지만 효심 깊은 코딜리어는 끝까지 그의 편에 선다. 리어는 자신의 잘못을 깨달을 만큼 오래 살지만 코딜리어는 그가 죽기 전 그의 팔에 안겨 죽고 만다. (리어 왕)

리처드 3세 : 중세 말기의 영국 왕으로, 그의 진짜 본성에 관해서는 오늘날까지 많은 논쟁이 계속되고 있다. 셰익스피어는 그를 왕좌를 차지하기 위해 자신의 조카를 포함한 많은 사람들을 살해한 잔인하고 사악한 곱사등이라고 묘사한다. 연극과 실제의 역사 모두에서 리처드는 자신의 왕좌를 지키기 위한 전투에서 죽는다. (리처드 3세)

마크 안토니 : 줄리어스 시저의 충실한 친구로서, 시저가 살해된 후 로마를 지배하는 사람들 중 한 사람이 된다. 그는 시저의 시체를 앞에 놓고 행한 훌륭한 연설로 인해 유명해졌다. (줄리어스 시저)
다른 연극 〈안토니와 클레오파트라〉에서 그는 클레오파트라의 연인이며 주인공이다. 그가 로마에 대항하여 일으킨 반란은 실패하며, 클레오파트라가 자살했다는 잘못된 보고를 듣고 스스로 목숨을 끊는다.

말보리오 : 어떤 귀족부인의 대규모 가계를 책임지고 있는 집사다. 말보리오는 다른 사람들의 행동을 시정함으로써 그들의 재미를 빼앗아버리는 일을 제외하곤, 인생에서 어떤 다른 재미도 찾지 않는 사람이다. 그가 토비 경과 앤드루 에이규치크에게 늦은 밤에 술판을 벌이며 크게 떠들었다고 비난했기 때문에 그들은 그를 크게 골탕 먹일 복수를 계획한다. (십이야)

맥베스 : 스코틀랜드의 귀족이며 장군이다. 그는 전쟁터에서 영웅적인 공적을 세운 후에 자신의 아내와 함께 왕을 죽이고 스코틀랜드 왕좌를 찬탈할 음모를 꾸민다. 왕이 된 후 맥베스는 새로이 획득한 왕좌를 지키기 위해서 다른 사람들을 살해해야 한다는 사실을 깨닫는다. 그는 깊은 죄의식으로 고통을 받으면서 아내가 미쳐가는 것을 목격한다. 그는 결국 살해된 전임 왕에게 충성하는 세력들에 의해 죽는다. (맥베스)

발렌타인 : 밀라노 공작의 딸인 실비어와 정열적인 사랑에 빠진다. 도덕적인 견지에서 사랑을 반대해왔던 그는 자신이 사랑에 흠뻑 취하게 되자 세상 사람들에게 자신과 실비어를 축복해줄 것을 요구한다. (베로나의 두 신사)

브루투스: 고대 로마의 유명한 고위 정치인이었다. 시저의 친한 친구였던 그는 시저를 암살하는 음모단의 지도자가 된다. 그는 시

저를 마지막으로 칼로 찌른 사람이며, 시저가 죽은 후에 마크 안토니에게 대항하는 군대를 이끈다. (줄리어스 시저)

슬라이 : 정말로 하찮은 등장인물이지만 비전이 없는 행동을 통해 우리들에게 매우 큰 교훈을 준다. 그는 한 영주와 그의 수행원들에 의해 길거리를 떠도는 신세를 면하게 되는 부랑자다. 그 영주는 슬라이가 장원의 주인이지만 기억상실증으로 고생하고 있었다는 장난을 꾸민다. (말괄량이 길들이기)

안토니 : 한 젊은이의 생명을 구한 다음 그에게 돈까지 빌려주었던 늙은 선장이다. 그는 극에서 별로 중요하지 않은 역할을 하지만 셰익스피어의 작품에 나오는 가장 아름다운 연설 중 하나를 한다. (십이야)

안토니오 : 문자 그대로 '베니스의 상인'이다. 그는 상속녀 포르셔를 얻기 위해 애쓰고 있는 친구 바사니오를 도와주려고 고리대금업자 샤일록으로부터 돈을 빌린다. 결국 그는 그 돈을 갚을 수 없고, 샤일록은 안토니가 담보물로 제공했던 1파운드의 살을 요구한다. 자비를 요청하는 포르셔의 훌륭한 연설이 그를 위해 행해진다. (베니스의 상인)

오셀로 : 베니스의 군대를 지휘하는 영웅적인 무어인 장군이다.

그는 젊은 베니스인인 데스데모나와 결혼했다. 이아고의 잘못된 충동에 의해 생긴 강력한 질투심으로 인해 그는 그녀를 살해하며, 그 역시 비통하게 자살한다. (오셀로)

오필리어 : 햄릿을 사랑하는 불운한 젊은 여성이다. 자신의 어머니가 아버지를 배반했다는 사실을 알고 난 후 모든 여성들과 자기 자신에게 분노하고 있는 햄릿은 오필리어를 미워한다. 햄릿은 오필리어가 미쳐 스스로 물에 빠져 죽게 할 정도로 그녀를 잔인하게 대한다. (햄릿)

이아고 : 오셀로의 신뢰를 획득한 오셀로의 오른팔이다. 그는 자기 자신만이 아는 이유로 오셀로를 파멸로 몰아가며 오셀로에게 데스데모나가 젊은 남자와 연애하고 있다고 확신시킨다. 극 전체에 걸쳐 이아고는 오셀로를 질투심으로 미치게 만든다. 이아고가 그렇게 사악한 짓을 하게 된 진정한 동기가 무엇인가는 문학연구의 주요 토론 주제 중 하나다. (오셀로)

줄리어스 시저 : 역사상 가장 위대한 군사 지도자들 중 한 사람이다. 그는 고대 로마군단을 이끌고 많은 지역을 점령했다. 로마에 돌아와 막 독재자가 되려는 순간 암살되고 만다. (줄리어스 시저)

줄리엣 : 로미오에 대한 사랑과, 로미오의 가문과 유혈극을 벌

이고 있는 자신의 가문에 대한 충성심 사이에서 갈등하는 10대 소녀다. 로미오와 줄리엣은 비밀리에 결혼을 하지만 일련의 비극적인 사건들과 오해들로 인해 결국 죽고 만다. (로미오와 줄리엣)

카시우스 : 로마의 귀족으로, 시저가 로마 공화정을 파괴하고 독재자가 되려 한다고 믿는다. 카시우스는 많은 로마의 엘리트들, 특히 브루투스를 설득하여 시저를 죽이는 음모에 참여하게 만든다. (줄리어스 시저)

클레오파트라 : 이집트의 여왕으로, 마크 안토니가 그녀와 함께 지내느라고 로마에 대한 자신의 의무를 무시할 정도로 그를 매혹시킨다. 두 사람은 위대한 사랑과 사치를 공유하지만 자신들의 군대가 로마에 패한 후 자살한다. (안토니와 클레오파트라)

포르셔 : 부유하고 세상물정에 밝은 젊은 여자다. 그녀의 아버지는 죽으면서 그녀와 결혼하는 남자는 정확히 납 상자를 선택해야 한다는 유언을 남겼다. 그녀가 사랑한 바사니오는 그녀가 알려준 힌트를 이용해 납 상자를 선택함으로써 그녀와 결혼한다. 이 연극의 끝부분에서 안토니는 바사니오를 위해 빌렸던 돈을 갚지 못했기 때문에 매우 끔찍한 처벌에 직면하게 된다. 이에 사람들을 경멸하는 경향이 강했던 포르셔가 자비를 얻기 위해 지금까지 행해진 것 중 가장 훌륭한 간청연설을 한다. 그러나 불행하게도 안

토니의 생명을 구한 것은 이 연설이 아니라 그녀가 사용한 속임수였다. (베니스의 상인)

포틴브라스 : 노르웨이의 왕자로 햄릿과 비교되는 인물이다. 그의 결단성과 망설임 없는 용기는 우유부단한 햄릿을 조롱한다. 포틴브라스는 극의 마지막에 등장하며, 햄릿은 그가 덴마크를 다스리게 될 것이라는 유언을 한다. 아마 포틴브라스는 덴마크의 왕이 되었을 것이다. (햄릿)

폴로니어스 : 덴마크 궁전의 재상이며 햄릿이 한때 사랑했던 오필리어의 아버지다. 그는 자기 자신의 목적을 달성하기 위해 간계를 사용하며 왕과 왕비의 스파이로서 행동한다. 햄릿은 그가 왕이라고 생각하고 실수로 그를 죽인다. (햄릿)

폴스타프 : 셰익스피어에 의해 창조된 시대를 초월한 인물이다. 그는 세 개의 희곡에 등장하며 또 하나의 작품에서는 이름만 언급되었다. 명랑하고, 뚱뚱하고, 변변치 못한 인간인 폴스타프는 대신 재치 있고 믿지 않을 정도로 무책임하다. 엘리자베스 1세는 이 인물을 매우 사랑했기 때문에 셰익스피어를 설득하여 그를 주인공으로 하는 희곡을 쓰도록 했다. 그렇게 해서 만들어진 작품이 〈윈저의 명랑한 아낙네들〉이다. 그는 〈헨리 4세〉 1부와 2부에 등장하며 〈헨리 5세〉에서도 언급된다.

프로스페로 : 딸 미란다와 함께 추방되어 작은 배를 타고 표류하다가 작은 섬에 상륙한 밀라노 공작이다. 그 섬에서 프로스페로는 마술의 힘을 사용하여 폭풍우와 섬의 요정들을 길들인다. 그는 마침내 자신을 내쫓았던 사람들과 만나게 되며, 미란다는 여러 가지 사건들을 겪으면서 진정한 사랑을 발견한다. 프로스페로는 훌륭한 마술사이며 셰익스피어가 마지막으로 창조해낸 인물들 가운데 한 사람이다. 어떤 학자들은 프로스페로가 셰익스피어 자신을 상징한다고 말한다. (템페스트)

햄릿 : 덴마크 왕자이다. 그는 아버지의 유령을 만나게 되는데, 그 유령은 자신의 동생인 클라우디우스에게 살해되었다고 말한다. 클라우디우스는 이미 햄릿의 어머니와 결혼했으며 왕이 되어 있었다. 햄릿은 이 살인에 대해 복수하라는 요구를 받지만 쉽사리 행동하지 못하며, 스스로의 무능력 때문에 번민하면서 자신과 세상을 경멸한다. (햄릿)

지은이 | 조지 와인버그 *Dr. George Weinberg*

미국의 저명한 정신요법 의사이자 베스트셀러 작가. 뉴욕 대학에서 영문학 석사학위, 콜롬비아 대학에서 임상심리학 박사학위를 취득했다. 30여 년 동안의 임상경험을 바탕으로 한 저술활동으로도 명성이 높은 저자는, 23개국 언어로 번역 출간된 수많은 베스트셀러를 집필했다. 저자는 셰익스피어를 고전 희곡 작가로 보는 단순한 시각에서 벗어나 인간의 속성과 인생의 법칙을 정확하게 표현해낸 위대한 심리학자이자 정신과 의사로 보고, 작품에 등장하는 인물을 연구해 이 책에 담았다.

다이앤 로우 *Dianne Rowe*

미국 Simon&Schuster, Prentice Hall Press 등 유명 출판사의 편집자와 방송국을 거쳐 현재 뉴욕 비즈니스의 컨설턴트로 활동하고 있다. 조지 와인버그와 함께 여러 베스트셀러를 공동 집필했다.

옮긴이 | 김재필

경희대학교 영문과를 졸업하고 현재 전문 번역가로 활동중이다.

한언의 사명선언문

Our Mission   ─• 우리는 새로운 지식을 창출, 전파하여 전 인류가 이를 공유케
                          함으로써 인류문화의 발전과 행복에 이바지한다.

                     ─• 우리는 끊임없이 학습하는 조직으로서 자신과 조직의 발전
                          을 위해 쉼없이 노력하며, 궁극적으로는 세계적 컨텐츠 그룹
                          을 지향한다.

                     ─• 우리는 정신적, 물질적으로 최고 수준의 복지를 실현하기 위
                          해 노력하며, 명실공히 초일류 사원들의 집합체로서 부끄럼없
                          이 행동한다.

Our Vision   한언은 컨텐츠 기업의 선도적 성공모델이 된다.

> 저희 한언인들은 위와 같은 사명을 항상 가슴 속에 간직하고
> 좋은 책을 만들기 위해 최선을 다하고 있습니다.
> 독자 여러분의 아낌없는 충고와 격려를 부탁드립니다.
> • 한언 가족 •

HanEon´s Mission statement

Our Mission   ─• We create and broadcast new knowledge for the
                 advancement and happiness of the whole human
                 race.

                 ─• We do our best to improve ourselves and the
                 organization, with the ultimate goal of striving to
                 be the best content group in the world.

                 ─• We try to realize the highest quality of welfare
                 system in both mental and physical ways and we
                 behave in a manner that reflects our mission as
                 proud members of HanEon Community.

Our Vision   HanEon will be the leading Success Model of the
                 content group.